中华人民共和国法律释义丛书
全国人民代表大会法制工作委员会　编

中华人民共和国
国家赔偿法释义

主　编：李　飞（全国人大常委会法制工作委员会副主任）
副主编：许安标（全国人大常委会法制工作委员会国家法室主任）
武　增（全国人大常委会法制工作委员会国家法室副主任）
撰稿人：许安标　武　增　李　菊　汪　洋
陈国刚　陈希文　谭　喻　张　晶
黄宇菲　梁　菲　王正斌

法律出版社

图书在版编目(CIP)数据

中华人民共和国国家赔偿法释义 / 全国人大常委会法制工作委员会编. -- 北京 : 法律出版社, 2010.8(2018.11 重印)
(中华人民共和国法律释义)
ISBN 978-7-5118-0980-3

Ⅰ. ①中… Ⅱ. ①全… Ⅲ. ①国家赔偿法—法律解释—中国 Ⅳ. ①D922.115

中国版本图书馆 CIP 数据核字(2010)第 135139 号

中华人民共和国国家赔偿法释义
ZHONGHUA RENMIN GONGHEGUO GUOJIA PEICHANGFA SHIYI

全国人大常委会法制工作委员会 编

责任编辑 麦 锐
装帧设计 李 瞻

编辑统筹 法规出版分社

出版 法律出版社
总发行 中国法律图书有限公司
经销 新华书店
印刷 北京玺诚印务有限公司
责任印制 吕亚莉

开本 850 毫米×1168 毫米 1/32
印张 10.25
字数 220 千
版本 2010 年 8 月第 1 版
印次 2018 年 11 月第 2 次印刷

法律出版社/北京市丰台区莲花池西里 7 号(100073)
网址/www.lawpress.com.cn
投稿邮箱/info@lawpress.com.cn
举报维权邮箱/jbwq@lawpress.com.cn
销售热线/010-83938336
咨询电话/010-63939796

中国法律图书有限公司/北京市丰台区莲花池西里 7 号(100073)
全国各地中法图分、子公司销售电话:
统一销售客服/400-660-6393
第一法律书店/010-83938334/8335 西安分公司/029-85330678 重庆分公司/023-67453036
上海分公司/021-62071639/1636 深圳分公司/0755-83072995

书号:ISBN 978-7-5118-0980-3 **定价**:46.00 元
(如有缺页或倒装,中国法律图书有限公司负责退换)

总　　序

人类文明的历史上，还没有哪一个时代像中国的改革开放40年一样，在历史长河中掀起如此巨大的浪花——它不仅深刻改变了一个国家的面貌与精神气质、使数亿人摆脱贫困，还极大地改变了世界格局。

1978，在那一年的年底，中共中央一次全体会议——十一届三中全会扭转了中国的前进方向，开辟了一个时代。回首过去，我们发现，一些观念从那时开始在中国出现，一些声音从那时开始逐渐响起，一些人物开始登上历史舞台。从这一年开始，随着"加强社会主义民主，健全社会主义法制"历史性任务的提出，"法制"两个字进入了人们的视野；政法机关开始恢复重建；法律院系开始蓬勃发展。一部部法律从庙堂走进了人们的生活，一次次裁决推动着国家前进的脚步。从"有法可依、有法必依、执法必严、违法必究"到"科学立法、严格执法、公正司法、全民守法"；从"法制"到"法治"；从法治观念的形成到"依法治国，建设社会主义法治国家"写进宪法，再到"法治国家、法治政府、法治社会一体建设"，人们对法治的认识步步深入，中国的改革不断向前推进，结出丰硕的果实。在中国共产党的带领下，这个励精图治的古老国度，再一次创造了改革的奇迹。

40 年发生了无数故事,40 年产生了许多事物。为了纪念这难忘的 40 年,本社组织编辑出版了一批"纪念改革开放 40 周年"主题图书。这些图书,将 40 年来颁布的重要法律及其释义甄选汇集,将法学领域有代表性的学术论文萃取精编,把有关政法机关的重建、法律院系的重生与发展进行展现,将一批被时代改变命运的人物再次唤起。我们希望从法律与法律人的视角,重新审视过去的 40 年,认真体会这不平凡的 40 年。

如江河东下,逝者如斯。岁月总会过去,人事总有代谢,但一个不平凡的时代留下的深刻痕迹,永远不会磨灭。"不忘初心,牢记使命",习近平总书记在党的十九大报告中向全党发出的号召,使我们有理由期待,下一个 40 年,中国将更加惊艳!

法律出版社编辑委员会

2018 年 10 月

出 版 前 言

《中华人民共和国法律释义丛书》是由全国人大常委会法制工作委员会组织编辑的一套系列丛书。

该套丛书由一系列法律释义组成。邀请有关专家、学者和部分参与立法的同志编著。该丛书坚持以准确地反映立法宗旨和法律条款内容为最基本要求,在每部法律释义中努力做到观点的权威性和内容解释的准确性。

我们相信,该套丛书的陆续出版,将会给广大读者进一步学好法律提供有益的帮助。

重印说明

本次重印，是为改革开放40周年制作的特别纪念版，为了保持内容原貌，未对正文和附录作实质修改。个别法条内容有修订或修正的，以脚注形式作了标注。特此说明。

2018年10月

目　录

第一部分　释　义

第二部分　附　　录

第一部分　释　　义

第一章　总　　则

国家赔偿法于1994年5月12日由八届全国人大常委会第七次会议通过,并于1995年1月1日起实施,这标志着我国国家赔偿制度的正式建立。随着国家经济社会的发展,有关方面对国家赔偿法也提出了一些修改意见。根据国家赔偿法的实施情况和各方面的意见,2010年4月29日,十一届全国人大常委会第十四次会议审议通过了关于修改国家赔偿法的决定。修改后的国家赔偿法,畅通了赔偿请求渠道,完善了赔偿程序,明确了赔偿的范围和标准,理顺了赔偿费用管理和支付机构,这对于保护公民、法人和其他组织依法取得国家赔偿的权利,促进国家机关及其工作人员依法行使职权,化解矛盾纠纷,维护社会的和谐稳定,具有重大意义。

本章共两条,分别对国家赔偿法的立法宗旨和依据、国家赔偿归责原则及赔偿义务机关作了规定。

第一条　为保障公民、法人和其他组织享有依法取得国家赔偿的权利,促进国家机关依法行使职权,根据宪法,制定本法。

【释义】　本条是关于立法宗旨和依据的规定。

（一）国家赔偿制度的发展与确立

国家赔偿制度是国家对公权力在运行过程中发生的侵权行为承担责任的一项重要法律制度。我国的国家赔偿制度，经历了从无到有、逐步发展完善的过程。早在革命根据地时期，我党本着实事求是、坚持真理、修正错误的原则，对于自己的失误给有关人员造成的损害，敢于承认错误，并采取可能的措施使受害人的损害能够得到相应的补救。但这种补救措施主要还不是金钱赔偿，而是恢复名誉、职务或工作等。建国之后，我国在一个很长的时期内，对于冤假错案的处理，也是本着恢复名誉、职务、工作以及给予适当金钱的原则，予以平反昭雪。这些虽然都带有国家赔偿的性质，但并不是真正意义的国家赔偿。

公民因受到国家的侵害而有取得国家赔偿的权利，首先源自宪法。1954 年宪法规定："由于国家机关工作人员侵犯公民权利而受到损失的人，有取得赔偿的权利。"这就从宪法上确立了建立国家赔偿制度，保障公民权利的依据。但是，1957 年以后，特别是在"文化大革命"期间，我国的法制建设遭受到严重破坏，国家赔偿制度被否定，1975 年和 1978 年宪法都没有规定国家赔偿问题，其他的法律、法规更无国家赔偿的内容。党的十一届三中全会后，国家进行拨乱反正，加强社会主义民主法制建设，特别是伴随着对"文化大革命"中及以前的一批冤假错案的处理，国家赔偿问题再次受到关注。1982 年宪法重新规定了国家赔偿问题。宪法第四十一条规定："由于国家机关和国家工作人员侵犯公民权利而受到损失的人，有依照法律规定取得赔偿的权利。"在宪法规定之后，1986 年制定的民法通则又规定："国家机关或者国家机关工作人员在执行职务过程中，侵犯公民、法人的合法权益造成损害的，应当承担民事责任。"1989 年制定的行政诉讼法也规定："公民、法人或者其他组织的合法权益受到行政机关或者行政机关工作人员作出的具体行政行为侵犯造成损害的，有权请求赔偿。" 行政诉讼法的颁布,对国家赔偿法的制定是一个直接推动。为了保证行政诉讼法规定的行政赔偿制度的实施,为了保障受到国家侵害的公民取得国家赔偿权利的落实,促进国家机关依法行使职权,1994年5月全国人大常委会审议通过了国家赔偿法。

(二)国家赔偿法修改的必要性与指导思想

国家赔偿法自1995年1月1日实施以来,行政机关、司法机关依法处理了一批国家赔偿案件,一批当事人依法获得了国家赔偿。国家赔偿制度的建立与实施,对推进国家法制建设进程发挥了重要作用。与此同时,一方面,随着经济社会的发展,依法行政、依法治国的不断深入,法制建设的不断完善,需要国家赔偿制度与之相适应。另一方面,国家赔偿法在实施中也遇到了一些问题,主要是:赔偿程序的规定比较原则,对赔偿义务机关约束不够,有的机关对应予赔偿的案件拖延不予赔偿,当事人的合法权益难以得到保障;有的地方赔偿经费保障不到位,赔偿金支付机制不尽合理;赔偿项目的规定难以适应变化了的情况。此外,刑事赔偿范围的规定不够明确,实施中存在不同认识。这些问题不同程度地妨碍了赔偿请求人及时有效地获得国家赔偿。为了完善国家赔偿制度,第十届全国人大常委会将修改国家赔偿法列入五年立法规划。根据立法规划的要求,全国人大常委会法制工作委员会从2005年年底开始着手国家赔偿法的修改工作。2008年10月,全国人大常委会委员长会议提出国家赔偿法修正案草案,经全国人大常委会四次审议,于2010年4月29日审议通过了关于修改国家赔偿法的决定。

这次修改国家赔偿法,总的指导思想是以邓小平理论和"三个代表"重要思想为指导,落实科学发展观,贯彻党的十六大和十七大精神,坚持实事求是和有法必依、有错必纠的原则,体现宪法规定的尊重和保障人权的精神,体现我们党以人为本、执政为民的执政理念。修改工作注意从我国现阶段社会经济发展的实际出发,分清体制机制问题和工作执行问题,既要保障公民、法人和其他组织依法获得国家赔偿的权利,也要保障国家机关及其工作人员依法行使职权。

(三)关于立法宗旨

立法宗旨是指制定本法所要达到的目的,或者说所要实现的目标。立法宗旨表明了立法的出发点和落脚点,为立法活动指明方向和提供理论依据,对于确定法律的原则、设计法律制度、起草拟订条文、处理解决分歧意见等具有重要指导意义。国家赔偿法的立法宗旨:

一是,保障公民、法人和其他组织享有依法取得国家赔偿的权利。公民是否真正享有宪法规定的权利,这种权利能否得到切实的保护,是否有切实有效的救济途径,是衡量一个国家民主政治和法治水平的重要标志。我国是人民当家做主的社会主义国家,人民是国家的主人,国家的一切权力属于人民。国家所有的活动,就是要通过立法、行政、司法等活动,保护人民的权利不受侵犯。国家机关及其工作人员,依据法律对经济、文化、社会生活等各方面进行管理,其最终目的也是为了全体人民利益。

一方面,国家要从法律上保障公民、法人和其他组织享有政治、法律等权利,并创造实现权利的环境和条件,我国宪法以根本法形式确认了公民的基本权利,其他法律又作了细化规定。另一方面,国家通过法律手段,保证公民、法人和其他组织的合法权益不受侵犯。在合法权益受到侵犯的时候,国家应采取相应的措施使之能够得到恢复和补救。人类为了追求幸福美好的生活,在一定的阶段,需要组织形成不同的国家,没有国家是不行的。但是有了国家之后,又会出现很多问题,其中之一就是国家权力在行使和运行中会对公民权利造成侵害。在我国,国家机关及其工作人员在执行公务、行使职权时,由于种种原因,侵犯公民权利的现象还时有发生,这是一个不可回避的现实问题。对此,一方面,要采取种种措施，尽量防止并减少这种侵害行为的发生；另一方面，一旦发生了侵害，对遭受损害的公民、法人和其他组织要能够给予补救。为此，国家制定颁布了一系列法律，比较直接的有刑事诉讼法、行政诉讼法、行政复议法、行政处罚法、行政许可法等，而国家赔偿法就是又一部保护公民、法人和其他组织合法权益的重要法律。公民、法人和其他组织对遭受国家机关及其工作人员行使职权的侵害，可以依照本法的规定，请求给予赔偿，由国家依法予以处理，从而实现对侵权行为的补救。

二是，促进国家机关依法行使职权。权力必须受到监督和制约，没有监督的权力，必然导致专制、腐败，这已是被普遍接受的理论。有权必有责，用权受监督，侵权要赔偿则是权力必须受到监督制约在法治原则上的进一步体现。实践证明，如果缺少对权力的切实有效的监督，就可能助长国家机关及其工作人员违法行使职权或不认真履行职责的风气，从而侵犯公民、法人和其他组织的合法权益，就可能导致行政机关失职、越权、滥用职权，司法机关乱抓人、枉法裁判等现象屡禁不止。长此以往，将使得国家机关及其工作人员丧失责任心，缺乏使命感，难以公正有效地行使国家赋予的权力，从而损害国家形象，破坏国家与公民之间的关系，进而对国家的长治久安产生根本性影响。

经过不懈努力，我国建立了一套比较系统的对权力进行监督的体系，包括人民监督、权力机关监督、行政监督、司法监督等；在具体监督形式上，又有行政诉讼、行政复议、行政监察、审计监督等。建立国家赔偿制度，则意味着国家必须对国家机关及其工作人员的职务行为承担责任，国家必须加强对国家机关及其工作人员履职行为的监督。国家赔偿法据此进一步强化并明确了国家机关及其工作人员的具体责任，激活了监督机制。一是将国家责任明确为由同级机关直接赔偿，使每个国家机关对其行为责任有直接认识。二是对有故意或重大过失的责任人员；对有刑讯逼供或以殴打、虐待等行为或唆使、放纵他人以殴打、虐待等行为造成公民身体伤害或者死亡的责任人员；违法使用武器、警械造成公民身体伤害或者死亡的责任人员以及在处理案件中有贪污受贿，徇私舞弊，枉法裁判行为的责任人员，有权予以追偿。这对国家机关工作人员而言，不仅是对其工作的否定，而且要承担金钱赔偿，使其有切肤之痛。这样，有助于强化对国家机关及其工作人员的监督，防止和减少侵害公民权利现象的发生，改进国家机关及其工作人员的工作作风，促使国家机关及其工作人员提高依法办事的意识和自觉性。

（四）关于立法依据

本法的立法依据是宪法。宪法是国家的根本法，是中国特色社会主义法律体系的基础和核心。宪法具有最高法律效力，一切法律、行政法规都不得同宪法相抵触，一切立法活动都必须以宪法为依据。从广义上来讲，宪法是所有法律的制定依据，但有时所指的立法的宪法依据，专指宪法对某个具体问题的规定。就国家赔偿法而言，既有广义上的立法依据，宪法所确立的国家性质、人民在国家中的地位、国家机关的宗旨和性质，都是确立国家赔偿制度的依据。同时，宪法又有对国家赔偿问题的专门规定。宪法第四十一条第三款规定："由于国家机关和国家工作人员侵犯公民权利而受到损失的人，有依照法律规定取得赔偿的权利。"这是制定国家赔偿法的直接依据，即将宪法确定的公民权利转化为具体的法律制度。国家赔偿法对公民、法人和其他组织享有取得宪法规定的国家赔偿的权利，从实体和程序方面作了更具体的规定，是对宪法规定的具体化，是贯彻落实宪法的重要体现。

第二条　国家机关和国家机关工作人员行使职权，有本法规定的侵犯公民、法人和其他组织合法权益的情形，造成损害的，受害人有依照本法取得国家赔偿的权利。

本法规定的赔偿义务机关，应当依照本法及时履行赔偿义务。

【释义】　本条是关于国家赔偿归责原则及赔偿义务机关的规定。

（一）2010年修改之前国家赔偿的归责原则及遇到的问题

国家赔偿的归责原则是国家赔偿法的一个核心问题，其实质是国家在什么样的情况下承担赔偿责任，它决定了国家赔偿范围的确定和赔偿程序的设计。

在2010年修改国家赔偿法之前，原国家赔偿法第二条第一款规定："国家机关和国家机关工作人员违法行使职权侵犯公民、法人和其他组织的合法权益造成损害的，受害人有依照本法取得国家赔偿的权利。"这里将违法行使职权、侵犯合法权益和造成损害，作为受害人申请国家赔偿的三大条件。据此规定，一般理解，我国国家赔偿法在修改之前实行的是违法归责的原则，即只有国家机关及其工作人员违法行使职权导致公民、法人或者其他组织合法权益遭受损害，才承担赔偿责任。如修改前的国家赔偿法第三条、第四条在具体规定行政赔偿范围时，全部使用了"违法"的限制词；在第三十一条对法院采取的强制措施、保全措施造成损害的赔偿规定，也明确了必须以"违法"为前提。但是，也有一种意见认为，违法归责原则并不是国家赔偿归责原则的全部内容，认为修改前的国家赔偿法第十五条、第十六条关于刑事赔偿范围的规定，如对错误拘留、逮捕，再审改判无罪、原判刑罚已经执行的，国家应予赔偿，实行的是结果归责，而不是违法归责。

在2010年修改国家赔偿法的过程中，对国家赔偿的归责原则进行了深入而广泛的讨论。一种意见认为，尽管违法归责原则有很多优点，但仍有不少局限性，不利于保障公民赔偿权利的落实，也不能统领全法，如在刑事赔偿中，有的就是以结果来确定赔偿责任的。其主要修改意见有：一是改为过错归责原则，即只要国家机关及其工作人员行使职权有过错的，国家就应承担赔偿责任；二是改为结果归责原则，即只要国家机关及其工作人员行使职权的行为导致公民、法人或者组织合法权益遭受损害，国家就要承担赔偿责任；三是将单一归责原则改为多元归责原则，认为无论是哪一种归责原则，都有一定的局限性，最好是以违法归责原则为主，同时以过错归责原则和结果归责原则为补充。另一种意见认为，还是应当坚持以违法作为国家赔偿的主要归责原则。特别是在刑事侦查阶段对犯罪嫌疑人采取刑事强制措施，公安等机关执行的是刑事诉讼法，只要按照刑事诉讼法规定的条件、程序和期限采取刑事强制措施，即使事后证明错了，也不应承担赔偿责任。如果严格按照结果归责，刑事诉讼的三阶段划分就失去了意义。因此，刑事赔偿仍应坚持以违法作为确定国家赔偿责任的根本原则。

（二）多元归责原则的确立

立法机关经对各方面意见进行深入研究、分析，对国家赔偿归责原则作了修改完善，即国家机关和国家机关工作人员行使职权，有本法规定的侵犯公民、法人和其他组织合法权益的情形，造成损害的，受害人有依照本法取得国家赔偿的权利。这一修改与以前的规定相比较，最重要的变化是将“违法行使职权侵犯公民、法人和其他组织合法权益”改为“有本法规定的侵犯公民、法人和其他组织合法权益的情形”，不再用“违法”一词概括行政赔偿、刑事赔偿和司法赔偿中的各种不同情形，而是实事求是，分则中规定的是什么情形就是什么具体的赔偿范围，避免因对归责原则的不同理解而影响对具体赔偿范围的执行。本法规定的受害人有取得国家赔偿的权利的情形，主要是以下三种：

一是行政赔偿范围列举的情形。第三条规定：行政机关及其工作人员在行使行政职权时有下列侵犯人身权情形之一的，受害人有取得赔偿的权利：（1）违法拘留或者违法采取限制公民人身自由的行政强制措施的；（2）非法拘禁或者以其他方法非法剥夺公民人身自由的；（3）以殴打、虐待等行为或者唆使、放纵他人以殴打、虐待等行为造成公民身体伤害或者死亡的；(4)违法使用武器、警械造成公民身体伤害或者死亡的；(5)造成公民身体伤害或者死亡的其他违法行为。第四条规定：行政机关及其工作人员在行使行政职权时有下列侵犯财产权情形之一的，受害人有取得赔偿的权利：(1)违法实施罚款、吊销许可证和执照、责令停产停业、没收财物等行政处罚的；(2)违法对财产采取查封、扣押、冻结等行政强制措施的；(3)违法征收、征用财产的；(4)造成财产损害的其他违法行为。以上两条列举的九种情形，其中八种都明确使用了“违法”限制词，以是否违法认定赔偿责任。第三条第三项虽然没有使用“违法”限制词，但这种行为本身就是法律禁止的，不存在合法使用的问题。由此可以得出，行政赔偿以违法为归责原则。

二是刑事赔偿范围列举的情形。第十七条规定：行使侦查、检察、审判职权的机关以及看守所、监狱管理机关及其工作人员在行使职权时有下列侵犯人身权情形之一的，受害人有取得赔偿的权利：(1)违反刑事诉讼法的规定对公民采取拘留措施的，或者依照刑事诉讼法规定的条件和程序对公民采取拘留措施，但是拘留时间超过刑事诉讼法规定的时限，其后决定撤销案件、不起诉或者判决宣告无罪终止追究刑事责任的；(2)对公民采取逮捕措施后，决定撤销案件、不起诉或者判决宣告无罪终止追究刑事责任的；(3)依照审判监督程序再审改判无罪，原判刑罚已经执行的；(4)刑讯逼供或者以殴打、虐待等行为或者唆使、放纵他人以殴打、虐待等行为造成公民身体伤害或者死亡的；(5)违法使用武器、警械造成公民身体伤害或者死亡的。第十八条规定：行使侦查、检察、审判职权的机关以及看守所、监狱管理机关及其工作人员在行使职权时有下列侵犯财产权情形之一的，受害人有取得赔偿的权利：(1)违法对财产采取查封、扣押、冻结、追缴等措施的；(2)依照审判监督程序再审改判无罪，原判罚金、没收财产已经执行的。以上两条列举的七种情形，有两种明确使用了“违法”限制词,以是否违法认定赔偿责任,再加上根本不存在合法可能的刑讯逼供和殴打、虐待等行为,一共是三种。还有三种是以刑事诉讼的结果来认定赔偿责任。对于刑事拘留的赔偿责任,一部分是以违法来认定,一部分是以刑事诉讼的结果来认定。由此可以得出,刑事赔偿采取了违法归责和结果归责相结合的归责原则。

三是司法赔偿范围列举的情形。第三十八条规定:人民法院在民事诉讼、行政诉讼过程中,违法采取对妨害诉讼的强制措施、保全措施或者对判决、裁定及其他生效法律文书执行错误,造成损害的,赔偿请求人要求赔偿的程序,适用本法刑事赔偿程序的规定。这里既有"违法"限制词,也有"错误"限制词,由此可以得出,司法赔偿采取了违法归责和过错归责相结合的原则。

根据上述分析,国家赔偿法确立的归责原则主要是违法归责,同时兼有结果归责、过错归责。可以这样认为,为适应各种不同情形的需要,国家赔偿法确立了多元归责原则。这样的归责原则,直接解决了实践中对于归责原则的不同理解,将归责原则与赔偿范围结合起来,通过行政赔偿范围、刑事赔偿范围和司法赔偿范围的具体情形,实事求是地体现国家赔偿的归责原则。这对保障公民、法人和其他组织依法取得赔偿的权利具有重要意义,也是我国国家赔偿制度理论的重大发展。

(三)国家赔偿的构成要件

本条规定还确立了国家赔偿责任的构成要件。它是国家赔偿责任的成立所必须具备的条件,即国家具体在什么条件下才承担赔偿责任。根据本条第一款的规定,国家赔偿责任的构成要件可以概括为以下四个方面:

一是主体要件。只有国家机关及其工作人员才能成为国家侵权行为的主体,其他公民、法人侵权,不能由国家承担赔偿责任。随着现代社会的发展,社会分工越来越细,国家机关的职权范围日益扩大,国家事务的管理日益复杂化。为适应这种情况,国家机关通过法律、法规将部分职能授予其他组织行使。在这种情况下，被授权的组织也可以成为国家侵权的主体。就国家赔偿法规定的赔偿范围而言，侵权主体主要是两类：第一类是行政机关及其工作人员违法行使职权侵犯公民、法人和其他组织的合法权益；第二类是行使国家侦查、检察、审判职权的机关以及看守所、监狱管理机关及其工作人员在行使职权时侵犯公民、法人和其他组织的合法权益。

二是行为要件。国家机关及其工作人员有本法规定的侵犯公民、法人和其他组织合法权益的情形，国家承担赔偿责任。其行为应当是职务行为，国家机关工作人员实施与职权无关的侵权行为，不发生国家赔偿问题，应由该工作人员个人承担侵权责任。本法规定的赔偿情形范围之外，国家机关及其工作人员依法行使职权，也有可能导致公民、法人和其他组织产生财产上的损失，如征用、征收财产。在这种情况下，国家给予补偿，但不是国家赔偿。

三是损害结果要件。造成损害后果是赔偿的条件，没有损害后果，也就无须赔偿。损害后果包括对公民人身权及公民、法人和其他组织财产权造成的损害。一般情况下，有侵权行为，就会发生一定的损害后果，但是有时虽实施了某种侵权行为，也有可能未造成任何损害结果，此种情况下则不产生国家赔偿责任。

四是因果关系要件。也就是行为主体的侵权行为与造成损害的结果之间存在因果关系。行为主体的侵权行为与损害后果之间存在内在的、本质的、必然的联系。

在具体案件中，以上四个构成要件是确定国家是否承担赔偿责任，是否应给予被侵权的公民、法人和其他组织国家赔偿的标准。

(四)赔偿义务机关应当及时履行赔偿义务

本条第二款还规定了履行国家赔偿责任的赔偿义务机关及履行赔偿义务的时限要求。本法规定的赔偿义务机关，从承担国家赔偿责任的主体是否单一来看，有单一赔偿义务机关及两个以上共同承担赔偿责任的共同赔偿义务机关；从赔偿义务机关的性质来看，有行政机关、行使侦查、检察和审判职权的司法机关以及看守所、监狱管理机关；其中行政机关作为赔偿主体时，还有被授权的组织。

本法规定的赔偿义务机关，应当依照本法及时履行赔偿义务。一是赔偿义务机关应当自收到赔偿申请之日起两个月内，作出是否赔偿的决定，并在作出决定之日起十日内书面告知赔偿请求人。二是赔偿义务机关应当自收到支付赔偿金申请之日起七日内，依照预算管理权限向有关的财政部门提出支付申请。财政部门应当自收到支付申请之日起十五日内支付赔偿金。上述时限是最长时限，不得超过；在法定时限内，应当尽量提前，以尽快、及时履行赔偿义务。

第二章 行政赔偿

行政赔偿是指国家行政机关及其工作人员违法行使职权，侵犯公民、法人或者其他组织的合法权益并造成损害的，由国家承担赔偿责任的制度。本章从赔偿范围、赔偿请求人和赔偿义务机关、赔偿程序等方面对行政赔偿作了规定。

第一节 赔偿范围

第三条 行政机关及其工作人员在行使行政职权时有下列侵犯人身权情形之一的，受害人有取得赔偿的权利：

（一）违法拘留或者违法采取限制公民人身自由的行政强制措施的；

（二）非法拘禁或者以其他方法非法剥夺公民人身自由的；

（三）以殴打、虐待等行为或者唆使、放纵他人以殴打、虐待等行为造成公民身体伤害或者死亡的；

（四）违法使用武器、警械造成公民身体伤害或者死亡的；

（五）造成公民身体伤害或者死亡的其他违法行为。

【释义】 本条是关于行政机关及其工作人员在行使职权时侵犯人身权的赔偿范围的规定。

行政赔偿的范围，是指行政机关及其工作人员在行使行政职权的活动中给公民、法人或者其他组织造成损害，国家对此承担责任并予以赔偿的领域。行政赔偿的范围一般包括两个方面：一是赔偿的行为范围，即国家对哪些行政行为造成的损害承担赔偿责任，对哪些行政行为造成的损害不承担赔偿责任。二是赔偿的损害范围，即对于公民、法人或者其他组织的哪些损害，国家承担赔偿责任；哪些损害，国家不承担赔偿责任。世界各国关于行政赔偿范围的立法模式主要有三种：第一种是概括式，即在国家赔偿法中规定一个概括性条款，不作详细列举。第二种是列举式，包括肯定性列举和否定性列举两种方式。肯定性列举是对属于行政赔偿范围的事项逐个加以列举，凡列举的事项都属于行政赔偿的范围。否定性列举也称排除性列举，即对不属于行政赔偿范围的事项逐项列举，凡列举的事项都不属于行政赔偿的范围，凡未被列举的事项则都属于行政赔偿的范围。第三种是混合式，即将概括式和列举式两种模式相结合，对行政赔偿范围既作概括性规定，又在具体的条文中列举赔偿的事项。

本法规定行政赔偿范围采取的是混合式的立法模式，既有概括性规定，又有列举式规定；列举规定中既有肯定性规定，也有否定性规定。本法第三条、第四条、第五条就是这一立法模式的体现。

本条所称的行政机关，是指依照宪法或者行政组织法的规定而设置的、行使国家行政职能的国家机关。首先，行政机关是国家机关，不同于政党、社会组织和其他团体。其次，行政机关是行使国家行政职能的国家机关，这一点使其与立法机关、司法机关相区别。最后，行政机关是依照宪法或者行政组织法的规定而设置的国家机关，因此不同于法律、法规授权的组织和其他受行政机关委托行使某些行政职权的组织。行政机关及其工作人员代表国家行使行政职能，执行法律、管理国家内政外交事务，因违法行使职权给公民、法人和其他组织的合法权益造成损害的，应当由国家承担赔偿责任。此外，法律、法规授权的组织以及行政机关委托的组织根据授权或者委托行使特定的行政职能，其违法造成损害的，也应当由国家承担赔偿责任。

本条的规定仅限于对人身权损害的赔偿。人身权是权利主体（公民、法人或者其他组织）基于其人格或者身份而依法享有的，以其人格利益或身份利益为客体的权利。本条规定的侵犯人身权的情形主要包括侵犯公民人身自由和公民生命健康权两个方面。公民的人身自由和生命健康权是宪法赋予公民的基本权利，不受任何人的非法侵犯，当然也包括不受行政机关及其工作人员的非法侵犯。

根据本条规定，行政机关及其工作人员在行使职权时，有下列侵犯人身权情形之一的，受害人有取得赔偿的权利：

（一）违法拘留或者违法采取限制公民人身自由的行政强制措施的

这是指根据法律授权，行使限制人身自由权力的行政机关，实施行政拘留的行政处罚或者限制公民人身自由的行政强制措施时，违反法律规定，侵犯公民人身自由的情形。

行政拘留又称治安拘留，是公安机关依法对违反行政法律规范的人，在短期内限制其人身自由的一种行政处罚。根据治安管理处罚法、道路交通安全法、禁毒法、公民出入境管理法等法律的规定，行政拘留的期限为一日以上十五日以下。根据治安管理处罚法的规定，有两种以上违反治安管理行为的，分别决定、合并执行。行政拘留处罚合并执行的，最长不超过二十日。对于特定的违反治安管理行为人不执行行政拘留处罚。行政拘留的决定权只有县级以上的公安机关享有，其他任何行政机关都没有决定行政拘留的权力。

行政强制措施，是指行政机关在行政管理过程中，为制止违法行为、防止证据损毁、避免危害发生、控制危险扩大等情形，依法对公民人身自由实施暂时性限制，或者对公民、法人或者其他组织的财产实施暂时性控制的行为。行政强制措施根据对象的不同，可以分为对人身自由的强制措施和对财产的强制措施。本条所称限制人身自由的强制措施在实践中的表现形式很多,但都必须由法律作出规定。如根据治安管理处罚法,公安机关对违反治安管理的行为人可以强制传唤;根据禁毒法,公安机关对涉嫌吸毒的人员可以强制检测,对吸毒成瘾人员可以作出强制隔离戒毒的决定;根据传染病防治法,公安机关可协助医疗机构对特定人员采取强制隔离治疗措施。

行政拘留和限制人身自由的行政强制措施是行政管理领域最为严厉的限制人身自由的行政行为,法律赋予行政机关行使限制人身自由的权力,并不等于这些行政机关可以不讲条件,毫无限制地随便运用这些权力。行政拘留和行政强制措施必须严格依法进行,违法采取行政拘留或者限制人身自由的行政强制措施的,国家要承担赔偿责任。行政处罚和限制人身自由的行政强制措施的合法性要求主要包括:第一,主体合法。法律对行政拘留和采取限制人身自由的行政强制措施的行政机关作了明确规定,如行政拘留只有县级以上公安机关可以作出,对检疫传染病染疫人员只有国境卫生检疫机关有权将其隔离。法律没有授权的行政机关实施了上述行为,则构成违法。第二,对象合法。行为人必须具有应当受到限制人身自由的法定情形,如行政拘留一般适用于严重违反治安管理规范的行为人,并且只有在使用警告、罚款处罚不足以惩戒违法者时才适用。对法律没有规定的应予行政拘留的人予以行政拘留的,则构成违法。第三,内容合法。行政机关作出行政拘留决定或者采取限制人身自由的强制措施必须有法律的明确授权,并严格依照法律规定的方式和幅度进行,超出法定行为方式和幅度的,都是违法的。如法律对行政拘留的适用条件作了明确规定,只有符合法定情形的,才可以采取行政拘留,对不符合行政拘留条件的,不能作出行政拘留决定。如果行人违反交通规则,根据法律,只能对其处以罚款或者警告,如果对其作出行政拘留决定,就属于违法。第四,程序合法。作出行政拘留和采取限制人身自由的行政强制措施必须依照法定的程序进行,违反程序同样构成违法。例如,根据治安管理处罚法的规定,以非法手段收集的证据不得作为处罚的根据,如果根据这些非法手段收集的证据作出行政拘留决定的,则构成程序违法。

(二)非法拘禁或者以其他方法非法剥夺公民人身自由的

这是指行政机关及其工作人员在行使职权过程中,不具有行政拘留或采取限制人身自由的行政强制措施的权力,超越法律授权,采取拘禁、禁闭、隔离、关押等方法剥夺公民人身自由。

行政机关的职权是由法律规定的,其行使职权的范围必须受到法律限制,如果法律并没有赋予某一行政机关行使限制人身自由的权力,该行政机关就无权限制人身自由。例如,工商行政管理机关在进行市场管理时,对违法行为人可以依法予以罚款、扣押财物、没收违法所得、吊销经营许可证。法律并没有赋予其行使限制人身自由的职权,如果工商行政管理机关对违反工商管理法律法规的行为人实施拘禁、关押等限制人身自由的措施,就是非法剥夺公民人身自由,是一种违法行为。

无权行使限制人身自由权利的行政机关在行使职权时,如果发现行为人的违法行为应当由其他行政机关依法采取限制人身自由的措施,应当将案件交由有权机关处理,而不能越权采取限制人身自由的措施。

现实生活中,一些行政机关及其工作人员依法行政观念不强,对自己拥有哪些职权不清,致使非法拘禁等非法剥夺公民人身自由的现象时有发生。我国宪法明确规定,公民的人身自由不受侵犯。禁止非法拘禁和以其他方法非法剥夺或者限制公民的人身自由。对于非法剥夺公民人身自由的行为,只要付诸实施,不论时间长短,都构成对公民人身自由权的侵害。非法剥夺公民人身自由的行为只要是由行政机关行使职权引起的,或者与行使职权有关的，国家都应当承担赔偿责任。

（三）以殴打、虐待等行为或者唆使、放纵他人以殴打、虐待等行为造成公民身体伤害或者死亡的

这是指行政机关工作人员在行使职权时，违法乱纪，使用殴打等暴力行为或者虐待等方法造成公民身体伤害、死亡，或者虽然不是由于行政机关及其工作人员直接实施的殴打、虐待行为，而是由于行政机关工作人员唆使、放纵他人殴打、虐待公民造成其身体伤害、死亡的，国家应当承担赔偿责任。殴打是指使用工具或者不使用工具打击公民身体的暴力行为。

2010年修改国家赔偿法，总结实践中出现的各种情形，在殴打等暴力行为之外，增加了关于虐待的情形。虐待的表现形式很多，如罚站、罚跪、强迫吃不洁物品、长时间强光照射、热天火烤、冬天冰冻、不允许睡觉。人的健康和生命是人赖以生存的物质保障，也是最基本的人权，以暴力侵犯他人的健康和生命为世界各国法律所普遍禁止，国际社会为促进对人权和基本自由的普遍尊重，专门制定了《禁止酷刑和其他残忍不人道或者有辱人格的待遇或处罚公约》，我国在1988年9月5日经全国人大常委会批准通过，加入了这一公约。根据公约精神，公职人员或以官方身份行使职权的其他人，非因法律制裁，蓄意使公民在肉体或精神上遭受剧烈疼痛或痛苦的行为，都应受到禁止，受害者享有获得公平和足够赔偿的权利。本法将殴打、虐待等行为或唆使、放纵他人殴打、虐待等行为造成公民身体伤害或者死亡的都列入国家赔偿的范围，不仅是遵守国际公约的需要，更重要的是体现了我国对人权的尊重和保护。在我国，任何人，即使是犯了罪的人，其健康和尊严都不应受到侵犯；其生命，非依法律不得剥夺。行政机关及其工作人员在行使职权过程中殴打、虐待受害人，或者放纵、唆使他人殴打、虐待受害人，国家应当承担赔偿责任。

这里需要强调的是，行政机关工作人员殴打、虐待受害人的行

为是与其行使职权有关的行为,如果这种行为与行使职权无关,完全是个人行为,则不产生国家赔偿责任问题。例如,一名警察在饭店吃饭,因与服务员发生口角,遂将该服务员打伤。这种殴打行为不是发生在执行职务、行使职权过程中,与行使职权无关,纯粹是该警察的个人行为,如果产生赔偿责任,只能是由该警察承担民事赔偿责任,国家不承担赔偿责任。

本条规定的"唆使、放纵"是指不是由行政机关及其工作人员直接实施的,而是由他人实施的殴打、虐待等行为,但行政机关及其工作人员有教唆、指使的行为或者负有制止上述行为的义务但放任上述行为发生的情形。对此,国家应当承担赔偿责任。如看守所或者监狱管理机关工作人员唆使牢头狱霸殴打、虐待他人或者发现牢头狱霸殴打、虐待他人的不予制止,导致公民身体伤害或者死亡的,应当承担赔偿责任。

(四)违法使用武器、警械造成公民身体伤害或者死亡的

武器是指有关行政机关按照规定装备的枪支、弹药等致命性武器;警械是指公安等行政机关的工作人员按照规定装备的警棍、催泪弹、高压水枪、特种防暴枪、手铐、脚镣、警绳等警用器械。违法使用武器警械是指行政机关工作人员在行使职权时,违反国家法律有关武器警械的使用规定而使用武器警械,造成公民身体伤害或者死亡的行为。为了制止犯罪行为,保护人民群众,实施正当防卫,法律有必要赋予某些行政机关使用武器、警械的权力。但是,由于武器、警械具有杀伤性的特点,使用不当,就会给公民的生命健康造成重大的、甚至是难以挽回的损害。因此,法律对武器、警械的使用作了严格的限制。比如,人民警察法规定,遇有拒捕、暴乱、越狱、抢夺枪支或者其他暴力行为的紧急情况,公安机关的人民警察依照国家有关规定可以使用武器;为制止严重违法犯罪活动的需要,公安机关的人民警察依照国家有关规定可以使用警械。

根据《人民警察使用警械和武器条例》的规定，人民警察判明有下列暴力犯罪行为的紧急情形之一，经警告无效的，可以使用武器：(1)放火、决水、爆炸等严重危害公共安全的；(2)劫持航空器、船舰、火车、机动车或者驾驶车、船等机动交通工具，故意危害公共安全的；(3)抢夺、抢劫枪支弹药、爆炸、剧毒等危险物品，严重危害公共安全的；(4)使用枪支、爆炸、剧毒等危险物品实施犯罪或者以使用枪支、爆炸、剧毒等危险物品相威胁实施犯罪的；(5)破坏军事、通讯、交通、能源、防险等重要设施，足以对公共安全造成严重、紧迫危险的；(6)实施凶杀、劫持人质等暴力行为，危及公民生命安全的；(7)国家规定的警卫、守卫、警戒的对象和目标受到暴力袭击、破坏或者有受到暴力袭击、破坏的紧迫危险的；(8)结伙抢劫或者持械抢劫公私财物的；(9)聚众械斗、暴乱等严重破坏社会治安秩序，用其他方法不能制止的；(10)以暴力方法抗拒或者阻碍人民警察依法履行职责或者暴力袭击人民警察，危及人民警察生命安全的；(11)在押人犯、罪犯聚众骚乱、暴乱、行凶或者脱逃的；(12)劫夺在押人犯、罪犯的；(13)实施放火、决水、爆炸、凶杀、抢劫或者其他严重暴力犯罪行为后拒捕、逃跑的；(14)犯罪分子携带枪支、爆炸、剧毒等危险物品拒捕、逃跑的；(15)法律、行政法规规定可以使用武器的其他情形。同时，该规定还对不得使用武器的情形予以明确：(1)发现实施犯罪的人为怀孕妇女、儿童的，但是使用枪支、爆炸、剧毒等危险物品实施暴力犯罪的除外；(2)犯罪分子处于群众聚集的场所或者存放大量易燃、易爆、剧毒、放射性等危险物品的场所的，但是不使用武器予以制止，将发生更为严重危害后果的除外。人民警察使用武器、警械时，应严格遵守上述规定，违反规定造成公民身体伤害或者死亡的，国家应当承担赔偿责任。

(五)造成公民身体伤害或者死亡的其他违法行为

这是一项兜底规定，是为了适应实践中复杂情况所作的灵活规定。行政机关的职权是多方面的，其实施的活动也是多种多样的。本条一至四项所列举的仅仅是其中最为普遍或者最受关注的违法行为，此外还有很多可能对公民人身权、财产权造成侵害的行为，本法没有也无法全部加以列举。为了充分保护公民、法人和其他组织的合法权益，本项对上述四项没有列举的行为作出兜底规定，以弥补列举规定的不足。

第四条　行政机关及其工作人员在行使行政职权时有下列侵犯财产权情形之一的，受害人有取得赔偿的权利：

（一）违法实施罚款、吊销许可证和执照、责令停产停业、没收财物等行政处罚的；

（二）违法对财产采取查封、扣押、冻结等行政强制措施的；

（三）违法征收、征用财产的；

（四）造成财产损害的其他违法行为。

【释义】　本条是关于行政机关行使职权侵犯公民、法人或者其他组织的财产权的赔偿范围的规定。

公民、法人或者其他组织对财产的占有、使用、收益和处分的权利，即权利主体对财产的实际控制，对财产进行事实上的利用，收取财产所产生的某种权益以及决定财产在法律上的命运的权利，都属于财产权的内容。宪法规定，公民的合法的私有财产不受侵犯。国家依照法律规定保护公民的私有财产权和继承权。我国公民的财产权受法律保护，行政机关及其工作人员在行使行政职权时有下列侵犯财产权情形之一的，受害人有取得国家赔偿的权利：

（一）违法实施罚款、吊销许可证和执照、责令停产停业、没收财物等行政处罚的

罚款是行政机关依法强制违法的公民、法人或者其他组织在一定期限内向国家缴纳一定数量金钱的处罚。吊销许可证和执照

是行政机关对持有某种许可证或者执照,但其活动违反许可的内容和范围的公民、法人或者其他组织的处罚。许可证和执照是行政机关根据公民、法人或者其他组织的申请,赋予申请人从事某种活动的权利和资格的书面凭证。许可证和执照的种类很多,有保障公共安全的许可,如特种行业营业许可证、持枪许可证;有保障人民健康的许可,如卫生许可证、药品生产经营许可证。

这里需要注意的是,对许可证和执照的概念应该按照行政许可法的规定来理解,包括行政机关实施的具有资格或者行为授权性质的各种具体行政行为。责令停产停业是行政机关命令企业在一定期限内停止经营活动的处罚形式,有附条件和附期限两种。"附期限"是指命令企业在指定期限内治理整顿;"附条件"是指不明示期限,以治理整顿是否达到预期目标作为处罚失效的条件。没收财物是行政机关将违法行为人的非法所得、违禁物或者违法行为工具予以没收,是对生产、保管、加工、运输、销售违禁物品或者进行其他违法经营行为的公民、法人或者其他组织实施的一种经济上的处罚。如渔政管理部门没收非法渔获物和渔具,公安部门没收赌具、赌资,海关没收违禁物品。

国家赔偿法列举了以上四种典型的行政处罚行为,实践中行政处罚的种类很多,需要根据具体的情形予以判断。根据行政处罚法的规定,行政处罚应当遵循处罚法定原则,即处罚的主体应当合法、处罚的依据应当合法、处罚的内容应当合法、处罚的程序应当合法。行政机关作出处罚决定,违反上述法定原则要求,给公民、法人或者其他组织财产权造成损害的,受害人有取得国家赔偿的权利。

(二)违法对财产采取查封、扣押、冻结等行政强制措施的

查封是指行政机关对财产所有人的动产或者不动产就地封存,贴上封条。扣押是指行政机关将动产置于自己的控制之下。冻结是指银行根据行政机关的请求,不准存款人动用银行存款。

此外，对财产的行政强制措施还有强制划拨、强制销毁、强制收兑、强行退还、强行拆除、强制变卖、财产保全等。

违法对财产采取强制措施主要是指：(1)无权作出行政强制措施的机关对财产采取强制措施的；(2)公民、法人或者其他组织依法履行了法定义务，不存在应对其财产采取强制措施的法定情形的；(3)采取对财产的强制措施没有明确的法律依据的；(4)采取对财产的强制措施违反法定程序的。行政机关违法对财产采取强制措施造成损害的，受害人有取得国家赔偿的权利。

(三)违法征收、征用财产

宪法第十条第三款规定，国家为了公共利益的需要，可以依照法律规定对土地实行征收或者征用并给予补偿。第十三条第三款规定，国家为了公共利益的需要，可以依照法律规定对公民的私有财产实行征收或者征用并给予补偿。2010年修改国家赔偿法，根据宪法的有关规定，将原来规定的违反国家规定征收财物、摊派费用修改为违法征收、征用。征收和征用的共同点在于强行性。征收和征用，都是依据行政机关单方面的征收命令、征用命令而发生效力，无须征得被征收、被征用的公民、法人或者其他组织的同意。征收和征用的不同点是：征收是国家强行收买公民、法人等的不动产，主要是土地所有权和土地使用权；征用是国家强行使用公民、法人等的不动产和动产，使用完毕应返还原物，原物毁损不能返还的，应当照价赔偿。

征收、征用必须符合三项法定条件：一是为了公共利益的需要。公共利益以外的目的，如商业目的，不应适用国家征收、征用。所谓公共利益，一般的理解是指社会成员中不特定多数人的共同利益，如公共道路交通、公共卫生、灾害防治、国防、科学及文化教育事业以及环境保护、文物古迹及风景名胜区的保护，均属于公共利益。因商业目的需要取得公民和法人的土地使用权，应当与土地使用权人平等协商，按照合同法的规定签订合同。二是征收、征用应符合法律规定的程序。三是必须对被征收、征用的公民和法人给予公正补偿。违反上述三项条件，对公民、法人或者其他组织的合法财产进行征收、征用的，受害人有取得国家赔偿的权利。

（四）造成财产损害的其他违法行为

这是一项兜底性条款，是指造成公民、法人或者其他组织财产权损害的其他一切违法的行政行为。例如，行政机关违法侵犯经营自主权造成财产损害的，行政机关不作为造成财产损害的等方面。

第五条　属于下列情形之一的，国家不承担赔偿责任：

（一）行政机关工作人员与行使职权无关的个人行为；

（二）因公民、法人和其他组织自己的行为致使损害发生的；

（三）法律规定的其他情形。

【释义】　本条是关于行政赔偿免责条款的规定。

根据本条的规定，国家不承担赔偿责任的情形主要有：

（一）行政机关工作人员与行使职权无关的个人行为

行政机关工作人员实施与行使行政职权无关的行为，其行为主体不是行政机关，而是行政机关工作人员本人。区分行政机关工作人员的行为是职务行为还是个人行为，通常要综合考虑以下因素：（1）时间要素。行政机关工作人员在上班和执行任务期间实施的行为，通常视为职务行为，而在下班和非执行任务期间实施的行为，则通常视为个人行为。（2）名义要素。行政机关工作人员的行为是以其所属的行政主体的名义作出的，通常视为职务行为；非以其所属的行政主体的名义作出的，通常视为个人行为。（3）公益要素。行政机关工作人员的职务行为涉及公共利益的，或者同公共事务有关的，通常视为职务行为；不涉及公共利益，与公共事务无关的，通常视为个人行为。（4）职责要素。行政机关工作人员的行为属于其职责范围的，通常视为职务行为；超出其职责范围的，通常视为个人行为。（5）命令要素。行政机关工作人员按照法律或者行政首长的命令、指示以及委托实施的行为，通常视为职务行为；无命令和法律根据的行为，通常视为个人行为。（6）职务标志要素。行政机关工作人员执行职务，佩带或出示能表明其身份的职务标志，通常视为职务行为，反之则属于个人行为。行政机关工作人员与行使职权无关的个人行为给公民、法人或者其他组织造成损害的，由该工作人员本人承担赔偿责任，国家不承担赔偿责任。

（二）因公民、法人和其他组织自己的行为致使损害发生的，即受害人过错造成损害发生的

因受害人自己的行为致使损害发生或者扩大的，过错在于本人，后果应当由其个人承担，理论上称为“过错相抵”原则。例如，妻子违反交通规则导致事故发生，丈夫担心妻子受到处罚，谎称是自己驾驶汽车导致事故发生，致使公安机关将其拘留。对此，丈夫不但无权请求国家赔偿，还应当承担伪造证据、扰乱行政执法的责任。又如，公民在被行政拘留期间，自伤、自残的，也不能请求国家赔偿。在受害人和行政机关对损害的发生都有过错时，应当根据受害人过程的程度，认定行政机关的侵权行为与损害结果之间的联系程度，确定因果关系以及赔偿责任的大小。

（三）法律规定的其他情形

目前其他法律规定的国家赔偿责任的免责事由主要有以下几种：一是不可抗力，二是紧急避险，三是意外事件，四是第三人过错，五是正当防卫。

除了本条规定国家不承担赔偿责任的三种情形外，实践中对国家赔偿法没有明确排除的几类事项，国家是否应当免除赔偿责任，学理上存在争议：

（1）国家行为。所谓国家行为，是涉及国家根本制度的维护和国家主权的运用，由作为整体意义的国家承担法律后果的政治

行为。国家行为只有特定国家机关才能实施,一般包括国务院、中央军委、国防部、外交部以及特别情况下的省一级人民政府。从行为的性质上看,主要有两类:一是涉及国防、外交等国家重大事务,二是宣布紧急状态,施行戒严、总动员等。

一种意见认为,国家行为致害不承担赔偿责任。理由主要是:第一,国家行为不仅仅涉及相对人的利益,而且涉及国家的整体利益和人民的根本利益,关系到国家的荣誉、尊严甚至存亡,在这种情况下,不能要求国家对其行为承担赔偿责任。第二,国家行为通常以国家对内、对外的基本政策为依据,以国际政治斗争的形式为转移,法院难以作出判断,不适合通过法院作出赔偿判决。第三,国家行为的失误通常只由有关领导人承担政治责任,不由国家承担赔偿责任。

另一种意见认为,国家行为虽然有自己的特点,如政治性、裁量性、主权性和不确定性,但这不是免责的理由,这些特点与国家赔偿责任是否成立没有内在的关联性。国家行为也应当受到法治国家原则的约束,给特定的公民造成特别损害也应当承担赔偿责任。

对于国家行为,各国基于其多为政治行为的考虑,一般都予以责任豁免。如在日本,对于外交部长拒绝给某个想去与日本无邦交的国家的日本公民发放护照的行为,法院认为此行为为外交行为,应予免责。只是到了 19 世纪下半叶以后,极个别国家在判例中对国家行为造成的损害判决国家负赔偿责任。例如,法国行政法院在国家对立法行为负责的影响下,开始对国家行为不负赔偿责任创设了一些例外,如国家对于条约所产生的特别而巨大的损害,在条约本身和授权批准该条约的法律中没有排除责任的规定时,行政法院也根据公共负担平等原则,判决国家负赔偿责任。但这种责任是例外情况,国家行为原则上不负赔偿责任。

对于国家行为,行政诉讼法第十二条已经明确将其排除在行政诉讼受案范围之外。相对人因国防、外交等国家行为遭受损害的,在我国一般认为属于因公共利益所承受的“公益负担”,国家对此不承担赔偿责任。

(2)公务员管理行为。所谓公务员管理行为,是指行政机关对其所属公务员的奖惩、任免、培训、考核、离退休、工资、休假等决定。

对于公务员管理行为给公务员造成损害,国家是否应当承担赔偿责任的问题,有两种代表意见:

①否定说。认为公务员只能通过申诉寻求救济,如果允许公务员提起赔偿诉讼,违反了行政诉讼法有关受案范围的规定。

②折中说。认为原则上不予赔偿,但在行政机关自己确认违法,并且在行政程序中没有达成赔偿协议的情况下,公务员可以提起赔偿诉讼。与此类似的一种观点认为,公务员管理行为违法侵犯公务员的人身权或财产权并造成实际损害,通过其他途径无法获得救济的,可以请求行政赔偿。

对于公务员管理行为,传统观点认为此行为属于内部行政行为,受特别权力关系规则的调整,公务员不得诉请法院救济,在实践中各国一般也对公务员管理行为予以责任豁免。但第二次世界大战以后,特别权力理论受到挑战,在实践中有的国家开始承认公务员管理行为致害的国家赔偿责任。例如,在法国,公务员认为行政机关的公务员管理行为侵犯自己的合法权益的,可以向行政法院提起撤销之诉或损害赔偿之诉,以撤销行政机关作出的违法的纪律处分或获得因违法的纪律处分所遭受的损失赔偿。

对于管理公务员的行为,行政诉讼法第十二条也明确将其排除在行政诉讼受案范围之外。公务员因奖惩、任免等公务员管理行为造成的损害,可以通过向有关机构申诉等途径获得救济,而不通过国家赔偿的方式获得救济。

(3)行政裁量行为。行政裁量行为也称自由裁量行为,是行政机关在法律规定的条件下,根据自己的判断所采取的行为。行政管理过程中行政裁量行为是不可避免的,其对行政相对人利益的损害也是现实存在的。对于行政裁量行为致人损害是否应当承担赔偿责任,也存在不同的认识。

一种意见认为,行政裁量行为如果达到滥用职权或显失公正程度,则构成违法行为,其所造成的损害,应当给予赔偿;如果是一般的不适当,则国家不予赔偿。

另一种意见认为,行政裁量行为是法律规定范围内的自由裁量行为,只要没有超出法律规定的范围就不构成违法,因此也不应当承担赔偿责任。

关于行政裁量权,早先,这种行为是受到绝对豁免的,美国联邦侵权赔偿法甚至规定,无论行政裁量权是否被滥用,执行或不执行自由裁量职责,都不会导致政府责任。后来,人们逐渐认识到,这种裁量权不应是专断权,也应受到法律限制。因此,各国在实践中开始对行政裁量行为实行有限制的责任豁免,规定在一定条件下,如滥用裁量权、违反惯例等造成的损害,由国家承担赔偿责任。例如,在德国,滥用裁量权或裁量纰漏可能构成职务赔偿责任,但如果行政机关能够证明其在不存在滥用裁量权或裁量权没有纰漏的情况下,也会作出相同的决定,就可以免责。在美国,如果行政裁量权的行使已经形成惯例,一旦偏离这种惯例而造成损害的,国家就必须承担赔偿责任。

对于行政裁量行为,根据我国行政复议法和行政诉讼法的规定,只有在明显不当或滥用职权的情况下,才承担法律责任。如行政复议法第二十八条规定,行政复议机关认为具体行政行为滥用职权或者明显不当的,可以决定撤销、变更或者确认该具体行政行为违法。行政诉讼法第五十四条规定,行政机关滥用职权的,法院可以判决撤销或者部分撤销该具体行政行为;行政处罚显失公正的,法院可以判决变更该行政处罚。根据上述法律的规定,结合现实中存在的问题,确定裁量行为是否承担赔偿责任,应当结合相关法律规定来考虑,即对于行政裁量权行使明显不当或显失公正造成的损害,应当承担赔偿责任,因为这种行为违背了裁量权行使的原则。

第二节 赔偿请求人和赔偿义务机关

第六条 受害的公民、法人和其他组织有权要求赔偿。

受害的公民死亡,其继承人和其他有扶养关系的亲属有权要求赔偿。

受害的法人或者其他组织终止的,其权利承受人有权要求赔偿。

【释义】 本条是关于行政赔偿请求人资格的规定。

(一)行政赔偿请求人的概念、特征

行政赔偿请求人,是指合法权益受行政机关及其工作人员侵害,依法有权请求行政赔偿的人。行政赔偿请求人具有以下特征:

1. 行政赔偿请求人必须是行政相对人。

建立行政赔偿制度最基本的目的是为行政相对人提供法律救济,恢复行政相对人受损害的权益。因此,行政赔偿请求人只能是在行政管理过程中的行政相对人,既包括行政行为所直接指向的对象,也包括其合法权益受到行政行为影响的利害关系人。行政机关在法律上具有双重地位,当其作为行政主体时,不具有行政赔偿请求人资格;当其以行政相对人的身份出现,受到其他主体侵害时,也可以成为行政赔偿请求人。

2. 行政赔偿请求人必须是其合法权益受到行政机关及其工作人员侵害并造成实际损害的人。

这里包括以下四层含义:(1)赔偿请求人受到侵害的权益是合法权益。合法权益是指法定权利和利益。按照本法的规定,只有当行政相对人的人身自由权、生命健康权和财产权受到侵害时，受害人才有行政赔偿请求权。法定外的利益受到影响，受害人不能请求赔偿。（2）请求人受到的损害已经发生。（3）这里的实际损害是行政相对人认为的“实际损害”。“实际损害”是否确实存在，须待行政主体受理申请和对申请审查以后才能作出结论。只要行政相对人认为其合法权益受到侵害并造成实际损失即可取得申请赔偿的资格。（4）行政赔偿请求人必须是其所受损害与行政行为有因果关系。请求人所受损害应由行政行为直接引起，至于是否真正存在因果关系，有待于行政赔偿义务机关或人民法院的确认。

3. 行政赔偿请求人必须是以自己的名义提出赔偿请求。

凡不是以自己名义而是以他人名义请求行政赔偿的，都不是国家赔偿请求人，而是代理人。

在国家赔偿法修改过程中，有的专家、学者提出使用“赔偿权利人”一词，有的提出使用“国家赔偿诉讼原告”或者“受害人”一词。为什么在国家赔偿法中使用“赔偿请求人”一词，而不使用其他概念？其主要考虑是，相对于“国家赔偿诉讼原告”一词，“国家赔偿请求人”更具有包容性，如在行政赔偿过程中，行政赔偿请求人不被称为行政赔偿的原告，是因为行政赔偿通常分两个阶段，即行政处理阶段和赔偿诉讼阶段。在行政处理阶段，将行政赔偿请求人称为诉讼原告不准确。在赔偿诉讼阶段，行政赔偿请求人也就是行政赔偿诉讼的原告。可见，行政赔偿请求人与行政诉讼的原告是有区别的。在司法赔偿程序中，赔偿义务机关经请求仍不予以赔偿，或当事人对赔偿数额有异议的，当事人只能向上一级机关申请复议或向相关人民法院的赔偿委员会申请作出赔偿决定，并不涉及赔偿诉讼问题。相较国家赔偿受害人、赔偿权利人而言，国家赔偿请求人同样更具准确性、包容性和指向性。因为无论在行政赔偿还是在司法赔偿中，受害人都受到相当的限定，一般都指直接受害人,这更将其限定在一个很狭窄的范围内。而请求人一词则表明不但受害人、权利人自身可向国家提出赔偿,在一定情况下,受害人、权利人之外的其他人也可向国家提出赔偿,如在受害人死亡的情况下,其继承人和其他有扶养关系的亲属有权要求赔偿。此外,受害人、权利人并不一定必然提出国家赔偿,出于某种因素的考虑,尽管受害但不提出国家赔偿请求的可能性完全存在,请求人一词显然比受害人、权利人更具有指向性。

(二)行政赔偿请求人的范围

由于每个国家或地区在确定国家赔偿请求人的范围时,受国家赔偿的目的、国家赔偿的范围、法治发展水平、社会经济发展状况等因素的影响,所确定的赔偿请求人的范围也有所不同。

请求人多被分为一般请求人和特殊请求人两类。一般请求人通常指直接受害人,极少有国家或地区的法律对国家赔偿请求人这一概念本身作出界定,而多使用受害人一词,受害的公民、法人和其他组织都有权请求国家赔偿。一般情况下,受害人也就是赔偿请求人,如我国台湾地区的“赔偿法”规定,请求权人原则上为直接受害人,即权利或者利益直接受到影响的自然人和依法设立的法人。根据我国台湾地区的“民法”的规定,请求权人死亡的,受害人的父母、子女和配偶,为受害人支付丧葬费的人,对受害人有法定扶养请求权的第三人可以行使请求权。而特殊请求人指直接受害人之外的其他人,因其特殊性所在,各国或地区对此作了较为详尽的规定,如日本、美国等国对直接受害人死亡时的请求人都作了规定。

德国把请求人分为直接受害人和间接受害人,对间接受害人可作为赔偿请求人的几种情况作了详细规定,如支付被害人丧葬费的人、受被害人扶养的第三人、被害人的法定继承人。瑞士还规定了受害人的亲属在特定情况下不必因受害人死亡而直接成为请求人的情况。

对于行政赔偿请求人,许多国家和地区很少有特别具体的规定,多适用民法,一般行政赔偿制度越发达,行政赔偿范围越大,行政赔偿请求人的范围也越宽。

依照本法的规定,我国行政赔偿请求人包括以下三类:

1. 公民

公民是指具有中华人民共和国国籍的自然人。公民的合法权益受到行政机关及其工作人员的职权行为侵害的,有资格请求行政赔偿。有的受害公民因受到行为能力的限制,不能行使赔偿请求权,则其请求权由其法定代理人行使,但赔偿请求权人仍是行为能力受到限制的受害公民。按照民法通则的规定,无民事行为能力人、限制民事行为能力人的法定代理人为其监护人。

在通常情况下,行政赔偿请求人仅限于受害的公民本人,但受害的公民死亡时,其应当享有的取得国家赔偿的权利并不丧失,受害人的继承人有继承权,请求人资格可发生转移,根据本条第二款的规定,其继承人有权取得国家赔偿。除继承人之外,与受害人有扶养关系的亲属也有权取得国家赔偿。这样规定的理由:一是根据继承法的规定,“对继承人以外的依靠被继承人扶养的缺乏劳动能力又没有生活来源的人,或者继承人以外的对被继承人扶养较多的人,可以分给他们适当的遗产”。二是考虑到国家给予的赔偿主要是对受害人造成的经济损失的弥补,这种赔偿请求权与其他单纯的继承遗产不同,它不仅仅是财产上的权利,故应当由与受害人关系较密切的亲属行使。

继承人有法定继承人和遗嘱继承人。法定继承人是指根据继承法的规定,直接取得继承资格的人,包括死者的配偶、子女、父母、兄弟姐妹、祖父母、外祖父母、被继承人的子女的晚辈直系血亲、对死者尽了主要赡养义务的丧偶儿媳或丧偶女婿。遗嘱继承人指根据死者生前的指定,在其死后继承其财产的人。其他有扶养关系的亲属,是指继承人以外的、依靠被继承人扶养的缺乏劳动能力又没有生活来源的亲属，或者是继承人以外的对被继承人扶养较多的亲属。这里的亲属，范围比刑事诉讼法和行政诉讼法中规定的近亲属的范围宽。近亲属一般指夫、妻、父母、子女、同胞兄弟姐妹、祖父母、外祖父母、孙子女、外孙子女。有扶养关系的亲属既包括以上的近亲属，又包括其他亲属如叔伯、舅姑。在确定谁有权取得国家赔偿资格时，一般依照继承法的规定，按顺序确定。有遗嘱的，由遗嘱继承人继承遗产做赔偿请求人；没有遗嘱的，由法定继承人继承遗产做赔偿请求人。在法定继承人继承遗产做赔偿请求人时，有第一顺序继承人的，由第一顺序继承人做赔偿请求人；没有第一顺序继承人的，或者第一顺序继承人放弃、丧失或者部分放弃、部分丧失继承权的，第二顺序继承人方可做赔偿请求人。其他有扶养关系的亲属成为赔偿请求人的前提是其与死者之间必须有扶养关系，如果没有扶养关系，就不能成为行政赔偿请求人。

2. 法人

法人是指具有民事权利能力和民事行为能力，依法独立享有民事权利和承担民事义务的组织。根据民法通则的规定，法人包括两类：一是企业法人，二是机关、事业单位和社会团体法人。法人的合法权益受国家保护，当其合法权益受到行政行为侵害时，可以请求赔偿，由法人做赔偿请求人。

受害的法人终止，其权利承受人有权要求赔偿。法人终止有多种情况，有依法被取缔的、有被撤销的、有破产的、有合并的、有分立的等。法人因合并或分立而终止，例如，一个企业与另一个企业合并成立了新法人或者被另一企业兼并，或者分立为两个法人，常发生请求人资格转移，可以转移为承受其权利的法人行使。之所以这样规定，是因为在这些法人终止的情况下，如果不赋予权利承受人相应的请求人资格，则他们原应享有的合法权益就不能得到有效保护。但在下列情况下，法人的行政赔偿请求人资格不发生转移:(1)法人被行政机关作出吊销许可证或执照的行政处罚后,该法人仍有权请求行政赔偿,请求人资格不发生转移。(2)法人在破产程序中,行政赔偿请求人资格也不发生转移,破产企业仍有权请求行政赔偿。(3)法人被行政机关撤销、变更、注销的,仍有行政赔偿请求人资格。受害的法人认为其经营自主权受到侵害的,可以请求行政赔偿。

3. 其他组织

其他组织是指依法成立,有一定的组织机构和财产,但不具备法人资格的组织。其他组织包括依法领取营业执照的合伙组织。其他组织同公民、法人一样,其合法权益受国家保护,因行政行为受到侵害的,可以独立请求赔偿。受害的其他组织终止,其权利承受人有权要求赔偿,其资格转移或不转移的适用条件与法人相同。

关于外国人、外国企业和组织在中华人民共和国领域内要求中华人民共和国国家赔偿的,适用本法,详见本法第四十条的解读。

第七条　行政机关及其工作人员行使行政职权侵犯公民、法人和其他组织的合法权益造成损害的,该行政机关为赔偿义务机关。

两个以上行政机关共同行使行政职权时侵犯公民、法人和其他组织的合法权益造成损害的,共同行使行政职权的行政机关为共同赔偿义务机关。

法律、法规授权的组织在行使授予的行政权力时侵犯公民、法人和其他组织的合法权益造成损害的,被授权的组织为赔偿义务机关。

受行政机关委托的组织或者个人在行使受委托的行政权力时侵犯公民、法人和其他组织的合法权益造成损害的,委托的行政机关为赔偿义务机关。

赔偿义务机关被撤销的，继续行使其职权的行政机关为赔偿义务机关；没有继续行使其职权的行政机关的，撤销该赔偿义务机关的行政机关为赔偿义务机关。

【释义】 本条是关于行政赔偿义务机关的规定。

(一)行政赔偿义务机关的概念

国家赔偿义务机关，是指履行国家赔偿责任的具体机关。由于国家是一个抽象的政治实体，受害人无法直接请求抽象的国家承担具体的赔偿义务，因而在许多国家立法中采取国家责任、机关赔偿的做法。由于各国在国家结构、财政体制、行政组织设置、对国家赔偿性质的理解等方面存在着不同之处，各国对赔偿义务机关的规定和设置也各有不同。国外关于赔偿义务机关的规定和设置大致有以下几种情况：

一是以实施侵权的机关作为赔偿义务机关。大部分国家采取这种做法。如日本的赔偿义务机关是对公务员有选任监督权或设置管理公共设施的机关；奥地利的国家赔偿义务机关是联邦、各邦、县市、乡镇，其他公法意义上的团体以及社会保险机构；美国、英国、法国、新加坡等国也大体如此规定。

二是以政府或政府部门作为单一的赔偿义务机关。在德国，警察局和法院不能成为国家赔偿诉讼的被告，只能由其主管行政机关，即内务部或司法部作为其代表参加诉讼。而其他行政机关履行职权的行为给当事人造成损害时，赔偿义务机关是该行政机关所属的当地政府。以汉堡市为例，若汉堡市税务局的职权行为造成损害，赔偿义务机关是汉堡市政府。

三是以专门机构作为赔偿义务机关。韩国在法务部设立本部审议会作为国家赔偿审议的最高机关，同时在各地检察厅设立地区审议会具体处理其管辖的国家或地方自治团体的国家赔偿申请案件。对军人或军属侵害他人的特定赔偿案件，在国防部设立了特别审议会，并在各军种部队设立了特别地区审议会。瑞士的赔偿义务机关是财政部。

四是以专门的保险机构作为赔偿义务机关。如保加利亚设立了专门的国家保险局，受理国家赔偿请求。国家保险局对受害人的损失予以赔偿后，可以向侵权人追偿。

此外，一些国家为了增强国家公务员的道德感和责任心，不同程度地让公务员作为国家赔偿义务的主体，即受害人可以直接从公务员那里获得赔偿。在美国，如果政府官员知道或者本来应当知道他的职务行为将侵犯公民的宪法权利，或者恶意地侵犯了公民的宪法权利，应当承担责任，而国家不承担赔偿义务。意大利宪法规定，国家与公务员对受害人承担连带责任，受害人可以向两者中的任何一个提出赔偿请求。在法国，如果存在国家和公务员的过错混合或者责任混合的情况，国家和公务员要分别按其过错比例承担责任。

我国的行政赔偿义务机关，是指代表国家接受行政赔偿请求，参加行政赔偿程序，履行赔偿义务的机关。我国国家赔偿法确立了“谁侵权，谁赔偿”的原则，国家赔偿义务机关的设置采用的是由具体的侵权机关担任的做法，在行政赔偿中以行使行政职权造成损害的行政机关为赔偿义务机关，在司法赔偿中以行使国家侦查、检察、审判职权的机关以及看守所、监狱管理的机关为赔偿义务机关。在国家赔偿法的修改过程中，有意见提出“赔偿义务机关”制度在实践中存在一些问题：一是“谁侵权，谁赔偿”的原则将国家赔偿的责任转化为国家机关的赔偿责任，弱化了国家作为赔偿义务承担者的主体地位；二是责任追究制使赔偿义务机关不愿赔偿，有的甚至将赔偿案件私了；三是现行财政体制难以保证赔偿到位，赔偿义务机关先行垫付赔偿金后往往得不到核销，国家赔偿变异为地方赔偿或者单位赔偿。

为解决上述问题，一种意见建议取消现行谁侵权谁为赔偿义务机关的做法，改为由各级政府作为赔偿义务机关，各级政府可以指定职能部门（法制办或财政部门、司法行政部门）作为政府的代表履行赔偿义务；另一种意见建议建立统一的国家赔偿委员会，统一管理赔偿基金，这样既可以避免国家赔偿无法执行的问题，也可避免国家机关在赔偿过程中的相互推诿。立法机关对此做了研究。国家赔偿法的立法宗旨包括两方面：一是保障公民、法人和其他组织取得国家赔偿的权利，方便对受害人的救济；二是明确责任，促进国家机关依法行使职权；将赔偿责任具体化，有利于强化国家机关及其工作人员的责任意识。因此，国家赔偿法保留了"赔偿义务机关"的规定。

（二）行政机关作为行政赔偿义务机关的五种情况

根据国家赔偿类型的不同，我国的赔偿义务机关分为行政赔偿义务机关和司法赔偿义务机关，本条是对行政赔偿义务机关的规定。由于行政管理活动的复杂性，造成行政管理的多种情形，分清谁是行政赔偿义务机关并不是一件简单的事。本条分别不同情形，对谁是赔偿义务机关作出五种规定。

1. 单独赔偿义务机关

行政机关及其工作人员行使行政职权侵犯公民、法人和其他组织的合法权益造成损害的，该行政机关为赔偿义务机关。即单个行政机关致害时，谁实施侵权行为，谁就是赔偿义务机关。侵权行为是行政机关实施的，该行政机关为赔偿义务机关；致害主体是行政机关工作人员的，则由其所属的行政机关为赔偿义务机关。"所属"指职权所属的行政机关，而不一定是该工作人员所隶属的行政机关。

2. 共同赔偿义务机关

在一般情况下，行政机关各自依照法律授予的行政权力行使各自的职权。有时两个以上行政机关共同对某一事项行使管理职权，当他们的行为对公民、法人和其他组织的合法权益造成损害时，共同行使职权的行政机关对损害后果都有履行赔偿的义务。

因此,共同实施侵权行为的行政机关应当作为共同赔偿义务机关。共同赔偿义务机关的规定,避免了赔偿义务机关之间互相推诿,有利于受害人行使赔偿请求权。需要说明的是:第一,两个以上的行政机关,是指两个以上具有独立法人资格的行政机关,不包括同一机关内部的两个没有法人资格的部门。第二,两名以上分属不同行政机关的工作人员共同损害的,从工作人员职务行为责任归属考虑,可以理解为致害工作人员所在的行政机关为共同赔偿义务机关。第三,共同赔偿义务机关共同承担赔偿责任,它们之间承担连带责任。受害人可以向共同赔偿义务机关中的任何一个赔偿义务机关要求赔偿,该赔偿义务机关应当先予赔偿,赔偿后可要求其他有责任的行政机关负担相应的赔偿费用,即机关之间的追偿。第四,如果引起行政赔偿诉讼时,共同赔偿义务机关为共同被告,各自按其在侵权损害中的过错大小承担赔偿责任。

关于共同侵权时赔偿义务机关的确定,德国国家赔偿法规定,当几个公权力机关应对损害负责时,每一个公权力机关均应对共同损害负责,即作为共同债务人对受害人负责。赔偿义务机关之间的关系,则根据其违反义务的严重程度和造成共同损害的责任大小确定。如果行使公权力的不是公法法人,应由授予其国家权力的公法法人承担赔偿责任。当对赔偿义务机关存在争议时,对赔偿义务机关的确定,我国台湾地区的"国家赔偿法"规定:"赔偿申请人不能确定赔偿义务机关,或者与赔偿义务机关存在争议的,可以请求其上级机关予以确认;该上级机关如果自被请求之日起20日内没有进行确认,则申请人可以直接以该上级机关作为赔偿义务机关。"英国王权诉讼法规定:"财政部应当公布一个名单,具体指定几个为本法目的而授权的政府部门。对政府提起民事诉讼应当对适当的授权的政府部门提起,如果没有合适的授权的政府部门,或者提起诉讼的人有理由怀疑,不知道是否有或哪一个授权部门是合适的,则可以对总检察长提起诉讼。"

3. 授权组织作为赔偿义务机关

我国除行政机关行使行政权力外，还存在授权行政。授权是指根据社会管理的需要，法律、法规将某些行政权力授予行政机关以外的特定的企业、事业单位以及社会组织行使。授权的一个最重要的法律后果是使本不具有行政机关身份的组织也取得了国家公权力主体的地位，在授权范围内，能够以自己的名义行使职权，履行职责，并独立承担相应的法律责任。当这些组织在行使被授予的行政职权时，侵犯公民、法人或其他组织的合法权益造成损害的，这些被授权的组织为赔偿义务机关。法律、法规授权的组织中的工作人员行使被授予的职权时侵犯公民、法人和其他组织的合法权益造成损害的，被授权的组织为赔偿义务机关。

4. 委托的行政机关作为赔偿义务机关

实践中，行政机关将部分职权委托给组织或个人行使，委托行政较为普遍。即行政机关依照法律、法规和规章的规定，将自己的部分行政职权委托给其他组织或个人行使。委托产生的后果与授权完全不同。由于没有法律、法规的授权，所以，受委托组织只能以委托机关的名义行使职权、履行职责，其行为所引起的法律后果也由委托的行政机关承担。因此，受行政机关委托的组织或者个人在行使委托的行政权力时侵犯公民、法人和其他组织的合法权益造成损害的，委托的行政机关为赔偿义务机关。受委托组织虽然可以成为侵权行为主体，却不能成为赔偿义务机关。

需要注意的是，如果受委托的组织或个人所实施的致害行为与委托的职权无关，则属于个人行为，国家不承担赔偿责任。所谓“无关”，是指受委托的组织或者个人的行为与委托的职权或者公务之间没有任何实质性的联系。凡是接受委托的组织或者个人为了行使委托的职权或者是为了执行委托的公务而实施的行为，都应当由委托的行政机关负责，因为，委托的行政机关对受委托的组织或者个人负有监管的责任。

5. 行政机关被撤销情况下的赔偿义务机关

实践中,行政机关会有被撤销的情况。如果被撤销的行政机关是赔偿义务机关,会出现赔偿义务机关变更的情况。行政机关被撤销,作为法人的行政机关已终止,一般会有其他的机关承受其职权、职责,被撤销机关所应承担的赔偿义务也应由其承受,从而使其成为新的赔偿义务机关。如果被撤销机关的职权已不存在,便没有继续行使其职权的国家机关,这时一般由作出撤销决定的行政机关承受其职权。继续行使其职权的行政机关或者撤销该赔偿义务机关的行政机关并不是侵犯公民、法人和其他组织合法权益的机关,法律规定在这种特殊情况下由它们做赔偿义务机关,是因为国家赔偿的实质是赔偿责任由国家承担,而各国家机关只是代表国家履行赔偿义务。原作出侵权行为的行政机关虽然被撤销,但国家赔偿的责任仍然存在,本款的规定,是为了充分保障公民、法人和其他组织享有取得国家赔偿的权利,对赔偿义务机关资格的一种特殊规定。

第八条　经复议机关复议的,最初造成侵权行为的行政机关为赔偿义务机关,但复议机关的复议决定加重损害的,复议机关对加重的部分履行赔偿义务。

【释义】　本条是关于经过复议机关复议后,赔偿义务机关确定的规定。

行政复议,是指行政相对人认为行政主体的具体行政行为侵犯其合法权益,依法向行政复议机关提出复查该具体行政行为的申请,行政复议机关依照法定程序对被申请的具体行政行为进行合法性、适当性审查,并作出行政复议决定的一种法律制度。行政复议作为行政管理相对人行使救济权的一项重要法律制度,目的是纠正行政主体作出的违法或者不当的具体行政行为,以保护行政管理相对人的合法权益。行政复议的特征:一是行政复议所处理的争议是行政争议；二是行政复议以具体行政行为为审查对象，并附带审查部分抽象行政行为；三是行政复议主要采用书面审查的方式；四是我国的行政复议实行一级复议制度。行政复议机关，是依照法律的规定，有权受理行政复议申请，依法对被申请的行政行为进行合法性、适当性审查并作出决定的行政机关。根据我国现行法律、法规的规定，行政复议机关的种类主要有：作出被申请行政行为的行政主体、作出被申请行政行为的行政主体的上一级行政机关、作出被申请行政行为的行政主体所属的人民政府。

根据行政复议法的规定，行政复议机关通过对复议案件进行审理，根据不同情况分别作出不同决定：(1)维持决定。具体行政行为认定事实清楚，证据确凿，适用依据正确，程序合法，内容适当的，决定维持；(2)履行决定。被申请人不履行法定职责的，决定其在一定期限内履行；(3)撤销、变更或者确认违法决定。具体行政行为有下列情形之一的，决定撤销、变更或者确认该具体行政行为违法；决定撤销或者确认该具体行政行为违法的，可以责令被申请人在一定期限内重新作出具体行政行为：①主要事实不清、证据不足的；②适用依据错误的；③违反法定程序的；④超越或者滥用职权的；⑤具体行政行为明显不当的。

经复议后提起赔偿请求的，是由原作出具体行政行为的行政机关还是由复议机关作赔偿义务机关，在国家赔偿法修改时存有争议。有专家、学者提出，经复议机关复议维持原具体行政行为的，复议机关和最初作出侵权行为的行政机关为赔偿义务机关；复议机关改变原具体行政行为的，复议机关为赔偿义务机关。该意见认为，复议维持是对原行政行为的维持，也是对原行为内容的认可，被维持的原行为在法律上也是复议机关的行为和意思。因此，将原行政机关和复议机关列为共同的赔偿义务机关，符合复议维持情形下的行为主体与行为效力特征，有利于复议机关发挥复议监督的积极作用。也有的专家、学者提出，加重损害的赔偿，视为行政复议机关与原行政机关共同行使职权,应相互承担连带责任。还有意见认为,为了与行政诉讼法的相关规定衔接,复议机关维持原具体行政行为的,赔偿义务机关应当是作出原具体行政行为的行政机关;复议机关改变原具体行政行为的,赔偿义务机关应当为复议机关,这样可使行政赔偿义务机关与行政诉讼被告相统一,程序上简便,还便于降低诉讼成本。

从上述各种观点可以看出,赔偿义务机关的确定涉及多方面的问题,从不同角度可以得出不同的结论。因此,在确立时,有必要综合考虑赔偿义务机关确立的总的原则、目的、理论上的周延性与实际中的可行性以及与相关法律的衔接等方面的问题。对于经过行政复议机关复议后赔偿义务机关的确定,总的指导思想是"谁侵权,谁赔偿"。只要职务行为的作出导致了侵权损害的发生,作出该职务行为的主体就应承担赔偿责任。当复议机关加重损害结果时,复议机关已成为侵权行为主体,当然要承担赔偿责任。复议机关仅就"加重的部分履行赔偿义务",实际上是采取了严格的"谁侵权,谁赔偿"的原则,由原侵权行政机关和复议机关各自就自己所造成的损害承担赔偿责任。

根据本条的规定,经行政复议后的赔偿义务机关应按下列办法确定:(1)复议机关复议决定撤销原具体行政行为的,最初造成侵权行为的行政机关为赔偿义务机关。(2)复议机关复议决定维持原具体行政行为的,最初造成侵权行为的行政机关为赔偿义务机关。(3)复议机关复议决定变更原具体行政行为并减轻损害的,最初造成侵权行为的行政机关为赔偿义务机关。(4)复议机关的复议决定变更原具体行政行为,并加重受害人损害的,复议机关和最初造成侵权行为的行政机关为共同赔偿义务机关,这时的赔偿义务机关有两个,但复议机关只对加重部分承担责任。复议机关的复议决定加重损害的情况主要发生在行政处罚和行政强制措施等具体行政行为上。例如,公安分局由于认定事实有错误,对没有违反治安管理的人决定处罚一百元,被处罚的人不服,申请公安局复议,市公安局复议决定处罚二百元,后经行政诉讼判决撤销了处罚决定。受害人要求赔偿时,作为复议机关的市公安局只对加重处罚的一百元履行赔偿义务,最初决定处罚的一百元,由公安分局履行赔偿义务。这样规定,有利于复议机关对下级行政机关的执法进行监督,同时,对复议机关依法行使职权也能起到了促进作用。

第三节　赔偿程序

第九条　赔偿义务机关有本法第三条、第四条规定情形之一的,应当给予赔偿。

赔偿请求人要求赔偿,应当先向赔偿义务机关提出,也可以在申请行政复议或者提起行政诉讼时一并提出。

【释义】　本条是关于行政赔偿义务机关的法定赔偿义务和赔偿请求人要求行政赔偿的途径的规定。

(一)行政赔偿义务机关的法定赔偿义务

本条第一款规定原为:“赔偿义务机关对依法确认有本法第三条、第四条规定的情形之一的,应当给予赔偿。”2010年修改国家赔偿法时,取消了国家赔偿程序中的确认程序,相应地,也删去了本款中的“依法确认”。根据本款规定,只要存在法定的赔偿情形,行政赔偿义务机关便应予以赔偿。赔偿请求人向赔偿义务机关请求赔偿的,赔偿义务机关直接作出是否赔偿的决定,而不再经过确认程序。赔偿义务机关作出赔偿决定的过程本身,实际上就是对赔偿请求人是否享有国家赔偿权利的依法确认。

实践中,原来规定的确认程序存在以下问题:一是确认程序与赔偿决定程序分设不合理。确认程序实际上是国家赔偿程序的一个环节,确认前置造成了司法资源的浪费。二是国家赔偿法实施中,确认程序导致赔偿不畅,成为提起赔偿的障碍,主要体现为:第一，将违法行为的确认权赋予赔偿义务机关自身，很难保证结果的公正性。第二，确认程序缺乏规制。赔偿义务机关繁多，在申请确认的时限、作出确认的时限、形式、内容以及逾期不确认的救济等方面没有统一的程序规则，易导致确认权的滥用。实践中，有的赔偿义务机关收到确认申请后久拖不决，有的口头确认但不赔偿，或者拒不确认，致使当事人难以继续申请赔偿。第三，不予确认的法律责任不明确，赔偿义务机关由于不愿承担责任而往往不予确认。第四，确认程序阻延了当事人获得国家赔偿的时间，增加了当事人申请国家赔偿的难度，损害了国家赔偿法所追求的及时便民原则。行政赔偿确认程序的取消，有利于简化程序、节约行政资源，也在一定程度上缩短了赔偿请求人获得赔偿的期限。

（二）赔偿请求人要求行政赔偿的途径

2010 年修改国家赔偿法时，保留了本条第二款的规定，只在文字表述上稍作修改。根据该款规定，赔偿请求人提起行政赔偿请求的途径有两种：一是赔偿请求人单独提出赔偿请求，此时应当先向赔偿义务机关提出；二是赔偿请求人可以在对行政行为提出行政复议或者行政诉讼的过程中，附带提出赔偿请求。

从世界范围来看，对行政赔偿程序的规定大致分为以下几类：一是没有规定行政先行处理程序，赔偿请求人可以直接通过诉讼请求国家赔偿，如英国和日本。在英国，行政赔偿可以直接通过行政赔偿诉讼来解决，该诉讼适用民事诉讼的规则。在日本，国家赔偿诉讼依民事诉讼程序进行，与一般的民事诉讼程序没有区别。对于某种行政活动的救济，原告可以在撤销诉讼和国家赔偿诉讼中进行选择，既可以提出其中任何一种请求，也可以同时提出两种请求；二是规定行政先行处理程序是行政赔偿的必经程序和提起诉讼的前提，如美国和法国。1966 年修改后的美国联邦侵权赔偿法规定，行政机关首先进行行政赔偿程序是法院受理赔偿请求的前提。在法国，当事人在向行政法院请求损害赔偿之前，必须先向行政机关请求赔偿,只有在行政机关作出拒绝全部或部分请求的行政决定后,才能向行政法院起诉。

根据本条第二款的规定,对单独提出行政赔偿请求的,我国采用了行政先行处理程序。所谓先行处理程序,就是指受害人与侵权人之间先行协商和处理的程序。立法过程中,一种意见认为,不应设置行政先行处理程序。因为实践中,行政赔偿的先行处理程序存在以下问题:一是让赔偿义务机关自行纠正其违法行为并赔偿受害人的损失非常困难,其往往对赔偿请求置之不理,甚至予以刁难,久拖不决,导致大量的赔偿案件难以进入赔偿程序。二是有的赔偿义务机关利用法律的疏漏,对许多赔偿申请既不立案,也不给予一个明确的答复。另一种意见认为,如果使赔偿请求人先通过非诉讼程序或其他较为简便的程序获得国家赔偿,可以在诉前对大量的赔偿案件进行消化处理;否则,大量的赔偿案件流向人民法院,不但浪费司法资源,而且降低了处理效率,不利于赔偿义务机关先行自我纠正。考虑到目前我国没有独立的国家赔偿诉讼程序,也没有规定国家赔偿可以适用民事诉讼程序,采用行政先行处理程序是比较适应我国国情的。此外,赔偿请求人仍然有一定的选择权,可以选择行政复议或行政诉讼时一并提出赔偿请求。对先行处理不服的,可以再向法院起诉,得到充分的救济。

经过慎重研究,立法机关最终采纳了第二种意见,在取消行政确认程序的同时,保留了原有的行政先行处理程序。主要考虑是:先行处理程序是行政赔偿程序中比较通用的程序,有利于简化诉讼程序和疏减诉源,由行政机关自行纠正错误,同时由于行政机关的专业性和行政程序的相对简便性,有利于提高行政赔偿的效率。目前行政先行处理程序中出现的问题,主要是执行的问题以及有关规定不够完善的问题。对于工作层面存在的问题,应当在工作中加以解决,关键在于对行政先行处理程序进行必要的规范。

如果赔偿请求人选择单独提出行政赔偿请求,必须由行政机关先行处理，只有受害人对行政机关处理决定不服或行政机关逾期不作赔偿决定的情况下，才能提起行政赔偿诉讼。赔偿申请是否被接受，需认定有关行政行为是否违法，以及该行为是否与当事人的损害存在因果关系等一系列问题，专业性比较强，且涉及相关证据的认定。此时赔偿义务机关进行先行处理，有助于查明事实。先行处理程序的优点在于快速便捷和节约行政、司法资源，但也有其缺点，即行政赔偿义务机关自己做自己的法官，如果不进行公正处理，反而会拖延赔偿申请人的时间。

赔偿请求人也可以选择在提起行政复议和行政诉讼的过程中，一并提出行政赔偿请求。行政复议法第二十九条第一款规定："申请人在申请行政复议时可以一并提出行政赔偿请求，行政复议机关对符合国家赔偿法的有关规定应当给予赔偿的，在决定撤销、变更具体行政行为或者确认具体行政行为违法时，应当同时决定被申请人依法给予赔偿。"行政复议法第二十九条第二款规定："申请人在申请行政复议时没有提出行政赔偿请求的，行政复议机关在依法决定撤销或者变更罚款，撤销违法集资、没收财物、征收财物、摊派费用以及对财产的查封、扣押、冻结等具体行政行为时，应当同时责令被申请人返还财产，解除对财产的查封、扣押、冻结措施，或者赔偿相应的价款。"根据该款规定，在涉及违法集资、没收财物、征收财物、摊派费用以及对财产的查封、扣押、冻结的案件中，只要行政复议机关决定对该具体行政行为予以撤销或者变更的，即使申请人在申请行政复议时没有提出赔偿请求，行政复议机关也应主动责令被申请人采取该款规定的赔偿措施。行政诉讼法第六十七条规定："公民、法人或者其他组织的合法权益受到行政机关或者行政机关工作人员作出的具体行政行为侵犯造成损害的，有权请求赔偿。公民、法人或者其他组织单独就损害赔偿提出请求，应当先由行政机关解决。对行政机关的处理不服，可以向人民法院提起诉讼。赔偿诉讼可以适用调解。"在行政复议或行政诉讼中一并提出赔偿请求的优点在于，由于行政复议或者行政诉讼是由赔偿义务机关的上级机关或者法院进行处理，在处理结果的公正性上，相对来说更有保障。其缺点在于不够便捷。

需要注意的是，“应当先向赔偿义务机关提起”只是针对赔偿请求人单独提出赔偿请求而言的。主要考虑是：如果赔偿请求人只是单独向赔偿义务机关的上级机关或者法院提出赔偿请求，而没有提出对造成损害的行政行为的合法性、合理性的审查，上级机关或者法院本着不告不理的原则，不宜对行政行为进行相关审查。但是如其审查赔偿请求并作出赔偿决定，必然涉及对行政行为的审查，与其不告不理的原则相悖，也超出了其职权范围。因此，赔偿请求人若要向赔偿义务机关的上级机关或者法院提出赔偿请求，应在提起行政复议或者行政诉讼时一并提起。如果赔偿请求人向赔偿义务机关单独提出赔偿请求，赔偿义务机关作为行政行为的作出机关，掌握相关的证据和法律依据，有利于赔偿案件的迅速处理，同时也为其自我纠错提供了一个机会。无论是从保障相对人权益，还是从约束行政机关依法行政的角度来看，这样规定都是具有现实意义的。

第十条　赔偿请求人可以向共同赔偿义务机关中的任何一个赔偿义务机关要求赔偿，该赔偿义务机关应当先予赔偿。

【释义】　本条是关于行政赔偿中的共同赔偿义务机关的规定。

（一）共同赔偿义务机关

根据我国国家赔偿法的规定，赔偿义务机关是代替国家履行赔偿责任的机关，负责受理赔偿申请、作出赔偿决定、履行赔偿义务等。确定赔偿义务机关，首先解决的问题是，赔偿请求人若选择直接向行政机关请求赔偿时，应当向哪个具体的国家机关提出赔偿请求。赔偿义务机关的确定，应当体现便民原则，即方便赔偿请求人提出赔偿请求,同时要避免行政机关之间的相互推诿,确保受害人的赔偿请求权得以实现。基于上述考虑,本条设置了行政赔偿中的共同赔偿义务机关。

根据国家赔偿法第七条第二款的规定,共同赔偿义务机关是指两个以上行政机关共同行使行政职权时侵犯公民、法人和其他组织的合法权益造成损害时,共同行使行政职权的行政机关。赔偿义务机关是按照"谁侵权、谁赔偿"的原则确定的,即侵权的执法机关就是赔偿义务机关。这样规定既有利于约束行政机关的行为,也有利于赔偿申请人提出的赔偿申请。共同侵权的机关都实施了侵权行为,因此都是赔偿义务机关。

(二)共同赔偿义务机关的连带赔偿责任

根据本条规定,两个以上行政机关共同实施致害行为时为共同赔偿义务机关。赔偿请求人有权向其中的任何一个提出赔偿请求,该机关必须予以受理。受理后决定赔偿的,应当予以赔偿。

需要注意的是,共同赔偿义务机关在赔偿方面承担的是连带责任。共同赔偿义务机关作为共同侵权机关,其承担赔偿责任的原则与民事侵权中的共同侵权是基本一致的,即应承担连带责任。就赔偿数额来说,赔偿申请人可以向共同赔偿义务机关中的任何一个赔偿义务机关请求全部的赔偿金额,任何一个赔偿义务机关不得以共同侵权为由只支付部分赔偿金额或拒绝支付赔偿金。任何一个赔偿义务机关履行了全部赔偿义务后,可以再向其他共同赔偿义务机关追偿其应支付的部分赔偿金额。关于赔偿金额如何进行分配的具体问题,由共同赔偿义务机关根据其在致害行为中应承担的责任大小协商解决。

(三)共同赔偿义务机关的认定

在认定共同赔偿义务机关时,要注意以下几点:一是两个以上行政机关行使职权的行为都是损害发生的原因,即两个以上行政机关的职权行为都与损害之间存在因果关系。例如,两个以上的执法主体进行联合执法时造成损害的,所有参与执法的主体为共同赔偿义务机关。二是作为共同赔偿义务机关的行政机关必须具有独立主体资格。如果两个以上的工作人员分属不同的行政机关,应当以该工作人员所在的行政机关为共同赔偿义务机关。对行政机关应作宽泛的理解,包括所有具备赔偿义务主体资格的赔偿义务机关,如法律法规授权的组织、委托组织或个人行使行政权力的行政机关。

需要注意的是,应当区分一个侵权行为和数个侵权行为。如果是几个行政机关因为一个侵权行为造成的损害,属于共同赔偿义务机关。如果是几个行政机关分别由于各自独立的行为造成了几个损害,则不构成共同赔偿义务机关。此时,赔偿请求人应当就其受到损害的各个侵权行为,分别向各赔偿义务机关提出赔偿申请。

赔偿请求人对共同赔偿义务机关中的一个或者数个侵权机关提起赔偿诉讼的,由于共同赔偿义务机关之间负有连带责任,若赔偿请求是可分之诉,被请求的一个或者数个赔偿义务机关分别作为被告;若赔偿请求是不可分之诉,追加其他共同赔偿义务机关为共同被告。被告承担赔偿责任后,可要求其他共同赔偿义务机关支付应当承担的赔偿费用。

第十一条 赔偿请求人根据受到的不同损害,可以同时提出数项赔偿要求。

【释义】 本条是关于行政赔偿请求人可以根据实际损害提出数项赔偿要求的规定。

根据国家赔偿法第二条的规定,赔偿请求人提起国家赔偿的前提是,国家机关和国家机关工作人员行使职权,有国家赔偿法规定的侵犯其合法权益的行为,给其造成了损害。根据该规定,行政机关及其工作人员的行为给赔偿请求人造成损害,是其提出行政赔偿的依据。相应地,赔偿请求人受到不同的损害,也可以根据本条规定同时提出不同的行政赔偿请求。这一规定体现了国家赔偿法对公民合法权益的充分保障。

国家赔偿法第三条、第四条分别列举了造成损害应予以行政赔偿的法定情形,包括人身权和财产权受到损害的情形。国家赔偿法第三十二条规定支付赔偿金为国家赔偿的主要方式;同时,对于财产受到损害的,可以选择返还财产或者恢复原状的赔偿方式。第三十三条和第三十四条分别规定了公民人身自由和生命健康权受到损害的赔偿金的计算标准。第三十五条规定有法定情形致人精神损害的,应当消除影响、恢复名誉、赔礼道歉;造成严重后果的,应当支付相应的精神损害抚慰金。第三十六条规定了公民的财产权受到损害的赔偿方式,主要包括返还财产和支付赔偿金。

根据本条及上述相关规定,赔偿请求人可以依据自己受到损害的具体情形,依法提出不同的赔偿请求。财产受到损害的,可以请求支付赔偿金、返还财产或者恢复原状;生命健康权和精神受到损害的,可以请求支付赔偿金。如果公民的财产权、人身自由、生命健康权和精神都受到了损害,可以依法同时提出上述多项赔偿请求。

行政赔偿请求人提出数项赔偿请求的,需要对自己的赔偿请求所依据的损害进行举证,证明自己因为行政机关和行政机关工作人员行使职权的行为受到了损害。反之,行政赔偿义务机关可以举证证明赔偿请求人没有受到该项损害,或者该损害与赔偿义务机关的行为之间不存在因果关系。

需要注意的是,赔偿请求人作为赔偿依据的损害,一是必须与赔偿义务机关的行为存在直接的因果关系,是由赔偿义务机关的行为造成的直接损害;二是该损害必须是现实的已经发生的损害,不能只是赔偿请求人认为存在的损害或者可能发生的损害;三是这种损害必须是特定的,即是对特定的公民、法人或者其他组织造成的损害。

第十二条 要求赔偿应当递交申请书，申请书应当载明下列事项：

（一）受害人的姓名、性别、年龄、工作单位和住所，法人或者其他组织的名称、住所和法定代表人或者主要负责人的姓名、职务；

（二）具体的要求、事实根据和理由；

（三）申请的年、月、日。

赔偿请求人书写申请书确有困难的，可以委托他人代书；也可以口头申请，由赔偿义务机关记入笔录。

赔偿请求人不是受害人本人的，应当说明与受害人的关系，并提供相应证明。

赔偿请求人当面递交申请书的，赔偿义务机关应当当场出具加盖本行政机关专用印章并注明收讫日期的书面凭证。申请材料不齐全的，赔偿义务机关应当当场或者在五日内一次性告知赔偿请求人需要补正的全部内容。

【释义】 本条是关于赔偿请求人提出赔偿请求的规定。

（一）提出赔偿请求的形式

根据本条第一款的规定，赔偿请求人提出赔偿请求，原则上应当以书面的形式提出，即应当递交申请书。这是因为国家赔偿是一种公权力性质的行为，具有一定的正式性和严肃性。递交赔偿申请书，有利于行政机关根据申请书的内容进行具体审查，及时有效地初步了解有关事实和赔偿要求，为其作出是否赔偿的决定奠定初步基础。从其他国家的做法来看，递交申请书也是各国广泛采用的提出赔偿申请的形式。

但赔偿申请人本人书写申请书可能存在困难情形，如其为限制行为能力人或者无行为能力人，或者本人是文盲，或者本人因残疾不能书写。从便于赔偿请求人提出赔偿申请的角度出发，允许赔偿请求人委托他人代书，体现了国家赔偿法的便民原则。根据本条第二款的规定，赔偿请求人书写申请书确有困难的，可以委托他人代书；也可以口头申请，由赔偿义务机关记入笔录。委托代书的人可以是律师，也可以是其他具有民事行为能力的人。赔偿申请人和委托代书人之间的法律关系，根据民事的委托关系来调整。需要注意的是，代书人只是代为写申请书，并不意味着申请人授权其提出赔偿申请。代书人应当真实地反映赔偿请求人的意愿，不得对其赔偿申请事项等擅自作出修改。代书人与赔偿申请人的代理人既有联系，又有区别。赔偿申请人的代理人可以根据其意愿，作为其代书人。但是赔偿申请人的代书人并不当然成为赔偿申请人的代理人。赔偿申请人的代理人的权限范围较代书人要更为广泛，可以在赔偿申请人的授权范围内处理与赔偿请求相关的诸多事务，如变更赔偿申请的请求事项。

根据本条第三款的规定，赔偿请求人不是受害人本人的，应当说明与受害人的关系，并提供相应证明。本规定属于2010年国家赔偿法修改后新增加的内容。实践中，赔偿申请人不一定是受害人本人。根据国家赔偿法第六条的规定，受害的公民死亡的，其继承人和其他有扶养关系的亲属可以作为赔偿请求人；受害的法人或者其他组织终止的，其权利承受人可以作为赔偿请求人。考虑到这一情况，本条规定上述赔偿请求人作出赔偿申请时，应当说明其与受害人的关系。受害的公民死亡的，赔偿申请人应当说明其为死亡公民的继承人或者与死亡公民有扶养关系。受害的法人终止的，赔偿申请人应当说明其为该法人的权利承受人。对于上述关系的说明，赔偿请求人应当提供相应的证明，如载明亲属关系的户口簿、居委会出具的证明、工商登记的相关文件、法院的法律文书。

（二）赔偿申请书的内容

为便于行政机关迅速有效地处理赔偿请求，从而使赔偿请求人的赔偿请求尽快地得到审查处理，根据本条第一款的规定，赔偿申请人应当在申请书里列明以下内容：

一是受害人的基本情况。受害人是公民的，一般应列明其姓名、性别、年龄、工作单位和住所；受害人是法人或者其他组织的，一般应列明其名称、住所和法定代表人或者主要负责人的姓名、职务。列明受害人的基本情况，有利于行政机关进行相关的调查和处理，也有利于明确赔偿请求人。作为受害人的公民死亡或法人终止的，赔偿请求人应当在赔偿申请上注明该死亡公民或者终止法人的基本情况。

二是列明具体的要求、事实根据和理由。这是赔偿申请书的核心部分，直接关系到赔偿申请人能否获得国家赔偿。赔偿义务机关在作出是否赔偿的决定时，主要依据该项内容，查明有关的事实，并依据相关法律，判断赔偿请求的理由是否合法和充分。“具体的要求”是指赔偿请求人根据国家赔偿法规定的赔偿范围、标准和方式，提出一项或者多项赔偿请求。“事实根据”主要指行政机关和行政机关工作人员在行使职权过程中侵犯了赔偿请求人的合法权益，且属于国家赔偿法所规定的法定赔偿情形。对此，赔偿申请书可以附上一定的证据，也可以只作出一定的说明，留待行政机关去查明事实。“理由”主要指依据事实和法律阐明赔偿请求人具有获得国家赔偿的理由，如属于国家赔偿法规定的赔偿范围，受害人的损害和行政机关及其工作人员之间的行为存在直接因果关系，行政机关的行为是违法的，不存在免责的情形。

三是附上申请的日期，即申请的年、月、日。附上申请日期，便于审查赔偿申请人的赔偿申请本身是否合法有效。国家赔偿法第三十九条规定，赔偿请求人请求国家赔偿的时效为两年，自其知道或者应当知道国家机关及其工作人员行使职权时的行为侵犯其人身权、财产权之日起计算，但被羁押等限制人身自由期间不计算在内。行政赔偿义务机关受理赔偿申请后，根据申请书注明的日期及具体案情判断该申请的提出是否在赔偿时效之内。若赔偿申请人对行政赔偿义务机关的决定不服，又向法院提起诉讼的，法院也会将申请书载明的日期作为赔偿申请人是否享有赔偿权利的重要依据。

（三）赔偿义务机关出具书面凭证

根据本条第四款的规定，赔偿请求人当面递交申请书的，赔偿义务机关应当当场出具加盖本行政机关专用印章并注明收讫日期的书面凭证。

实践中，有的行政机关接到行政赔偿申请人的申请后，既不作出赔偿决定，也不受理，导致赔偿请求人的请求无法进入赔偿程序。针对这种情况，2010 年修改国家赔偿法时，本款作出专门规定，赔偿请求人当面递交申请书的，赔偿义务机关应当当场出具书面凭证。该书面凭证是赔偿请求人提出赔偿申请的证据，也是计算赔偿义务机关应当作出赔偿决定的期限的依据以及赔偿请求人进一步向法院提起诉讼的依据。该规定有利于保障赔偿请求人及时得到救济，也有利于督促行政机关及时受理和处理赔偿请求。对于不是当面递交申请书的，考虑到以邮寄等方式递交赔偿申请，有邮件载明的日期作为提出赔偿申请的证明，因此未作规定。

关于行政赔偿义务机关出具书面凭证，须考虑以下几点：一是对于当面递交申请书的，行政赔偿义务机关应当“当场出具”书面凭证，主要是考虑，书面凭证是行政赔偿义务机关已经收到申请材料的证明，行政赔偿义务机关收到申请材料后，能够当场出具，也可以防止行政机关拖延时间。二是书面凭证要“加盖本行政机关专用印章”。加盖印章是为了使书面凭证具有一定的证明力，能够证明行政机关已经收到赔偿申请。规定应加盖“本行政机关专用印章”，是因为根据《国务院关于国家行政机关和企业事业单位社会团体印章管理的规定》第二十二条的规定，为赔偿请求人出具的书面凭证加盖的印章，应当是赔偿义务机关用于受理国家赔偿申请的专用印章，而不是本行政机关的正式印章。三是书面凭证要“注明收讫日期”。该规定是为了计算行政赔偿义务机关受理赔偿申请后，应当作出是否赔偿决定的法定期限。国家赔偿法第十三条规定，行政赔偿义务机关应当自收到申请之日起两个月内，作出是否赔偿的决定。赔偿申请人当面递交申请书的，行政机关当场出具的书面凭证所注明的收讫日期，作为赔偿义务机关收到赔偿申请书的日期，是其应当依法作出是否赔偿决定的法定期限的起算点。也就是说，行政赔偿义务机关应当自收讫日期起两个月内作出是否赔偿的决定。国家赔偿法第十四条规定：“赔偿义务机关在规定期限内未作出是否赔偿的决定，赔偿请求人可以自期限届满之日起三个月内，向人民法院提起诉讼。”如果行政赔偿义务机关在该期限内未作出是否赔偿的决定，赔偿请求人可以自该期限届满之日起三个月内向法院提起诉讼。因此，书面凭证注明的收讫日期在特定情况下也是计算赔偿申请人提起诉讼期限的起算点。需要注意的是，出具书面凭证只适用于赔偿请求人当面递交赔偿申请书的情形。赔偿申请人未当面递交申请书的，如通过邮寄方式递交赔偿申请的，可以根据邮件的收讫日期来判断行政赔偿义务机关收到申请的日期。

（四）赔偿义务机关告知补正材料

实践中存在赔偿申请人提供材料不齐全的情况，行政机关需要告知行政赔偿申请人补齐材料，本条第四款规定行政赔偿义务机关应告知提供材料不齐全的赔偿请求人补正材料，主要考虑：申请材料不齐全，不利于行政赔偿机关对赔偿申请的审查处理，从而也不利于保护当事人的合法权益。为此，行政赔偿义务机关有必要要求赔偿请求人补正有关材料。

但是，为了防止行政赔偿义务机关以赔偿申请人提供的申请材料不全为理由,不受理或者拖延受理赔偿申请人的赔偿请求,同时也为赔偿请求人的申请提供便利,本条第四款不仅规定了行政赔偿义务机关的告知义务,也规定了其履行告知义务的期限。该款规定,申请材料不齐全的,赔偿义务机关应当当场或者在五日内一次性告知赔偿请求人需要补正的全部内容。根据该规定,行政赔偿义务机关收到赔偿申请人的申请书及相关材料后,如果认为申请材料不齐全的,应当在法定期限内告知赔偿请求人需要补正的全部内容。对于有关事实和法律关系比较明确,当场能确定需要补正的材料的,行政赔偿义务机关应当当场告知。如果事实和法律关系确实比较复杂,无法当场告知赔偿请求人需要补正的全部内容时,行政赔偿义务机关可以在五日内一次性告知,但不得超过五日的法定期限。就告知的内容而言,行政赔偿义务机关应当一次性告知赔偿申请人需要补正的全部内容。赔偿申请人被告知后,如果及时补齐了材料,行政赔偿义务机关应当及时审查赔偿请求。

第十三条　赔偿义务机关应当自收到申请之日起两个月内,作出是否赔偿的决定。赔偿义务机关作出赔偿决定,应当充分听取赔偿请求人的意见,并可以与赔偿请求人就赔偿方式、赔偿项目和赔偿数额依照本法第四章的规定进行协商。

赔偿义务机关决定赔偿的,应当制作赔偿决定书,并自作出决定之日起十日内送达赔偿请求人。

赔偿义务机关决定不予赔偿的,应当自作出决定之日起十日内书面通知赔偿请求人,并说明不予赔偿的理由。

【释义】　本条是关于行政赔偿义务机关作出是否赔偿决定的程序性规定。

本条对行政赔偿义务机关如何作出赔偿决定以及作出赔偿决定的形式进行了详尽的规范。2010 年修改后的国家赔偿法,与原来的规定相比，增加了关于赔偿义务机关与赔偿请求人进行协商、作出赔偿决定的形式以及送达、通知决定的内容。主要是在可操作性方面，进一步完善行政赔偿义务机关作出赔偿决定的程序，减少行政赔偿义务机关作出赔偿决定的随意性，督促其及时依法作出是否赔偿的决定，以更好地保障赔偿请求人的合法权益。

（一）作出赔偿决定

从世界上大多数国家的做法来看，行政赔偿义务机关处理赔偿请求的程序大致可分为“决定式”和“协议式”两种模式。“决定式”是指行政赔偿义务机关对受害人的赔偿请求采取“决定”的形式处理，一般不与赔偿请求人进行协商或讨论，受害人只能被动地接受或者拒绝该决定。“协议式”则以赔偿义务机关与受害人双方协商为基础，以协议为最终处理结果。赔偿请求人可以与赔偿义务机关就有关赔偿范围、方式和金额等事项进行协商，以解决或减少赔偿争议。关于与赔偿请求人进行协商的机关，大致可分为三种模式：一是由原决定机关负责协商。如瑞士，凡是公法上的请求应当向原决定机关请求救济，如果被请求的机关是联邦政府时，应向财政部请求协商。二是由原决定机关或其上级机关为协商机关。如美国，协商机关为侵权机关的首长或者其指定人，超过2.5万美元的，必须经过司法部长或其指定人批准。三是由特设的专门机关协商，如韩国的审议会。

根据本条第一款的规定，行政赔偿义务机关应当自收到申请之日起两个月内作出是否赔偿的决定。关于“收到申请之日”的确定，如果赔偿请求人当面递交申请书的，以行政赔偿义务机关当场出具的书面凭证载明的收讫日期为准；如果赔偿请求人是通过信函方式邮寄申请书的，以邮件的签收日期为准。

（二）赔偿决定中的协商

在2010年国家赔偿法修改之前，没有规定赔偿义务机关与赔偿请求人可以协议和解，但实践中行政赔偿纠纷通过和解方式解决的情形大量存在，对此需要予以规范。在国家赔偿法的修改过程中，有的学者、专家建议增加关于赔偿义务机关与赔偿请求人之间协议和解的规定，提出为了不损害国家利益，有必要对协议的程序加以详细的规定，给予必要的限制和监督。协议达成后，双方或一方反悔的，可以提起行政赔偿诉讼，法院经审理可以确认协议的效力。有的意见认为，赔偿申请人与赔偿义务机关可以自愿对赔偿事项进行协商，协商一致的，行政赔偿义务机关应当与赔偿请求人签订协议，不再作赔偿决定。有的意见则认为，赔偿协商有失国家赔偿的严肃性和公正性，不宜作出规定。参考一些国家和地区的协议程序，同时考虑到目前我国的实际情况和做法，2010 年修改国家赔偿法，增加了协商程序。赔偿决定中的协商，有利于减少或者避免赔偿纠纷，有利于赔偿请求人充分表达自己的诉求，也有利于事后赔偿决定的执行。

本条第一款规定行政赔偿义务机关应当充分听取赔偿请求人的意见，并可以在法律规定的范围内与赔偿申请人就赔偿方式、赔偿项目和赔偿数额进行协商，但协商结果最终仍应以赔偿决定的方式作出。“充分听取赔偿请求人的意见”是指行政赔偿义务机关在收到申请材料后作出赔偿决定前，应当听取或者主动询问赔偿请求人对赔偿方式、赔偿项目和赔偿数额的意见。“应当”意味着听取赔偿请求人的意见是行政赔偿义务机关作出赔偿决定的必经程序，至于具体采取什么形式可以由行政赔偿义务机关自行决定。需要注意的是，协商的结果不是达成赔偿协议，而是由行政赔偿义务机关作出赔偿决定。

实践中，一些机关对违法侵权行为，出于“控制影响”或其他考虑，不按照法律规定的范围、标准、程序进行确认和赔偿，而是与当事人“协商”、“私了”解决，且不按规定上报。有的当事人为了尽快获赔，少受奔波与诉讼之累，往往被迫接受低于法律规定数额的赔偿。对于影响比较大的案件，赔偿义务机关为了平息事态，免受上级领导批评,影响机关的政绩考核,或者有关领导出于个人前途的考虑,往往会作出无原则让步,给予申请人高于法律规定数额的赔偿。有的学者、专家建议,应对赔偿数额予以限定,以防止赔偿义务机关随意增加或减少赔偿数额。因此,本条第一款确立了依法协商的原则,即行政赔偿义务机关要严格依据本法第四章规定的赔偿方式、赔偿项目和赔偿数额,与赔偿请求人进行协商。一是协商的内容仅限于"赔偿方式、赔偿项目和赔偿数额"。至于是否赔偿本身,由于涉及公权力的行使,不宜进行协商,应当由行政赔偿义务机关严格依法裁量作出判断。行政赔偿义务机关应当严格遵循国家赔偿法的赔偿范围、免责情形等相关规定,该赔的赔,不该赔的不赔。既不能为了逃避责任追究不予赔偿,也不能为了平息事态对不属于法定赔偿情形的予以赔偿。国家赔偿的赔偿方式、赔偿项目和赔偿数额只涉及赔偿的具体形式,不涉及实质性的内容,可以依法予以协商。二是协商的程度限于"依照本法第四章的规定进行协商"。协商应在法律规定的限度内进行,超过法定限度的协商是违法的。国家赔偿法第四章规定了国家赔偿的赔偿方式和计算标准,行政赔偿义务机关应当依据该章规定的赔偿方式的适用范围、种类以及计算赔偿数额的标准,与赔偿申请人进行协商。

（三）赔偿决定的送达、通知

实践中,有的行政赔偿义务机关对赔偿申请既不立案,也不给予赔偿,甚至不予理睬。由于原来的规定未明确赔偿义务机关收到申请后应给予申请人书面的通知或手续,赔偿义务机关两个月的处理时间应从何时起算难以确定,赔偿请求人也难以证明赔偿义务机关是否先行处理,无法进一步向法院寻求救济。因此,2010年修改国家赔偿法时,在本条第二款和第三款规定,不管行政赔偿义务机关决定赔偿还是不予赔偿,都要制作决定书,并规定了赔偿决定的送达、通知及其法定期限,以便于当事人及时获知是否获得国家赔偿,从而决定是否提起行政复议或者行政诉讼,体现了对赔偿申请人知情权和救济权的充分保障,在程序制度设计中充分贯彻了便民原则。

根据本条第二款的规定,行政赔偿义务机关决定赔偿的,应当制作赔偿决定书,并自作出决定之日起十日内送达赔偿请求人。2010年修改国家赔偿法时,与原有的规定相比,增加了关于“应当制作赔偿决定书”和送达的规定。一是强调要制作赔偿决定书,属于强制性的规定。这样既体现了赔偿决定的规范性和严肃性,也便于赔偿申请人进一步提起行政复议或者行政诉讼时,行政复议机关和法院对行政赔偿义务机关的行为进行审查。二是强调行政赔偿义务机关应当在法定期限内将赔偿决定送达赔偿请求人,使赔偿请求人能够及时获知赔偿决定的内容,便于其提起行政复议或者行政诉讼。

根据本条第三款的规定,行政赔偿义务机关决定不予赔偿的,应当自作出决定之日起十日内书面通知赔偿请求人,并说明不予赔偿的理由。行政赔偿义务机关受理赔偿申请后,可能决定赔偿,也可能决定不予赔偿。行政赔偿义务机关决定不予赔偿的,也应当书面通知赔偿请求人。该通知必须是书面的,不能是简单的口头通知,以方便赔偿请求人证明赔偿义务机关已先行处理其赔偿请求,更好地保障其合法权益。根据本款规定,行政赔偿义务机关还应当在书面通知中列明不予赔偿的理由。不予赔偿的理由应当是正当合法、充分合理的,如赔偿申请超过了两年的请求国家赔偿的时限;不属于国家赔偿法规定的赔偿范围;属于国家赔偿的法定免责情形。

第十四条　赔偿义务机关在规定期限内未作出是否赔偿的决定,赔偿请求人可以自期限届满之日起三个月内,向人民法院提起诉讼。

赔偿请求人对赔偿的方式、项目、数额有异议的，或者赔偿义务机关作出不予赔偿决定的，赔偿请求人可以自赔偿义务机关作出赔偿或者不予赔偿决定之日起三个月内，向人民法院提起诉讼。

【释义】 本条是关于行政赔偿义务机关先行处理赔偿请求后，赔偿请求人可以向法院提起诉讼的规定。

对于行政赔偿程序，多数国家规定了行政处理程序和诉讼程序相结合的程序制度，并且多采用行政先行处理的原则，即在行政赔偿请求人向法院提起赔偿诉讼之前，须经过行政机关先行处理，或与行政机关先行协商，若不能达成协议或请求人对行政处理决定不满意的，或者赔偿义务机关逾期不处理的，还可以向法院起诉。规定行政赔偿义务机关先行处理赔偿请求后，赔偿请求人还可以向法院提起诉讼，是许多国家的做法。这样有利于促进赔偿处理决定的公正性，对赔偿请求人进行充分有效的救济。

赔偿义务机关受理赔偿申请后，可能出现三种处理结果：一是决定赔偿，二是决定不予赔偿，三是没有作出是否赔偿的决定。根据本条规定，在上述三种情形下，赔偿申请人均可以向法院提起诉讼。与原来的规定相比，2010 年修改国家赔偿法时，为了充分保障赔偿申请人获得救济的权利，增加了赔偿义务机关未作出是否赔偿的决定的法定情形。行政赔偿义务机关未作出是否赔偿的决定时，赔偿申请人既没有送达的赔偿决定书，也没有不予赔偿的书面通知，无法确定其提起诉讼的法定期限的起算点。实践中，一些行政赔偿义务机关不作出是否赔偿的决定，对赔偿请求人的申请不置可否，导致其无法进入法院的赔偿诉讼程序。为解决上述问题，本条第一款规定，赔偿义务机关在规定期限内未作出是否赔偿的决定时，赔偿请求人可以自期限届满之日起三个月内向法院提起诉讼，以避免行政赔偿义务机关对赔偿请求的无限期拖延，给予赔偿请求人向法院请求救济的机会。与原来的规定相比，上述规定在列举情形时更为周全，可以更好地畅通赔偿请求人向法院寻求救济的渠道。

本条第一款规定,赔偿义务机关在规定期限内未作出是否赔偿的决定,赔偿请求人可以自期限届满之日起三个月内,向人民法院提起诉讼。"未作出是否赔偿的决定",是指行政赔偿义务机关既没有作出赔偿决定送达赔偿请求人,也没有书面通知赔偿请求人不予赔偿。根据国家赔偿法第十三条的规定,行政赔偿义务机关作出是否赔偿决定的"规定期限"为两个月,自其收到赔偿申请之日起计算。根据本款规定,行政赔偿义务机关在收到赔偿申请后,两个月之内既未作出赔偿决定,也未决定不予赔偿的,赔偿请求人便可以在期间届满之日起的三个月内向人民法院提起诉讼。

本条第二款规定,赔偿请求人对赔偿的方式、项目、数额有异议的,或者赔偿义务机关作出不予赔偿决定的,赔偿请求人可以自赔偿义务机关作出赔偿或者不予赔偿决定之日起三个月内,向人民法院提起诉讼。行政赔偿义务机关作出赔偿决定的,赔偿请求人对给予赔偿没有争议,但可能对赔偿的方式、项目、数额有异议,为了充分保障赔偿申请人依法获得国家赔偿的权利,本款规定赔偿请求人可以再向人民法院提起诉讼。在以前的规定中,赔偿请求人提出异议的内容仅限于赔偿数额。2010 年修改国家赔偿法时,考虑到赔偿方式和赔偿项目对赔偿申请人也具有重要意义,直接影响到其损害能否得到充分赔偿,因此将赔偿方式和赔偿项目也列为可以提出异议的事项。但是赔偿申请人对决定赔偿的赔偿决定提起赔偿诉讼时,只能以对赔偿方式、项目、数额有异议作为法定正当理由。如果赔偿请求人对赔偿决定的其他内容不服,如认为赔偿决定依据的法律和事实不准确,或者对造成损害的行政行为有异议的,可以依法提起行政复议或者行政诉讼。此外,根据本款规定,赔偿请求人对行政赔偿义务机关的不予赔偿决定不服的,可以向人民法院提起诉讼。

在以上情形下,赔偿请求人提起诉讼的法定期限均为三个月,从行政赔偿义务机关作出赔偿或者不予赔偿决定之日起计算。

第十五条 人民法院审理行政赔偿案件,赔偿请求人和赔偿义务机关对自己提出的主张,应当提供证据。

赔偿义务机关采取行政拘留或者限制人身自由的强制措施期间,被限制人身自由的人死亡或者丧失行为能力的,赔偿义务机关的行为与被限制人身自由的人的死亡或者丧失行为能力是否存在因果关系,赔偿义务机关应当提供证据。

【释义】 本条是关于行政赔偿举证责任的规定。

本条是2010年修改国家赔偿法时新增加的条款。原国家赔偿法对人民法院审理行政赔偿案件应如何举证没有作出规定。修改中,一种意见认为,在一些赔偿案件中,赔偿请求人和赔偿义务机关对于导致损害发生的原因各执一词,如没有关于举证的规定,法院难以认定。特别是受害人被限制人身自由期间死亡或者丧失行为能力的,因赔偿请求人无法举证,这种情况下应当明确由监管机关提供证据。据此,国家赔偿法增加了行政赔偿诉讼和刑事赔偿诉讼中举证责任的规定。国家赔偿诉讼的举证责任,涉及赔偿诉讼的性质。行政诉讼中,行政机关负有举证责任;民事诉讼则实行"谁主张,谁举证"。在举证责任上,行政赔偿诉讼和赔偿委员会审理刑事赔偿案件应区别于行政诉讼。赔偿请求人对损害事实及损害与赔偿义务机关行为的因果关系负举证责任,赔偿义务机关对不予赔偿或者减少赔偿数额的抗辩承担举证责任。但是,赔偿请求人被限制人身自由期间死亡或者丧失行为能力,赔偿义务机关不能证明自己的行为与被限制人身自由的人的死亡或者丧失行为能力不存在因果关系的,应当承担赔偿责任。这是考虑到被限制人身自由的人在被限制人身自由期间死亡或者丧失行为能力的,已经不具备举证责任,无法就赔偿义务机关的行为与自己的损害后果之间的因果关系进行举证,因此,法律规定这种情形下由赔偿义务机关承担举证责任。

（一）行政赔偿举证责任的一般原则

根据本条第一款的规定，行政赔偿举证责任的一般原则与民事赔偿举证责任的原则相同，实行“谁主张，谁举证”原则。在一般的情况下，人民法院审理行政赔偿案件，赔偿请求人和赔偿义务机关对自己提出的主张，应当提供证据。实践中，赔偿请求人提供证据证明的内容一般包括：赔偿义务机关实施的行政行为违法，赔偿义务机关的违法行为给自己的合法权益造成了实际损害，自己的损害是由赔偿义务机关的行为引起的，赔偿义务机关应予赔偿的损失数额，等等。赔偿义务机关的抗辩事由一般是：赔偿义务机关的行为合法，赔偿义务机关的行为与赔偿请求人的损害之间没有因果关系，赔偿义务机关不应给予赔偿请求人赔偿或者不应给予赔偿请求人请求的赔偿数额，等等。如果赔偿请求人或者赔偿义务机关无法提供证据证明自己提出的主张或者提出的证据不能证明自己提出的主张，就要承担败诉的后果。

（二）行政赔偿中的特殊举证责任规定

本条第二款规定了特定情形下行政赔偿举证责任的特别规定。赔偿义务机关采取行政拘留或者限制人身自由的强制措施期间，被限制人身自由的人死亡或者丧失行为能力的，赔偿义务机关的行为与被限制人身自由的人的死亡或者丧失行为能力是否存在因果关系，赔偿义务机关应当提供证据。其中，限制人身自由的强制措施，是指劳动教养等由行政机关对公民采取的限制人身自由的强制措施。行为能力是指能够以自己的行为依法行使权利和承担义务的能力。被限制人身自由的人丧失行为能力，是指被限制人身自由的人失去了以自己的行为行使权利和承担义务的能力，例如，成为不能辨认自己行为的精神病人或者植物人。

之所以作出这样的规定，一是因为被限制人身自由的人在被限制人身自由期间，采取限制人身自由措施的行政机关负有安全监管的义务，在被限制人身自由期间发生死亡或者丧失行为能力情形的，应当由行政机关举证证明被限制人身自由的人的损害不是由于行政机关的违法或者过错行为引起的。二是因为被限制人身自由的人死亡或者丧失行为能力的，已经无法对自己的损害与赔偿义务机关的行为之间是否有因果关系承担举证责任，这时实行举证责任特殊规定，由赔偿义务机关对该因果关系承担举证责任，是必要和合理的。

第十六条　赔偿义务机关赔偿损失后，应当责令有故意或者重大过失的工作人员或者受委托的组织或者个人承担部分或者全部赔偿费用。

对有故意或者重大过失的责任人员，有关机关应当依法给予处分；构成犯罪的，应当依法追究刑事责任。

【释义】　本条是关于行政追偿和行政赔偿责任人员责任追究的规定。

行政追偿，是指国家向行政赔偿请求人支付赔偿费用后，依法责令有故意或者重大过失的工作人员、受委托的组织或者个人承担部分或者全部赔偿费用的法律制度。行政机关的工作人员或者受委托的组织和个人在行使行政职权时，以国家和行政机关代表的身份出现，其职权行为违法侵犯公民、法人或者其他组织的合法权益造成损害时，受害人不能直接向行使行政职权的个人要求赔偿，而应当由国家承担赔偿责任。但是，行政机关工作人员在行使职权时因故意或者重大过失导致损害发生，经证明该工作人员对损害的发生负有责任的，国家在对受害人进行赔偿后，有权向导致损害发生的工作人员进行追偿。行政追偿制度既可以保证受害人及时得到赔偿，避免因行政机关工作人员资金薄弱难以向受害人支付足额赔偿费用的情况发生，又可以监督行政机关工作人员依法行使行政职权，增强其责任感，同时还可以减轻国家的财政负担。

根据本条第一款的规定，行政机关行使追偿权的条件是：

1. 赔偿义务机关已经向赔偿请求人，即受到损害的公民、法人或者其他组织支付了赔偿金。追偿本身的性质决定了只有在国家承担了赔偿责任的前提下，才可能产生追偿问题，这是国家行使追偿权的前提条件。在行政机关向受害人支付赔偿金之前，不能向行政机关工作人员行使追偿权。根据本法第三十七条的规定，赔偿请求人凭生效的判决书、复议决定书、赔偿决定书或者调解书，向赔偿义务机关申请支付赔偿金。赔偿义务机关应当自收到支付赔偿金申请之日起七日内，向财政部门提出支付申请。财政部门应当自收到支付申请之日起十五日内支付赔偿金。只有在财政部门支付赔偿金后，行政机关才能对有过错的工作人员行使追偿权。

2. 行政机关工作人员或者受行政机关委托的组织或个人违法行使行政职权造成了受害人合法权益的损失，且在主观上有故意或者重大过失。故意，是指致害的行政机关工作人员在行使行政职权时，明知自己的行为违法并且会给公民、法人或者其他组织的合法权益造成损害，仍然希望或者放任这种损害结果发生的主观心理态度。重大过失，是指行政机关工作人员在行使行政职权时，不仅未能达到其身份或者职务上的特别要求，而且未能预见和避免普通人均能预见或者避免的对他人的可能损害，致使公民、法人或者其他组织的合法权益遭到侵犯并造成损失。行政追偿的主观要件，仅限于故意或者重大过失。对于一般过失，本法没有将其作为国家行使追偿权的主观要件。因为一般过失相对于重大过失来讲，责任较轻，在工作中很难完全避免，如果对一般过失也实行追偿，会造成行政机关工作人员在工作中过于谨小慎微，不敢负责，不利于工作效率的提高。关于重大过失和一般过失的认定标准，法律没有明确规定，实践中一般以某一具体情况下中等程度的注意义务和作为义务为标准，超过中等程度的注意义务和作为义务的为一般过失，明显或严重欠缺中等程度的注意义务和作为义务的属于重大过失。

对于行政追偿的范围，本法仅原则规定赔偿义务机关应当责令责任人承担部分或者全部赔偿费用。一般来讲，赔偿义务机关追偿赔偿金时应当遵循以下几个原则：第一，追偿金额的范围以赔偿义务机关支付的赔偿金额为限。在行政赔偿案件处理过程中赔偿义务机关所支付的办案经费、诉讼费用等应从行政机关的财政经费中支付，不宜列入追偿范围；如果赔偿请求人放弃部分赔偿金额，赔偿义务机关未全额给付的，减少的部分不能追偿；如果赔偿请求人放弃全部赔偿金额，赔偿义务机关未给付赔偿金的，不能追偿。第二，追偿的金额应与责任人的过错程度相适应。追偿是以故意或重大过失为条件的，而故意和重大过失本身就有程度的不同。一般情况下，直接故意的情节比间接故意重，间接故意比重大过失重。因此，对行政机关工作人员的追偿金额的大小应与其过错程度相适应。过错重，追偿金额大；过错轻，追偿金额小。第三，追偿金额应与行政机关工作人员的工资收入相适应。行政追偿的金额要从行政机关工作人员的工资中扣除，因此，追偿的金额要与工资收入相适应。扣除金额过多，将影响行政机关工作人员及其家庭正常生活，进而影响该工作人员的工作积极性；追偿金额过少，则达不到警示和惩戒的目的。

因故意或者重大过失侵犯公民、法人或者其他组织的合法权益，通常是行政机关工作人员执法犯法或渎职行为，不给予一定的法律制裁，就难以制止这种行为，不利于依法行政、廉政勤政建设。因此，本条第二款规定，对有故意或者重大过失的责任人员，有关机关应当依法给予处分；构成犯罪的，应当依法追究刑事责任。

第三章　刑事赔偿

刑事赔偿是指行使侦查、检察、审判职权的机关以及看守所、监狱管理机关及其工作人员行使职权时，侵犯公民、法人和其他组织合法权益的，所给予的赔偿。本章分三节，共十五条，对刑事赔偿的范围、赔偿义务机关以及赔偿程序作了规定。刑事赔偿是这次修改国家赔偿法的重点。通过这次修改，进一步完善了刑事赔偿的范围、畅通了赔偿渠道、完善了办理程序、确定了举证义务、建立了纠错机制，对于保障公民、法人和其他组织依法获得国家赔偿的权利，促进国家机关及其工作人员依法行使职权具有重要意义。

第一节　赔偿范围

第十七条　行使侦查、检察、审判职权的机关以及看守所、监狱管理机关及其工作人员在行使职权时有下列侵犯人身权情形之一的，受害人有取得赔偿的权利：

（一）违反刑事诉讼法的规定对公民采取拘留措施的，或者依照刑事诉讼法规定的条件和程序对公民采取拘留措施，但是拘留时间超过刑事诉讼法规定的时限，其后决定撤销案件、不起诉或者判决宣告无罪终止追究刑事责任的；

（二）对公民采取逮捕措施后，决定撤销案件、不起诉或者判决宣告无罪终止追究刑事责任的；

（三）依照审判监督程序再审改判无罪，原判刑罚已经执

行的;

(四)刑讯逼供或者以殴打、虐待等行为或者唆使、放纵他人以殴打、虐待等行为造成公民身体伤害或者死亡的;

(五)违法使用武器、警械造成公民身体伤害或者死亡的。

【释义】 本条是关于司法机关侵犯公民人身权,国家承担赔偿责任的范围的规定。

(一)立法中对如何界定错误拘留、错误逮捕的不同意见

原国家赔偿法第十五条规定,对没有犯罪事实或者没有事实证明有犯罪重大嫌疑的人错误拘留的,对没有犯罪事实的人错误逮捕的,受害人有取得赔偿的权利。原国家赔偿法第二条第一款规定:"国家机关和国家机关工作人员违法行使职权侵犯公民、法人和其他组织的合法权益造成损害的,受害人有依照本法取得国家赔偿的权利。"顾昂然同志在《国家赔偿法制定情况和主要内容》(《立法札记》第529页、第530页)一文中指出,"我国国家赔偿法采取违法原则,即以是否违背法律规定,作为是否承担责任的标准,只要是违反法律规定的,不管主观上有无过错,都要承担赔偿责任"。"行政赔偿、刑事赔偿有不同的情况,但许多问题是一样的,如赔偿的原则、标准等。"从上述论述中,可以看出,在因刑事拘留、逮捕引起的国家赔偿案件中,国家赔偿法在立法原意上,采取与行政赔偿相同的违法原则。但在国家赔偿法实施过程中,特别是刑事诉讼法对拘留、逮捕的条件进行了修改(普遍认为较以前放宽了),并对拘留的时间规定了可以延长至三十天的情形后,对拘留、逮捕是否仍应适用违法归责,出现了不同认识。在国家赔偿法修改过程中,专家、学者间对如何更为明确地界定"错误拘留"、"错误逮捕",也存在不同意见:

第一种观点认为,国家赔偿法中的"没有犯罪事实"是指没有犯罪行为;"没有事实证明有犯罪重大嫌疑",是指没有证据证明有犯罪重大嫌疑。因此,错误拘留、错误逮捕的标准应从结果来考

察。只要刑事诉讼程序已终止、没有认定犯罪事实、未经法院判决有罪的当事人,以及撤销案件、不起诉案件的当事人,在法律上就是无罪的,不论是否存在违反刑事诉讼法的情况,原拘留、逮捕措施即属于错误拘留、错误逮捕,国家应当承担赔偿责任。

第二种观点认为,1996年修改后的刑事诉讼法将逮捕的条件由原来规定的"主要犯罪事实已经查清"修改为"有证据证明有犯罪事实"。"有证据证明有犯罪事实",不要求"主要犯罪事实已经查清",对实施数个犯罪行为的犯罪嫌疑人,只要有证据证明实施数罪中的一罪,即符合逮捕条件,可以采取逮捕措施。"有证据证明有犯罪事实",强调的是逮捕时的证据情况,并不要求客观上确实存在犯罪事实,也不要求"证据确实、充分",而是需要进一步侦查、判断。如果在决定采取逮捕措施时"有证据证明有犯罪事实",但在进一步侦查或者审判中不能认定构成犯罪,这种情况并不违反刑事诉讼法的规定,不能认定为错误逮捕,因此,国家不承担赔偿责任。

第三种观点认为,刑事诉讼是在严格程序要求下揭露犯罪、证实犯罪的过程。在这个过程中,人们的认识是逐步深化的,出现拘留、逮捕时认为是犯罪而最终不认为是犯罪的情况,是符合诉讼规律的要求的。国家司法权的实现无法完全避免对公民的这种合法损害(正如国家要铺设公路或铁路时不得不拆除某些公民的私人住宅一样)。但既然公民为国家司法权的实现做出了牺牲,其人身自由实际上受到了侵犯,国家就应当对公民进行补偿和抚慰。因此,应当明确对无罪羁押采用结果归责,由国家予以补偿,以解决因此产生的大量信访、上访案件。

还有一种观点认为,应将刑事拘留与逮捕的赔偿区别开来,逮捕赔偿应实行结果归责,刑事拘留赔偿应实行违法归责;采取刑事拘留符合刑事诉讼法规定的,不应承担赔偿责任。理由是:第一,刑事诉讼法对刑事拘留和逮捕条件的规定有区别,如规定刑事拘留和逮捕实行相同的赔偿原则,将刑事拘留的适用条件提高到逮捕、刑事判决的标准,不符合侦查工作的认识规律。第二,对刑事拘留的部分犯罪嫌疑人、被告人,决定撤销案件、不起诉或者判决宣告无罪,是因为证据不足、证据链没有形成,犯罪嫌疑人、被告人可能是有罪的,对这类人予以赔偿,会导致被害人不满,对社会稳定造成不利影响。第三,我国当前正处于社会转型期,刑事犯罪高发,但执法力量不足,如对刑事拘留按结果赔偿,办案机关易出现消极作为甚至不作为,影响打击犯罪的力度。

(二)一些国家和地区的规定

在一些国家和地区,对刑事羁押措施造成无辜的公民受羁押或者被执行刑罚,国家对受害人的损失予以补偿。例如,德国刑事追诉措施补偿法规定,对于因刑事法庭判决遭受损失者,如其判决在再审程序中被撤销或被减轻,或者在能使该判决有效的其他刑事诉讼中被撤销或被减轻时,由国库予以补偿。如果当事人已经被释放,或者针对他的刑事诉讼已经终止,或者法院拒绝对他开庭审判,当事人由于受羁押或其他刑事追诉措施而遭受的损失,由国库予以补偿。日本刑事补偿法规定:(1)根据刑事诉讼法被审判宣告无罪的人,如果在判决前曾依据刑法受到关押或拘禁,可以向国家请求补偿;(2)受到审判宣告无罪的人,如果已按照原判决执行刑罚或受到拘押时,可以向国家请求补偿。根据我国台湾地区"冤狱赔偿法",有权取得赔偿的包括:(1)不起诉处分或者无罪判决确定前,曾受羁押的;(2)依再审或者非常上诉程序判决无罪确定前,曾受羁押或者已经执行刑罚的。公民权利和政治权利国际公约第十四条中规定:"在一人按照最后决定已被判定犯刑事罪而其后根据新的或新发现的事实确实表明发生误审,他的定罪被推翻或被赦免的情况下,因这种定罪而受刑罚的人应依法得到赔偿,除非经证明当时不知道的事实的未被及时揭露完全是或部分是由于他自己的缘故。"

对于刑事羁押中国家机关及其工作人员即使无过错，也要承担责任的原因，我国台湾地区学者归纳为以下几种学说：一是法律义务说。对于无罪的人，国家本来无权对其施行刑罚，如检察官或法官不知道其为无罪而予以羁押，这种羁押属于“客观违法”，即实质上不当而形式上合法。由于公民被无辜羁押是由国家法律授权的公务员的职务行为造成的，因此，对公民所受的损害，国家有义务承担赔偿责任。二是公平说。个人因国家刑事司法的错误所受到的损害，属于对社会付出的“特别牺牲”，不应由个人单独负责，根据公平原则，应由因刑事司法制度之存在而普遍受益的社会共同负担。因此，不管国家如何授权司法机关羁押被告，且羁押行为本身是否合法，或者是否应属于客观违法，只要无辜的人实际上遭受羁押，国家就应当负责赔偿。三是社会保险说。刑事赔偿是以团体力量填补个人的损害，属于一种社会安全制度，也可视为社会保险，由国家就其所征收之租税所得，对无辜被国家司法机关所羁押的人予以赔偿。这种赔偿可使无辜被羁押受到损害者的利益获得填补，而社会所增添的负担并不很多，且有助于社会安全，因此，国家应负赔偿责任是合理的。四是刑事政策说。这一学说认为，刑事政策的发达，促使国家刑事赔偿趋向于无过失赔偿责任。刑事政策的运用目的在于清除受刑人或受羁押人的不良痕迹，以鼓励其改恶从善，那么对于无辜者更应弥补其所受的损害，以免其在社会中发生困难，因此，国家对于无辜者应当承担赔偿责任。

（三）关于刑事拘留

刑事拘留和逮捕，是刑事诉讼中公安机关、人民检察院、人民法院为保障诉讼活动的顺利进行，有效地同犯罪作斗争，依法对犯罪嫌疑人、被告人所采取的暂时剥夺其人身自由的强制措施。刑事强制措施在侦查、起诉、审判程序中都可能采取，其着眼点在于防止逃避或者妨碍诉讼活动的各种行为的发生，既非一种处罚，也不是案件的实体处理；对犯罪嫌疑人、被告人采取刑事强制措施并不是对其有罪的最终认定和宣告。

根据本条第一项的规定,刑事拘留赔偿的情形包括:一是对于违反刑事诉讼法的规定采取刑事拘留措施的;二是对依法采取刑事拘留措施,但超过了法律规定的拘留期限,并且其后决定撤销案件、不起诉或者判决宣告无罪终止追究刑事责任的。对于依法采取刑事拘留措施,并且在法定期间内进行侦查取证活动,没有超过期限,其后予以释放的,国家不承担赔偿责任。

在2009年6月第十一届全国人大常委会第九次会议对国家赔偿法修正案进行第二次审议时,曾提出方案,将拘留与逮捕一并规定,即“对公民采取逮捕措施后,决定撤销案件、不起诉或者判决宣告无罪终止追究刑事责任的”,受害人有取得赔偿的权利。但在审议过程中,有的常委会委员提出,刑事案件情况复杂,公安机关对拘留的犯罪嫌疑人,特别是流窜作案、多次作案、结伙作案的重大嫌疑人,需要一定时间进行侦查甄别,因此,对犯罪嫌疑人依法采取刑事拘留措施后予以释放的,是否应予以国家赔偿,建议慎重研究。会后,对这一问题经过反复研究认为,考虑到刑事拘留是对现行犯或者重大犯罪嫌疑分子,在遇有法定的紧急情况下依法采取的强制措施;逮捕是对有证据证明有犯罪事实的人采取的刑事强制措施。刑事拘留的条件要求明显低于逮捕,二者应有所区别。因此,刑事拘留赔偿范围,一方面要促使公安机关严格按照刑事诉讼法规定的条件和期限采取拘留措施,另一方面对公安机关依照刑事诉讼法侦查刑事案件要给予充分保障。

对刑事拘留赔偿的理解和执行应注意把握以下几点:

第一,刑事诉讼法第六十一条对采取刑事拘留措施的条件作了明确的规定:一是正在预备犯罪、实行犯罪或者在犯罪后即时被发觉的;二是被害人或者在场亲眼看见的人指认他犯罪的;三是在身边或者住处发现有犯罪证据的;四是犯罪后企图自杀、逃跑或者在逃的;五是有毁灭、伪造证据或者串供可能的;六是不讲真实姓名、住址,身份不明的;七是有流窜作案、多次作案、结伙作案重大嫌疑的。只有在上述情形下,公安机关才能采取拘留措施,超出法律规定的情形实施刑事拘留的,即构成违法拘留。

第二,刑事诉讼法第六十九条第一款、第二款对刑事拘留的期限作了明确规定:"公安机关对被拘留的人,认为需要逮捕的,应当在拘留后的三日以内,提请人民检察院审查批准。在特殊情况下,提请审查批准的时间可以延长一日至四日。""对于流窜作案、多次作案、结伙作案的重大嫌疑分子,提请审查批准的时间可以延长至三十日。"因此,只有流窜作案、多次作案、结伙作案的重大嫌疑人,报请批捕的时间才能延长至三十日。对于其他刑事案件的犯罪嫌疑人,报请批捕的时间只能是七日以内。对不属于流窜作案、多次作案、结伙作案的情形,采取拘留措施,拘留期限超过法定时限的,受害人有权要求国家赔偿。

第三,依照刑事诉讼法规定的条件和程序对公民采取拘留措施,但是拘留时间超过刑事诉讼法规定的时限,其后决定撤销案件、不起诉或者判决宣告无罪,终止追究刑事责任,国家承担赔偿责任的。国家赔偿包括整个拘留期间,既包括法定期限内的拘留,又包括超过法定期限的拘留,并不是只赔偿超过规定时限的那部分期间。

(四)关于逮捕

对于逮捕的国家赔偿,此次作了重大修改,明确了只要最终决定撤销案件、不起诉或者判决宣告无罪,终止追究刑事责任,并且排除国家免责的情形,国家应承担赔偿责任。

对于逮捕的国家赔偿,主要有两种情况:一种是依法实施逮捕,但经进一步侦查发现采取强制措施错误的;另一种是有关机关违反刑事诉讼法的规定,致使结果错误的。

刑事案件是已经发生且无法再现的事件,证据是办案人员认定案件事实的唯一手段。根据刑事诉讼法的规定,人民检察院提起公诉,人民法院作出有罪判决,必须犯罪事实清楚,证据确实充分。“犯罪事实清楚,证据确实充分”,是对刑事案件进行定案处理时的证明要求,不是在诉讼一开始就能达到的。逮捕犯罪嫌疑人时,要求有证据证明有犯罪事实。如果随着刑事诉讼程序的进行,不能达到“犯罪事实清楚,证据确实充分”的证明要求,根据无罪推定原则,就不能认定犯罪嫌疑人有罪。对于未经法定程序认定为有罪的人,国家本来无权限制其人身自由。但为了有效地同犯罪作斗争,维护社会的安全与秩序以及保障诉讼活动,就必须在刑事诉讼中建立刑事强制措施制度,因此就可能产生羁押事实上是错误的而形式上是合法的情形。由于刑事诉讼制度是为了公共利益而建立的一项制度,个人因制度的原因所受到的损害,不应由其单独负责,而应由社会共同负担,因此,无论司法机关的工作人员是否有过错,国家都有义务承担赔偿责任。

根据 2010 年修改后的国家赔偿法的规定,对公民采取逮捕措施后,国家承担赔偿责任主要有以下几种情形:

一是撤销案件终止追究刑事责任的。撤销案件,是指侦查机关在侦查过程中,发现不应对犯罪嫌疑人追究刑事责任的,对已经立案侦查的案件作出依法予以撤销的处理决定。刑事诉讼法第一百三十条规定:“在侦查过程中,发现不应对犯罪嫌疑人追究刑事责任的,应当撤销案件;犯罪嫌疑人已被逮捕的,应当立即释放,发给释放证明,并且通知原批准逮捕的人民检察院。”

二是作出不起诉决定终止追究刑事责任的。不起诉,是指人民检察院对公安机关侦查终结移送起诉的案件和直接立案侦查终结的案件进行审查后,认为犯罪嫌疑人的行为不符合起诉条件,而依法作出的不将犯罪嫌疑人提交人民法院进行审判,终止刑事程序的处理决定。刑事诉讼法第一百三十五条规定,人民检察院侦查终结的案件,应当作出提起公诉、不起诉或者撤销案件的决定。第一百四十条第四款规定,对于补充侦查的案件,人民检察院仍然认为证据不足,不符合起诉条件的,可以作出不起诉的决定。

这里需要注意的是,刑事诉讼法第一百四十二条规定,犯罪嫌疑人有该法第十五条规定的情形之一的,人民检察院应当作出不起诉决定。对于犯罪情节轻微,依照刑法规定不需要判处刑罚或者免除刑罚的,人民检察院可以作出不起诉决定。根据国家赔偿法第十九条第三项的规定,依照刑事诉讼法第十五条、第一百四十二条第二款规定不追究刑事责任的人被羁押的,国家不承担赔偿责任,属于国家免责的范围。

三是宣告无罪。宣告无罪,是指人民法院根据查明的案件事实、证据和法律规定,确认被告人无罪,或认为证据不足,指控的犯罪不能成立、作出宣告被告人无罪的判决。人民法院的一审判决、二审判决和审判监督程序的再审改判都可能产生无罪判决。无罪判决有两种不同情况:一是明确的无罪判决;二是证据不足,指控罪名不能成立的无罪判决。前一种判决是根据现有的证据足以证明被告人确实无罪。后一种判决则是根据“疑罪从无”原则,在指控的犯罪的证据并不充分的情况下,宣告被告人无罪。

（五）依照审判监督程序再审改判无罪,原判刑罚已经执行的

刑罚是对有罪的人施行的处罚。无罪的人被错判,且刑罚已经执行,必然使当事人蒙受冤屈,合法权益受到严重的损害,对此,国家应当予以平反并承担赔偿责任。

根据本条规定,无罪错判的赔偿,限于原判刑罚已经全部或者部分执行的情况。这里的刑罚,指剥夺人身自由的刑罚,主要指实际羁押的有期徒刑和无期徒刑。虽被判处刑罚,但没有被羁押,不能请求国家赔偿。根据最高人民法院《关于人民法院执行〈中华人民共和国国家赔偿法〉几个问题的解释》的规定,人民法院判处管制、有期徒刑缓刑、剥夺政治权利等刑罚被依法改判无罪的,国家不承担赔偿责任。但是,判决生效前被羁押的,依法有权取得国家赔偿。

根据刑事诉讼法第二百零四条的规定,有下列情形之一的,人民法院应当重新审判:一是有新的证据证明原判决、裁定认定的事实确有错误的;二是据以定罪量刑的证据不确实、不充分或者证明案件事实的主要证据之间存在矛盾的;三是原判决、裁定适用法律确有错误的;四是审判人员在审理该案件的时候,有贪污受贿、徇私舞弊、枉法裁判行为的。

实践中,错判有多种情形,包括无罪被判有罪、轻罪被判重罪、有罪被判无罪、此罪被判彼罪、重罪轻判等情形,但根据国家赔偿法,上述情形并不都要进行国家赔偿,只有无罪被判有罪,并且全部或者部分执行刑罚的,国家才承担赔偿责任。

基于同一犯罪事实、结果出现轻罪重判,对此是否给予赔偿目前存在不同的认识。一种意见认为,我国刑法第五条规定:"刑罚的轻重,应当与犯罪分子所犯罪行和承担的刑事责任相适应。"根据刑法罪—责—刑相适应的原则,刑事处罚应当罚当其罪,防止刑罚的滥用。国家赔偿法应当适时吸收这一成果,将轻罪重判行为纳入赔偿范围,以保护受害人和维护司法公正,保障人权。德国再审无罪判决赔偿法以及比利时等国的法律中,都对此作了规定。另一种意见认为,轻罪重判包括此罪错判为较重彼罪以及单纯的量刑畸重两种情形。司法实践中,任何一个判决,都依赖于法官对于证据的采信、事实的认定、法律的理解、各种量刑情节的综合考虑,以及所处的一定区域的类似判决间的平衡,故判决的作出是一个非常复杂的系统。我国刑法对于刑罚幅度的设置较为宽泛,法官享有较大的自由裁量权,对同一罪名的判决,除非是出格的判决,否则很难界定是否属于轻罪重判。因此,轻罪重判的赔偿极为复杂,需要进一步探讨,目前不宜纳入国家赔偿的范围。根据国家赔偿免责的情形的规定,对于轻罪重判,可以有免责的抗辩。

（六）刑讯逼供或者以殴打、虐待等行为或者唆使、放纵他人以殴打、虐待等行为造成公民身体伤害或者死亡的

刑讯逼供是指司法人员在办案过程中为逼取口供，对犯罪嫌疑人、被告人使用肉刑或者变相肉刑逼取口供的行为。刑讯逼供是司法活动中严重侵犯公民人身权利的违法、犯罪行为，它不仅造成受害人人格尊严的极大侮辱，身心健康的极大伤害，而且容易导致冤假错案，从而破坏法治、损害司法机关的威信。我国刑事诉讼法第四十三条规定："审判人员、检察人员、侦查人员必须依照法定程序，收集能够证实犯罪嫌疑人、被告人有罪或者无罪、犯罪情节轻重的各种证据。严禁刑讯逼供和以威胁、引诱、欺骗以及其他非法的方法收集证据。……"我国刑法二百四十七条规定了刑讯逼供罪、暴力取证罪，即司法工作人员对犯罪嫌疑人、被告人实行刑讯逼供或者使用暴力逼取证人证言的，处三年以下有期徒刑或者拘役。致人伤残、死亡的，依照故意伤害罪、故意杀人罪的规定定罪从重处罚。我国监狱法第七条第一款规定："罪犯的人格不受侮辱，其人身安全、合法财产和辩护、申诉、控告、检举以及其他未被依法剥夺或者限制的权利不受侵犯。"监狱法第十四条规定，监狱的人民警察不得有刑讯逼供或者体罚、虐待罪犯、殴打或者纵容他人殴打罪犯、侮辱罪犯人格的行为。

本条规定的殴打、虐待等行为，是指公安、安全、检察、审判、监狱管理机关的工作人员，在执行职务的过程中，对犯罪嫌疑人、被告人、罪犯或者其他公民实施的殴打、虐待甚至杀害等行为。原国家赔偿法规定："以殴打等暴力行为或者唆使他人以殴打等暴力行为造成公民身体伤害或者死亡的"，受害人有取得国家赔偿的权利。这次修改过程中，有的常委委员提出，上述规定没有包括受到虐待以及司法机关工作人员放纵他人实施殴打、虐待的情形，建议予以明确。因此，国家赔偿法增加了有关内容。

与刑事拘留、逮捕的国家赔偿责任不同，刑讯逼供或者以殴

打、虐待等行为侵犯公民身体健康权的,不以受害者无罪为前提,有罪的受害者也有权获得此项赔偿。因此,受害者在受伤后即可申请国家赔偿,不必等诉讼结束。

(七)违法使用武器、警械造成公民身体伤害或者死亡的

武器,是指司法机关按照规定装备的枪支、弹药等致命性警用器械。警械,是指司法机关按照规定装备的警棍、催泪弹、高压水枪、特种防暴枪、手铐、脚镣、警绳等警用器械。

为了保障司法机关依法履行职责,及时有效地制止违法犯罪行为,维护公共安全和社会秩序,保护公民的人身安全和合法财产,保护公共财产,法律赋予刑事司法人员佩带和使用武器和警械的权力。但为了保护公民的人身权利不受非法侵犯,法律、法规对可以佩带、使用武器、警械的人员,以及可以使用武器、警械的情形、使用方法、对象等问题都作了明确规定。

根据《中华人民共和国人民警察使用警械和武器条例》第四条的规定,人民警察使用警械和武器,应当以制止违法犯罪行为,尽量减少人员伤亡、财产损失为原则。第八条规定,人民警察依法执行下列任务,遇有违法犯罪分子可能脱逃、行凶、自杀、自伤或者有其他危险行为的,可以使用手铐、脚镣、警绳等约束性警械:(1)抓获违法犯罪分子或者犯罪重大嫌疑人的;(2)执行逮捕、拘留、看押、押解、审讯、拘传、强制传唤的;(3)法律、行政法规规定可以使用警械的其他情形。人民警察依照前款规定使用警械,不得故意造成人身伤害。第九条规定:人民警察判明有下列暴力犯罪行为的紧急情形之一,经警告无效的,可以使用武器:(1)放火、决水、爆炸等严重危害公共安全的;(2)劫持航空器、船舰、火车、机动车或者驾驶车、船等机动交通工具,故意危害公共安全的;(3)抢夺、抢劫枪支弹药、爆炸、剧毒等危险物品,严重危害公共安全的;……人民警察依照前款规定使用武器,来不及警告或者警告后可能导致更为严重危害后果的,可以直接使用武器。第十条规

定了不得使用武器的情形:(1)发现实施犯罪的人为怀孕妇女、儿童的,但是使用枪支、爆炸、剧毒等危险物品实施暴力犯罪的除外;(2)犯罪分子处于群众聚集的场所或者存放大量易燃、易爆、剧毒、放射性等危险物品的场所的,但是不使用武器予以制止,将发生更为严重危害后果的除外。第十一条规定了应当立即停止使用武器的情形:(1)犯罪分子停止实施犯罪,服从人民警察命令的;(2)犯罪分子失去继续实施犯罪能力的。

刑事司法机关工作人员应当按照法律、法规规定的情形、使用方法、对象来使用武器、警械。依法不应配备武器、警械的工作人员配备或者私自携带、使用武器、警械,依法佩带武器、警械的司法机关工作人员违反规定使用武器、警械,造成公民身体伤害或者死亡的,受害人有取得国家赔偿的权利。

第十八条　行使侦查、检察、审判职权的机关以及看守所、监狱管理机关及其工作人员在行使职权时有下列侵犯财产权情形之一的,受害人有取得赔偿的权利:

(一)违法对财产采取查封、扣押、冻结、追缴等措施的;

(二)依照审判监督程序再审改判无罪,原判罚金、没收财产已经执行的。

【释义】　本条是关于司法机关侵犯财产权,国家应承担赔偿责任范围的规定。

(一)违法对财产采取查封、扣押、冻结、追缴等措施,侵犯公民、法人和其他组织合法财产的情形

1.刑事诉讼中查封、扣押、冻结、追缴措施的性质

为了保证刑事诉讼的正常进行,保护国家、集体以及公民、法人和其他组织的财产权益,法律赋予司法机关对犯罪嫌疑人、被告人的财产采取查封、扣押、冻结、追缴等措施。

刑事诉讼中的查封是行使侦查、检察、审判职权的国家机关将

与刑事案件有关的可以用作证据、不便提取的财物,就地封存或者责成专人保管,任何人不得擅自移动或处分,以防该财物转移、隐匿或者毁损丢失,以待进一步查处。

扣押是指有关司法机关将与刑事案件有关的物品、文件、邮件等强制扣留,限制被采取该项措施的人占有和处分的措施。

冻结是有关司法机关为防止犯罪嫌疑人、被告人转移、处分与案件有关的资产,通知银行或者其他金融机构暂停支付或不准提取、转让存款或股票等有价证券的措施。

追缴是有关司法机关对于犯罪工具、物品、赃物、非法所得等进行追查、收缴、退回原主或上缴国家的措施,是刑事诉讼中保护国家、集体财产以及公民、法人和其他组织财产不受损失的必要手段。

2. 刑事诉讼中实施查封、扣押、冻结、追缴的范围和程序的有关规定

刑事诉讼中,无论是对财产采取查封、扣押、冻结,还是追缴措施,都涉及对财产的限制,这种措施运用的结果直接导致公民、法人和其他组织财产权现实状况的改变,在特定情况下会造成财产权的损害。因此,在刑事诉讼过程中,司法机关及其工作人员应当严格依照法律规定的范围和程序,实施查封、扣押、冻结、追缴;违法实施给公民、法人和其他组织的合法财产造成损失的,受害人有取得国家赔偿的权利。

我国刑事诉讼法对查封、扣押、冻结的范围、程序等作出了规定:

对于扣押财物,刑事诉讼法第一百一十四条规定,在勘验、搜查中发现的可用于证明犯罪嫌疑人有罪或者无罪的各种物品和文件,应当扣押;与案件无关的物品、文件,不得扣押。对于扣押的物品、文件,要妥善保管或者封存、不得使用或者损毁。第一百一十六条规定,侦查人员认为需要扣押犯罪嫌疑人的邮件、电报的时候,经公安机关或者人民检察院批准,即可通知邮电机关将有关的

邮件、电报检交扣押。不需要继续扣押的时候,应即通知邮电机关。第一百一十五条规定,对于扣押的物品和文件,应当会同在场见证人和被扣押物品持有人查点清楚,当场开列清单一式二份,由侦查人员、见证人和持有人签名或者盖章,一份交给持有人,另一份附卷备查。第一百九十八条规定,公安机关、人民检察院和人民法院对于扣押、冻结犯罪嫌疑人、被告人的财物及其孳息,应当妥善保管,以供核查。任何单位和个人不得挪用或者自行处理。对被害人的合法财产,应当及时返还。对违禁品或者不宜长期保存的物品,应当依照国家有关规定处理。对作为证据使用的实物应当随案移送,对不宜移送的,应当将其清单、照片或者其他证明文件随案移送。人民法院作出的判决生效以后,对被扣押、冻结的赃款赃物及其孳息,除依法返还被害人的以外,一律没收,上缴国库。司法工作人员贪污、挪用或者私自处理被扣押、冻结的赃款赃物及其孳息的,依法追究刑事责任;不构成犯罪的,给予处分。

对冻结存汇款,刑事诉讼法第一百一十七条规定,人民检察院、公安机关根据侦查犯罪的需要,可以依照规定查询、冻结犯罪嫌疑人的存款、汇款。犯罪嫌疑人的存款、汇款已被冻结的,不得重复冻结。

对于扣押、冻结的解除,刑事诉讼法第一百一十八条规定,对于扣押的物品、文件、邮件、电报或者冻结的存款、汇款,经查明确实与案件无关的,应当在三日以内解除扣押、冻结,退还原主或者原邮电机关。此外,刑事诉讼法第七十七条规定,为防止国家、集体或者被害人的财产由于被告人的犯罪行为而遭受损失,人民法院在必要的时候,可以查封或者扣押被告人的财产。

对追缴和退赔,刑法第五十三条规定,罚金在判决指定的期限内一次或者分期缴纳。期满不缴纳的,强制缴纳。对于不能全部缴纳罚金的,人民法院在任何时候发现被执行人有可以执行的财产,应当随时追缴。如果由于遭遇不能抗拒的灾祸缴纳确实有困难的,可以酌情减少或者免除。第六十四条规定,犯罪分子违法所得的一切财物,应当予以追缴或者责令退赔;对被害人的合法财产,应当及时返还;违禁品和供犯罪所用的本人财物,应当予以没收。没收的财物和罚金,一律上缴国库,不得挪用和自行处理。

此外,《最高人民法院关于执行〈中华人民共和国刑事诉讼法〉若干问题的解释》、《人民检察院刑事诉讼规则》以及《公安机关办理刑事案件程序规定》,对刑事诉讼中采取查封、扣押、冻结、追缴等措施的程序,也作出了一系列的规定。

3. 违法查封、扣押、冻结、追缴的主要表现

(1)对与案件无关的财物以及犯罪嫌疑人、被告人的合法财产采取查封、扣押、冻结、追缴等措施。对案件之外的其他公民、法人的财物,被告人家属个人的合法收入、储蓄、生产资料,被告人合法继承的遗产及奖品、资金等采取查封、扣押、冻结、追缴等措施,即属于违法。如在侦办贪污案件中,办案机关发现当事人存款与案件直接有关,要求有关金融机构予以冻结。但在采取冻结措施时,把属于当事人家属每月应从银行领取的工资也一同冻结,这显然是采取措施的对象错误,是违法行为。

(2)宣告被告人无罪后,仍继续查封、扣押或者冻结财产。

(3)查封、扣押或者冻结财产后,未依照刑事诉讼法的规定履行妥善保管封存、不得使用或者毁损的义务,而给犯罪嫌疑人、被告人的财产造成损害。

(二)依照审判监督程序再审改判无罪,原判罚金、没收财产已经执行的

罚金和没收财产是我国刑法规定的附加刑。罚金是指人民法院判处犯罪人向国家缴纳一定数额的金钱。没收财产是指将犯罪分子个人所有财产的一部或者全部强制无偿地收归国有。如果依照审判监督程序再审改判被告人无罪,则已经执行的罚金或者没收的财产,国家应当承担赔偿责任,予以返还。

第十九条[①] **属于下列情形之一的,国家不承担赔偿责任:**

(一)因公民自己故意作虚伪供述,或者伪造其他有罪证据被羁押或者被判处刑罚的;

(二)依照刑法第十七条、第十八条规定不负刑事责任的人被羁押的;

(三)依照刑事诉讼法第十五条、第一百四十二条第二款规定不追究刑事责任的人被羁押的;

(四)行使侦查、检察、审判职权的机关以及看守所、监狱管理机关的工作人员与行使职权无关的个人行为;

(五)因公民自伤、自残等故意行为致使损害发生的;

(六)法律规定的其他情形。

【释义】 本条是关于刑事赔偿免责情形的规定。

刑事赔偿免责情形及其理由,是国家赔偿法中的一个重要问题,也是修改国家赔偿法中讨论比较多的问题。这一问题由于涉及刑法、刑事诉讼法的条文较多,规定的情形比较复杂,需要从理论上进行归类,并对有些情形进行仔细分析。

(一)刑事赔偿免责理由归类

刑事赔偿免责理由可以归纳为两大类:一是赔偿请求人的行为具有犯罪构成要件该当性、违法性;二是具有可归责于国家之外主体的理由。

1. 赔偿请求人的行为具有犯罪构成要件该当性、违法性

犯罪的成立,应当具有构成要件该当性、违法性、有责性。构成要件该当性,又称为构成要件符合性,是指行为具有与刑法分则

---

① 2012年10月26日《全国人民代表大会常务委员会关于修改〈中华人民共和国国家赔偿法〉的决定》将本条第三项修改为"依照刑事诉讼法第十五条、第一百七十三条第二款、第二百七十三条第二款、第二百七十九条规定不追究刑事责任的人被羁押的"。

所规定的具体特征相一致的性质。违法性,是指对刑法所保护的合法权益的实质侵害性。有责性,是指能够对行为人的危害行为进行谴责,包括以下要素:责任能力、故意责任、过失责任、期待可能性。其中,责任能力是有责性的前提,凡是具有认识能力和控制能力的人,就认为具有责任能力。在将某一行为认定为犯罪时,须进行三次评价:构成要件该当性是事实评价,为认定犯罪提供行为事实的基础;违法性是法律评价,排除正当防卫等违法阻却事由;有责性是主观评价,为追究刑事责任提供主观根据。构成要件是违法行为的类型,具有违法性的推定功能,如果行为符合构成要件,一般就可以推定该行为属于违法。但是,如果行为具有刑法上所规定或者法秩序所认可的违法性阻却事由,就不属于犯罪。比如,具有执行职务、正当防卫等阻却事由,就不属于犯罪。存在违法性,原则上可推定行为人有责任。但是,在行为人不能归责时,犯罪仍然不成立。比如,未满十四周岁的行为人不具有责任能力,即使行为符合构成要件并具有违法性,也不能成立犯罪。

具有犯罪构成要件该当性、违法性的行为,本身具有社会危害性。因此,行为人虽然具有法定的不负刑事责任或不追究刑事责任事由,但在该事由认定之前,为调查甄别案件事实所采取的羁押措施以及刑罚执行中的关押,国家可以免责。符合这一免责理由的有下列情形:

(1)依照刑法第十七条、第十八条规定不负刑事责任的人。

刑法第十七条第一款规定,已满十六周岁的人犯罪,应当负刑事责任;第二款规定,已满十四周岁不满十六周岁的人,犯故意杀人、故意伤害致人重伤或者死亡、强奸、抢劫、贩卖毒品、放火、爆炸、投放危险物质罪的,应当负刑事责任。刑法第十八条第一款规定,精神病人在不能辨认或者不能控制自己行为的时候造成危害结果,经法定程序鉴定确认的,不负刑事责任。

在刑法上,要对符合构成要件且违法的行为的实施者进行非难，就必须证实行为人在实施行为时能够理解法律的命令和禁止的内容，并且具有按照这种理解行动的能力。这就是责任能力，包括认识能力和控制能力。这两种能力会因达到一定年龄而获得，同时也可能因精神障碍而丧失。因此在刑法上，责任年龄涉及年龄与责任能力的关系问题，精神状况涉及精神疾病是否影响认识能力和控制能力问题。

确定刑事责任年龄，就是从年龄上规定一个负刑事责任的范围，这主要与一个国家的刑事政策有关。我国刑法第十七条把责任年龄分为三个阶段：一是已满十六周岁的人犯罪，应当负刑事责任，这是完全负刑事责任年龄阶段。二是已满十四周岁不满十六周岁的人，犯故意杀人、故意伤害致人重伤或者死亡、强奸、抢劫、贩卖毒品、放火、爆炸、投放危险物质罪的，应当负刑事责任，这是相对负刑事责任年龄阶段。这里的“犯故意杀人、故意伤害致人重伤或者死亡、强奸、抢劫、贩卖毒品、放火、爆炸、投放危险物质罪”，都是故意犯罪，不是仅指触犯这几种罪名，而是指实施这几种行为。比如，已满十四周岁不满十六周岁的人绑架他人并杀害被绑架人的，应当以故意杀人罪论处。已满十四周岁不满十六周岁但实施这八类行为以外行为的，即使社会危害性极大，也不负刑事责任。三是不满十四周岁的人，不管实施何种危害社会的行为，都不负刑事责任，这是完全不负刑事责任年龄阶段。

对于精神病人是否因精神疾病丧失认识能力和控制能力，大多数国家兼采生物学标准和心理学标准，称为混合标准。根据混合标准，行为人不仅必须患有刑法所规定的精神障碍，而且其所患精神疾病必须引起法定的心理状态或心理结果，才可被认定为无刑事责任能力或者限制刑事责任能力。

上述这两类人的行为具有犯罪的构成要件该当性、违法性，但是因为年龄、精神状态而阻却有责性，可以不负刑事责任。

（2）依照刑事诉讼法第十五条第二项规定不追究刑事责任的人。

刑事诉讼法第十五条第二项规定：犯罪已过追诉时效期限的，不追究刑事责任。

刑法上的时效有两种：追诉时效和行刑时效。我国刑法只规定了追诉时效。刑法上的追诉时效，是指刑事法律规定的国家对犯罪行为人行使刑事追诉权的有效期限。在有效期限内，国家如果不行使刑事追诉权，对犯罪行为人就不能再追诉。已经追诉的，应当撤销案件、不起诉或者终止审理。追诉时效完成，是刑罚请求权消灭的重要事由之一。我国刑法根据罪刑相适应原则，以犯罪的法定最高刑为标准，规定了四个档次的追诉时效。根据刑法第八十七条的规定，犯罪经过下列期限不再追诉：法定最高刑不满五年有期徒刑的，经过五年；法定最高刑为五年以上不满十年有期徒刑的，经过十年；法定最高刑为十年以上有期徒刑的，经过十五年；法定最高刑为无期徒刑、死刑的，经过二十年。如果二十年以后认为必须追诉的，须报请最高人民检察院核准。

这类行为已经构成犯罪，具有犯罪的构成要件该当性、违法性、有责性，但因已过追诉时效而不予追究。

（3）依照刑事诉讼法第十五条第三项规定不追究刑事责任的人。

刑事诉讼法第十五条第三项规定：经特赦令免除刑罚的，不追究刑事责任。

在刑法理论上，赦免分为两类：大赦和特赦。大赦是指国家元首或者国家最高权力机关，对某一范围内的罪犯一律予以赦免的制度。特赦是指国家元首或者最高国家权力机关对已受罪刑宣告的特定犯罪人免除其全部或部分刑罚的制度。两者的主要区别在于：特赦的对象是特定的，大赦的对象是不特定的；特赦是仅赦刑而不赦罪，大赦是既赦刑又赦罪；特赦后再犯罪可能构成累犯，大赦后再犯罪没有累犯问题；特赦往往公布被赦人名单，大赦一般不公布被赦人名单。我国 1954 年宪法曾有大赦和特赦的规定，但大赦没有实行过。后来的几部宪法则只规定了特赦。根据现行宪法第六十七条和第八十条的规定,特赦经全国人大常委会决定,由国家主席发布特赦令。

特赦是仅赦刑而不赦罪,因此这类行为已经构成犯罪,具有犯罪的构成要件该当性、违法性、有责性,但经特赦令免除刑罚而不追究刑事责任。

(4)依照刑事诉讼法第十五条第四项规定不追究刑事责任的人。

刑事诉讼法第十五条第四项规定,依照刑法告诉才处理的犯罪,没有告诉或者撤回告诉的,不追究刑事责任。

我国刑法规定,侮辱罪、诽谤罪、暴力干涉婚姻自由罪、虐待罪、侵占罪,告诉才处理。这五种犯罪以被害人的告诉作为追究刑事责任的前提条件,被害人及其法定代理人没有告诉或者告诉后又撤回的,则不予追究刑事责任。告诉才处理的案件,属于人民法院直接受理的自诉案件,自诉人在宣告判决前可以同被告人自行和解或者撤回起诉。告诉才处理案件的被告人符合刑事诉讼法规定的逮捕条件的,人民法院可以决定逮捕。没有告诉的,法院自然不会决定逮捕;但对情况紧急的案件或者案由认定错误,误认为不是告诉才处理而立案侦查的案件,公安机关可能采取拘留措施;对于案由认定错误,误认为不是告诉才处理的案件,检察机关、法院可能批准或决定逮捕,法院可能作出有罪判决。

这类行为已构成告诉才处理之罪,具有犯罪的构成要件该当性、违法性、有责性,但因没有告诉或者撤回告诉而不追究刑事责任。

(5)依照刑事诉讼法第一百四十二条第二款规定不追究刑事责任的人。

刑事诉讼法第一百四十二条第二款规定,对于犯罪情节轻微,依照刑法规定不需要判处刑罚或者免除刑罚的,检察院可以作出不起诉决定。

这类行为已构成犯罪,具有犯罪的构成要件该当性、违法性、有责性,但具有刑法规定的免除处罚情节,因此不追究刑事责任。对于这类案件,检察机关可以作出不起诉决定,已经起诉至法院的,法院在作出有罪宣告的同时免除其刑罚处罚。

2. 具有可归责于国家之外主体的理由

具有可归责于国家之外主体理由的,对国家也予以免责。根据国家赔偿法,符合这一免责理由的有下列情形:

(1)因公民自己故意作虚伪供述,或者伪造其他有罪证据被羁押或者被判处刑罚的。

这里的"故意作虚伪供述",是指公民欺骗司法机关,误导侦查,有意作与案件事实不符的陈述,或为替别人承担刑事责任而作虚假陈述,它要求公民对虚伪供述所引起的错误结果抱有希望或者放任心理。公民曾作有罪供述不能简单地认为"故意作虚伪供述",如果是迫不得已而为之,如因刑事司法人员的刑讯逼供屈打成招,或者出于对坦白从宽刑事政策的错误理解,以为只要说了有犯罪事实,就能获得从宽处理,而作了虚伪的供述,从而被羁押或者被判处刑罚的,不属于"故意作虚伪供述",国家仍应对该公民受到的损害承担赔偿责任。

这一免责情形包括三个要件:一是从主体看,被羁押或者被判处刑罚者必须是故意作虚伪供述或者伪造有罪证据的有行为能力的公民本人。如果是因某一公民提供伪证误导对另一公民拘留、逮捕或判刑,不能免除国家的刑事赔偿责任。二是从主观方面看,是故意且对自己将会受到法律追究的结果持希望或放任态度。一方面,从认识因素分析,公民明知所提供的供述或证据是不真实的,会妨碍司法机关查明案件真相,会导致对自己不利的后果,而故意为之。另一方面,从意志因素分析,公民对自己将会受到的不应有处罚后果持希望或放任态度。如果公民因自己的过失导致其被错误羁押或错误判刑的,国家不能免除刑事赔偿责任。三是根据公民所作的虚伪供述或提供的伪证足以认定其犯罪。如果公民虽作了虚伪供述或提供了伪证，但不足以认定其犯罪，或者实际上是依靠其他证据认定其犯罪，即公民提供的假证与其被错误羁押和错判没有因果关系，也不能免除国家的赔偿责任。

法律排除该公民请求国家赔偿的权利，首先是对其欺骗行为的惩戒。其次，公民在故意作虚假供述、自证有罪时，对自己被羁押或误判的后果已料到并自愿接受，即这种结果是公民自己故意追求的，因而也就丧失了请求国家赔偿的权利。

（2）行使侦查、检察、审判职权的机关以及看守所、监狱管理机关的工作人员与行使职权无关的个人行为。

这里的个人行为是指公安机关、国家安全机关、行使刑事侦查权的军队保卫部门、检察机关、人民法院、劳动改造部门的工作人员从事的与刑事侦查、检察、审判、监管人犯的职权无关的行为。国家只对上述机关工作人员执行职务行为所造成的损害负赔偿责任，其实施与行使职权无关的个人行为所造成的损害，由其本人负责，国家不承担责任。

职务行为与个人行为的区分与认定，通常要综合考虑以下因素：一是时间要素。工作人员在上班和执行任务期间实施的行为，通常视为职务行为，而在下班和非执行任务期间实施的行为，通常视为个人行为。二是名义要素。工作人员的行为是以其所属的机关名义作出的，通常视为职务行为；非以其所属的机关名义作出的，通常视为个人行为。三是公益要素。工作人员的职务行为涉及公共利益的，或者同公共事务有关的，通常视为职务行为；不涉及公共利益，与公共事务无关的，通常视为个人行为。四是职责要素。工作人员的行为属于其职责范围的，通常视为职务行为；超出其职责范围的，通常视为个人行为。五是命令要素。工作人员按照法律或者行政首长的命令、指示以及委托实施的行为，通常视为职务行为；无命令和法律根据的行为，通常视为个人行为。六是职务标志要素。工作人员执行职务,佩带或出示能表明其身份的职务标志,通常视为职务行为,反之则属于个人行为。

(3)因公民自伤、自残等故意行为致使损害发生的。

这里的自伤、自残的行为是指公民为达到某种个人目的，在无任何外力强制或者胁迫的情形下,将自己致伤、致残的行为。如果是在工作人员的威逼下致伤、致残的，则不属于自伤、自残。工作人员的威逼应当与伤残有直接的因果关系，公民如果仅仅因为不堪忍受某些工作人员粗暴的管理方式将自己致伤、致残的，不属于受到工作人员的威逼。对工作人员粗暴的管理行为应依照有关规定进行处理，但和公民的自伤、自残的行为要区别开。

(4)依照刑法告诉才处理的犯罪,因没有犯罪事实撤回告诉的。

依照刑法告诉才处理的犯罪,告诉人因没有犯罪事实撤回告诉的,对被告人的羁押责任可以归责于告诉人,国家因此可以免责。

(5)法律规定的其他情形。

这是一项原则性规定，即除本法规定的刑事赔偿免责事由外，其他法律规定对某种事项免除国家赔偿责任的，依照该法律规定。例如,从民法通则等法律规定来看，因不可抗力、紧急避险、第三人的过错等造成损害的，可以免除国家的赔偿责任。

除了上述两大类中所列情形外,还有刑事诉讼法第十五条第一项“情节显著轻微、危害不大,不认为是犯罪的”、第五项“犯罪嫌疑人、被告人死亡的”,实际情况比较复杂,需要进一步分析。

(二)关于情节显著轻微、危害不大,不认为是犯罪的人羁押的免责

1.情节显著轻微、危害不大,不认为是犯罪与犯罪情节轻微不追究刑事责任的区别

我国刑事诉讼法第十五条第一项规定,情节显著轻微、危害不

大,不认为是犯罪的,不追究刑事责任。第一百四十二条第二款规定,对于犯罪情节轻微,依照刑法规定不需要判处刑罚或者免除刑罚的,人民检察院可以作出不起诉决定。

这两种情节的规定都引用自刑法。刑法第十三条对犯罪作了定义,但书部分规定:但是情节显著轻微危害不大的,不认为是犯罪。第三十七条规定,对于犯罪情节轻微不需要判处刑罚的,可以免予刑事处罚,但是可以根据案件的不同情况,予以训诫或者责令具结悔过、赔礼道歉、赔偿损失,或者由主管部门予以行政处罚或者行政处分。

这两种情节的区别在于,前者是显著轻微,不认为是犯罪;后者情节轻微,虽然构成犯罪但无需处罚。后者在情节上比前者严重,如果符合前者情节的人被羁押,国家可以不承担赔偿责任,那么符合后者情节的人被羁押,国家当然也不承担赔偿责任。

2. 关于是否免责的观点

对于上述情节是否免责,有以下三类不同的观点。

(1)认为应当免责。

这类观点认为,被羁押人的行为虽然情节显著轻微,在法律上不认为犯罪,但事实上已经实施了危害社会和他人的行为。司法机关根据其违法行为对其实施羁押,以便查明其违法事实、情节和危害是否构成犯罪,国家不予赔偿。

(2)认为不能免责。

这类观点认为,法院对这样的案件作无罪判决,说明公安机关、检察机关的判断错误,羁押措施不符合法律规定,因此国家应予赔偿。

(3)认为要区分情况,不能一律免责。

持这类观点的人又有不同看法。第一种看法认为,违法羁押的,应当赔偿;合法羁押的,应当补偿。第二种看法认为,对于这类案件,行为人如果未受到行政处罚或者行政处分,国家应当赔偿,否则国家可以免责。

此次修改国家赔偿法，考虑到被羁押人事实上已经实施了危害社会和他人的行为，司法机关需要对行为情节进行甄别，以查明行为是否构成犯罪，因此国家对羁押措施不承担赔偿责任。同时，在第三项增加规定：属于刑事诉讼法第一百四十二条第二款规定不追究刑事责任的人被羁押的，国家不承担赔偿责任。

（三）关于犯罪嫌疑人、被告人、罪犯死亡情形的免责

刑事诉讼法第十五条第五项规定犯罪嫌疑人、被告人死亡的，不追究刑事责任。但国家赔偿的免责，除了考虑羁押期间犯罪嫌疑人、被告人的死亡情形外，还应考虑服刑关押期间罪犯的死亡情形。对死亡情形的免责，包括对死亡结果是否免责与死亡前羁押是否免责两个方面。

1. 对犯罪嫌疑人、被告人、罪犯死亡结果的免责问题

无论是对羁押的犯罪嫌疑人、被告人，还是对服刑的罪犯，关押场所都负有人道主义的监管职责。监狱法第十四条第一款规定，监狱的人民警察不得有刑讯逼供或者体罚、虐待罪犯，侮辱罪犯的人格，殴打或者纵容他人殴打罪犯的行为。《看守所条例》第四条也有严禁打骂、体罚、虐待的规定。

根据《人民检察院监狱检察办法》第三十二条、《人民检察院看守所检察办法》第十九条关于事故检察的规定，在押人员因病死亡，其家属对监狱、看守所提供的医疗鉴定有疑义向人民检察院提出的，人民检察院应当受理；经审查认为医疗鉴定有错误的，可以重新对死亡原因作出鉴定。在押人员非正常死亡的，人民检察院接到监狱、看守所通知后，原则上应当在二十四小时内对尸体进行检验，对死亡原因进行鉴定，并根据鉴定结论依法及时处理。

在押人员的非正常死亡，可能有这几种情形：监管机关及其工作人员致死、自杀、其他在押人员致死。如果在押人员的死因与监管机关及其工作人员行使职权的行为有关，国家应承担赔偿责任。

自杀、其他在押人员致死，国家是否承担赔偿责任，要区分具体情形。在押人自杀，属于因个人自己的行为致使损害发生，国家原则上不承担赔偿责任，但羁押场所如果存在监管失职，应承担一定的补充责任。其他在押人员致死，羁押场所如果存在监管失职，也应承担一定的补充责任。

因此，犯罪嫌疑人、被告人、罪犯在羁押、服刑期间死亡，正常死亡的，国家不承担赔偿责任；非正常死亡的，国家是否免责，应根据死亡情形区别处理。

国家赔偿法第十七条第四项规定了行使侦查、检察、审判职权的机关以及看守所、监狱管理机关及其工作人员，有刑讯逼供或者以殴打、虐待等行为或者唆使、放纵他人以殴打、虐待等行为造成公民身体伤害或者死亡的，属于刑事赔偿范围。第二十六条规定了赔偿义务机关负有对被羁押人死亡与其行为是否存在因果关系提供证据的责任。从上述法条来看，国家机关对被羁押人的死亡结果应负监管责任，是否承担赔偿责任应根据死亡情形区别处理。

2. 对犯罪嫌疑人、被告人死亡前羁押的免责问题

经判决服刑的罪犯在羁押期间死亡的，国家只需考虑对死亡结果是否免责。而未决的犯罪嫌疑人、被告人死亡的，还需要考虑对死亡前的羁押是否免责。如果犯罪嫌疑人、被告人确有犯罪事实，仅仅因为其死亡而不追究刑事责任的，国家对其死亡前的羁押应当免责；如果有证据证明犯罪嫌疑人、被告人没有犯罪事实，对其死亡前的羁押，国家不能免责，其合法继承人可请求赔偿。

对于犯罪嫌疑人、被告人死亡前羁押的免责，我国台湾地区"冤狱赔偿法"第二条第六项有类似规定：因死亡而不受起诉处分或不受理判决时，如有证据足认为无该事由即应起诉或为科刑、免刑判决，不得请求赔偿。

《最高人民法院关于执行〈中华人民共和国刑事诉讼法〉若干问题的解释》第一百七十六条第九项规定，被告人死亡的，应当裁

定终止审理;对于根据已查明的案件事实和认定的证据材料,能够确认被告人无罪的,应当判决宣告被告人无罪。

因此,犯罪嫌疑人、被告人死亡的,从证据上看有三种情形:一是可以认定无罪;二是虽存在犯罪证据,因犯罪嫌疑人、被告人死亡而终止追究刑事责任;三是有证据足以证明无死亡事由即应起诉或者定罪。第三种情形应当免责;第一、二种情形被羁押的,是否免责要具体分析。如果符合情节显著轻微、危害不大,不认为是犯罪的,可以依照这一情形免责,否则不能免责。

第二节 赔偿请求人和赔偿义务机关

第二十条 赔偿请求人的确定依照本法第六条的规定。

【释义】 本条是关于刑事赔偿请求人资格的规定。

刑事赔偿请求人资格的确定与本法第六条规定的行政赔偿请求人资格的确定是一致的,为避免条文重复繁琐,本条仅规定赔偿请求人的资格依照本法第六条的规定。(详见本法第六条条文释义)

第二十一条 行使侦查、检察、审判职权的机关以及看守所、监狱管理机关及其工作人员在行使职权时侵犯公民、法人和其他组织的合法权益造成损害的,该机关为赔偿义务机关。

对公民采取拘留措施,依照本法的规定应当给予国家赔偿的,作出拘留决定的机关为赔偿义务机关。

对公民采取逮捕措施后决定撤销案件、不起诉或者判决宣告无罪的,作出逮捕决定的机关为赔偿义务机关。

再审改判无罪的,作出原生效判决的人民法院为赔偿义务机关。二审改判无罪,以及二审发回重审后作无罪处理的,作出一审有罪判决的人民法院为赔偿义务机关。

【释义】 本条是关于刑事赔偿义务机关的规定。

刑事赔偿义务机关是指在刑事赔偿法律关系中代表国家接受刑事赔偿请求、支付赔偿费用的义务机关。在刑事赔偿中,为了有利于受害人提出赔偿请求,避免赔偿义务机关之间互相推诿,必须明确刑事赔偿义务机关。

刑事赔偿的主体是国家,但国家是一个抽象的政治实体,受害的公民、法人和其他组织无法直接请求抽象的国家承担赔偿责任,因此"国家赔偿、机关当被告"的原则成为各国通例。

本条第一款规定了刑事赔偿义务机关的范围,即行使侦查、检察、审判职权的机关以及看守所、监狱管理机关。依照法律授权,行使侦查权的机关有公安机关、国家安全机关等。行使检察权的机关为各级人民检察院。行使审判职权的机关为各级人民法院,包括各专门法院。看守所是对罪犯和重大犯罪嫌疑人临时羁押的场所。看守所羁押处在侦查、预审、起诉、审判阶段的犯罪嫌疑人和被告人,对于判处有期徒刑的罪犯,在被交付执行刑罚前,剩余刑期在一年以下的,由看守所代为执行。监狱管理机关行使监狱管理职权。这些机关在刑事诉讼和刑罚执行过程中侵犯公民、法人和其他组织的合法权益造成损害的,应当对损害后果承担赔偿责任,行使职权的机关即为赔偿义务机关。

在刑事诉讼过程中,一般刑事犯罪案件需要经过侦查、拘留、逮捕、起诉、判决和刑罚执行几个阶段,这几个阶段是相互衔接的,后一阶段是在前一阶段的基础上进行的。因此,从侵权责任的角度看,这几个阶段也是相互关联的;对一个刑事案件的错判,可能从拘留、逮捕、起诉到判决的执行都有责任,但如果让所有参与刑事诉讼的司法机关都承担赔偿责任,势必造成刑事赔偿义务复杂化,既不利于分清责任,也不利于赔偿请求人及时获得赔偿。因此,本法在确定刑事赔偿义务机关时,遵循的一个基本原则是,案件在刑事诉讼过程中的哪一个阶段、哪一个机关最后作出侵犯公民、法人和其他组织合法权益的决定,该机关即为赔偿义务机关。在这个原则下,本条对刑事赔偿义务机关作出了具体规定。

(一)作出拘留决定的机关为赔偿义务机关

本条第二款规定,对公民采取拘留措施后,依照本法的规定应当给予国家赔偿的,作出拘留决定的机关为赔偿义务机关。根据法律规定,有权在侦查犯罪过程中作出刑事拘留决定的机关是公安机关、国家安全机关和人民检察院。这些机关违反刑事诉讼法的规定对公民采取拘留措施,或者拘留时间超过刑事诉讼法规定时限,其后决定撤销案件、不起诉或者判决宣告无罪终止追究刑事责任的,作出拘留决定的机关为赔偿义务机关。

(二)作出逮捕决定的机关为赔偿义务机关

本条第三款规定,对公民采取逮捕措施后决定撤销案件、不起诉或者判决宣告无罪的,作出逮捕决定的机关为赔偿义务机关。刑事诉讼法第五十九条规定,逮捕犯罪嫌疑人、被告人,必须经过人民检察院批准或者人民法院决定,由公安机关执行。可见,在我国有权作出逮捕决定的机关只有人民检察院和人民法院。因此,如果人民检察院或者人民法院批准或者决定对公民采取逮捕措施后,决定撤销案件、不起诉或者判决宣告无罪的,批准逮捕或者决定逮捕的人民检察院或者人民法院为赔偿义务机关。

(三)作出原生效判决的人民法院或者作出一审判决的人民法院为赔偿义务机关

本条第四款规定,再审改判无罪的,作出原生效判决的人民法院为赔偿义务机关。二审改判无罪,以及二审发回重审后作无罪处理的,作出一审判决的人民法院为赔偿义务机关。审判职权由人民法院行使,因此作出错误判决的刑事赔偿义务机关只能是人民法院。根据本条的规定,作出最后错误判决的人民法院为赔偿义务机关。具体而言,一审法院判决发生法律效力,再审改判无罪后,一审法院为赔偿义务机关;二审法院维持一审有罪的判决或虽然作出减轻刑罚的判决发生法律效力,但经再审改判无罪的,二审法院为赔偿义务机关;二审改判无罪,以及二审发回重审后作无罪处理的,作出一审判决的人民法院为赔偿义务机关。

第三节 赔偿程序

第二十二条 赔偿义务机关有本法第十七条、第十八条规定情形之一的,应当给予赔偿。

赔偿请求人要求赔偿,应当先向赔偿义务机关提出。

赔偿请求人提出赔偿请求,适用本法第十一条、第十二条的规定。

【释义】 本条是关于刑事赔偿程序启动的前提条件,以及赔偿义务机关先行处理的规定。

刑事赔偿程序,是指由赔偿请求人和赔偿义务机关参加的,因刑事司法机关及其工作人员在刑事诉讼过程中侵害公民、法人和其他组织的权利,受害人向国家申请予以赔偿的程序。程序是实体的载体,赔偿程序是保障赔偿请求人实现赔偿请求权的法定途径。刑事赔偿程序有别于刑事、民事和行政诉讼程序,它不是诉讼程序,也没有包含任何诉讼程序,而是一个集赔偿义务机关自行审查、上一级机关复议和人民法院赔偿委员会作出赔偿决定于一体的综合性程序。

2010年国家赔偿法修改中的一个重大改革是取消了刑事赔偿程序中的确认程序。修改前的国家赔偿法第二十条规定:"赔偿义务机关对依法确认有本法第十五条、第十六条规定的情形之一的,应当给予赔偿。""赔偿请求人要求确认有本法第十五条、第十六条规定情形之一的,被要求的机关不予确认的,赔偿请求人有权申诉。""赔偿请求人要求赔偿,应当先向赔偿义务机关提出。"也就是说,赔偿请求人要提出国家赔偿请求,必须先得到相关刑事赔偿义务机关对自己行为是否侵犯人身权、财产权的事实进行确认。当事人只有持有对错误的刑事司法行为进行确认和纠正的法律文书时，才可以成为司法赔偿请求人，从而进入司法赔偿的索赔程序。因此，确认程序对赔偿请求人的求偿造成了很大阻碍，学界和实务界的争议都很大，多年来一直存在要求取消确认程序的呼声。

首先，赔偿义务机关的确认是刑事赔偿程序的前置程序；是否予以确认，大多数情况下是由该被要求确认的赔偿义务机关自行决定，这就事实上赋予了赔偿义务机关对涉及自身的刑事违法侵权行为的终局确认权，违背了“任何人不得为自己案件的法官”这一程序正义的基本要求。刑事赔偿的实践也证明，被要求确认的赔偿义务机关往往不会对自己的侵权行为加以确认。侵权行为不被确认，就无法启动刑事赔偿程序，受害人就不能取得国家赔偿。

其次，确认程序不规范，对于确认主体、申请期限、确认时限、确认内容、确认形式以及逾期不予确认的救济途径，法律规定过于原则。由于确认程序不规范，导致实践中有些赔偿义务机关滥用确认权：有的收到确认申请后久拖不决，有的予以口头确认后不予赔偿，有的拒不确认，导致无法启动赔偿决定程序。在刑事赔偿中，由于赔偿义务机关与作出赔偿决定的人民法院对确认的内容有认识分歧，相互牵制，国家赔偿无法实现。例如，法院认为检察院作出不起诉决定就可以视为对错误逮捕的确认，而检察院则认为应由申请人向检察机关申请确认。

最后，申诉程序不明确。修改前的国家赔偿法规定，被要求进行确认的赔偿义务机关不予确认的，赔偿请求人有权申诉。但对于向什么机关申诉，采取什么形式申诉，申诉的期限是多长等都缺乏详细规定。这导致了申诉不能发挥应有的作用。

因此在 2010 年国家赔偿法修改时，取消了确认程序，规定只要赔偿义务机关有该法第十七条和第十八条规定的侵权情形之一的，就应当给予赔偿，即赔偿请求人可以直接向赔偿义务机关提出赔偿请求。总体来讲，刑事赔偿程序分为三个阶段：第一阶段为赔偿义务机关先行处理程序。这一程序中，赔偿请求人向赔偿义务机关提出赔偿申请，赔偿义务机关根据申请，决定是否赔偿以及赔偿方式和赔偿数额。第二阶段为复议程序。在这一程序中，赔偿请求人对赔偿义务机关不予赔偿的决定不服或者对赔偿决定的具体内容有异议的，可以向赔偿义务机关的上一级机关申请复议。第三阶段为法院赔偿委员会的决定程序。赔偿请求人在不服复议决定或者复议机关逾期不作复议决定时，可向人民法院赔偿委员会申请作出赔偿决定。但当刑事赔偿的义务机关是人民法院时，赔偿程序只有两个部分：赔偿义务机关先行处理程序和法院赔偿委员会的决定程序。即赔偿请求人向负有赔偿义务的人民法院提出赔偿申请，相关人民法院作出决定。赔偿请求人对其决定不服的，无需经复议程序，可直接向其上一级人民法院的赔偿委员会申请作出赔偿决定。本条规定了刑事赔偿的第一步，即赔偿请求的提出和赔偿义务机关先行处理。

（一）刑事赔偿的实体条件

本条第一款规定了刑事赔偿的实体条件。公民获得刑事赔偿权利的实体条件是，相关赔偿义务机关有本法第十七条和第十八条规定的情形之一。本法第十七条和第十八条从正面对刑事赔偿的范围作了规定，分别列举了行使侦查、检察、审判职权的机关以及看守所、监狱管理机关（刑事司法机关）五项侵犯人身权、两项侵犯财产权的情形。刑事赔偿范围是刑事赔偿程序的基础，只有发生了属于赔偿范围内的事项，赔偿申请人才能获得刑事赔偿。

赔偿义务机关的行为符合第十七条和第十八条的规定，但却属于本法第十九条规定的范围的，国家不承担赔偿责任，自然也就不能构成获得刑事赔偿的权利的实体条件。

(二)赔偿请求的提出和处理

本条第二款规定,赔偿请求人要求赔偿,应当先向赔偿义务机关提出。本款为修改前的国家赔偿法第二十条第三款的规定,2010 年修改国家赔偿法时没有对其进行修改,维持了赔偿义务机关先行处理程序。赔偿义务机关先行处理,是许多国家和地区的法律所规定的做法。我国台湾地区“冤狱赔偿法”第十条规定,依本法请求损害赔偿时,应先以书面向赔偿义务机关请求之。韩国国家赔偿法第九条规定,依本法损害赔偿之诉讼,非经赔偿审议会为赔偿金之决定后不得提起之。捷克关于国家机关的决定或不当公务行为造成损害的责任的法律中也规定,补偿请求必须在无罪判决或被释放后一年内先向司法部长提出,不满的,才可以根据民事诉讼程序向法院提起诉讼。由赔偿义务机关先行处理,既为请求人提供了便利,也为实施了相关行为的赔偿义务机关提供了一个自我修正的机会;并且由于赔偿义务机关熟悉业务,了解案情,可使赔偿得以迅速解决,有效保护当事人的合法权益。

关于赔偿请求所应具备的格式要求,适用本法第十一条和第十二条的规定。本法第十一条规定:“赔偿请求人根据受到的不同损害,可以同时提出数项赔偿要求。”第十二条规定,申请书应当载明下列事项:(1)受害人的基本信息,包括姓名、性别、年龄、工作单位和住所,法人或者其他组织的名称、住所和法定代表人或者主要负责人的姓名、职务;(2)具体的赔偿要求、提出赔偿要求的事实根据和理由;(3)申请的年、月、日。如果赔偿请求人不是受害人本人,应当在申请书中说明与受害人的关系,并予以证明。赔偿请求人当面递交申请书的,赔偿义务机关应当当场出具加盖本机关专用印章并注明收讫日期的书面凭证。申请材料不齐全的,赔偿义务机关应当当场或者在五日内一次性告知赔偿请求人需要补正的全部内容。关于格式的具体要求,请参见本书对本法

第十一条、第十二条的释义。

需要注意的是，赔偿请求人提出赔偿请求须在法律规定的时效内提出。本法第三十九条与刑事赔偿请求的时效相关规定有：赔偿请求人请求国家赔偿的时效为两年，自其知道或者应当知道国家机关及其工作人员行使职权时的行为侵犯其人身权、财产权之日起计算，但被羁押等限制人身自由期间不计算在内。赔偿请求人在赔偿请求时效的最后六个月内，因不可抗力或者其他障碍不能行使请求权的，时效中止。从中止时效的原因消除之日起，赔偿请求时效期间继续计算。赔偿请求人以邮寄方式递交赔偿申请的，以邮件载明的日期作为提出赔偿申请的证明；赔偿请求人当面递交申请书的，以赔偿义务机关出具的加盖本机关专用印章并注明收讫日期的书面凭证作为提出赔偿的证明。关于时效的具体规定，请参见本书对本法第三十九条的解读。

第二十三条　赔偿义务机关应当自收到申请之日起两个月内，作出是否赔偿的决定。赔偿义务机关作出赔偿决定，应当充分听取赔偿请求人的意见，并可以与赔偿请求人就赔偿方式、赔偿项目和赔偿数额依照本法第四章的规定进行协商。

赔偿义务机关决定赔偿的，应当制作赔偿决定书，并自作出决定之日起十日内送达赔偿请求人。

赔偿义务机关决定不予赔偿的，应当自作出决定之日起十日内书面通知赔偿请求人，并说明不予赔偿的理由。

【释义】　本条是关于刑事赔偿义务机关先行处理程序的规定。

刑事赔偿义务机关应当自收到申请之日起两个月内，作出是否赔偿的决定，这与修改前的要求是一致的。关于“收到申请之日”的确定，根据本法第十二条和第二十二条的有关规定，如果赔偿请求人当面递交申请书的，以刑事赔偿义务机关当场出具的书面凭证上载明的收讫日期为准;如果赔偿请求人通过邮寄方式递交申请书的,以寄出邮戳载明的日期为准。

在赔偿义务机关作出决定之前,应当充分听取赔偿请求人的意见,并可以与其进行协商。“应当”意味着听取赔偿请求人的意见是刑事赔偿义务机关作出赔偿决定的必经程序,但法律没有规定听取意见的具体形式,可由相关的刑事赔偿义务机关自行掌握。与修改前的国家赔偿法采取的“赔偿义务机关先行处理”程序不同的是,2010 年修改国家赔偿法,增加了刑事赔偿义务机关在作出赔偿决定时,可以与赔偿请求人就赔偿方式、赔偿项目和赔偿数额进行协商的规定。在国家赔偿法执行过程中,学界和实务界都曾有人提出,将先行决定程序改为协议程序,以便双方迅速解决赔偿争议和日后执行,促进社会和谐稳定。同时,国家赔偿法实施以来,实践中有些国家赔偿案件也采取了“案件协调”方式,赔偿义务机关通过与赔偿请求人协商,使赔偿争议得到解决。2010 年修改国家赔偿法时,在总结实践经验的基础上,采纳有关方面的意见,强化了刑事赔偿协商机制。实践中需要注意的是,协商的内容仅限于“赔偿方式、赔偿项目和赔偿数额”,至于决定是否赔偿,由于涉及公权力行使,不宜进行协商,应当由刑事赔偿义务机关严格依照本法规定的赔偿范围和免责情形等,作出裁量和判断,不能为了逃避责任追究而拒绝赔偿,或者为了息事宁人而滥用赔偿。同时,在对赔偿方式、项目和数额进行协商时要防止两种趋势:一是有的刑事赔偿义务机关迫使赔偿请求人接受低于法律规定数额的赔偿;二是赔偿请求人漫天要价,赔偿义务机关为了息事宁人而无限制地进行高价赔付。协商必须依据本法第四章(赔偿方式和计算标准)规定的标准进行,对赔偿项目和数额的确定应当本着实事求是的态度进行,既要有错必纠,保障受害人取得国家赔偿,力争发挥好国家赔偿的作用,又要防止矫枉过正,给国家利益造成损失。至于协商的具体形式,本法没有作出明确规定,由刑事赔偿义务机关在实际工作中自行决定。

赔偿义务机关收到赔偿申请后,在查清事实,听取申请人意见,经与申请人协商的基础上,作出给予赔偿决定的,应当制作赔偿决定书。一般来说,赔偿决定书应当载明赔偿请求人或受害人的基本身份信息,赔偿请求的具体内容,赔偿义务机关决定给予赔偿的方式、项目和数额。赔偿义务机关应当自作出决定之日起十日内将赔偿决定送达赔偿请求人。

刑事赔偿义务机关收到赔偿申请后,经审查决定不予赔偿的,也应当制作书面通知,并在决定作出之日起十日内送达赔偿请求人。修改前的规定没有明确赔偿义务机关收到申请后应给予申请人书面的通知或手续,赔偿义务机关两个月的处理期间的起算点难以确定,赔偿请求人也难以证明赔偿义务机关先行处理的结果,从而无法进一步通过复议或者申请人民法院赔偿委员会作出决定来寻求救济。因此,2010 年修改国家赔偿法,对刑事赔偿义务机关决定不予赔偿的,规定了应当书面通知赔偿请求人。关于不予赔偿书面通知的内容,与赔偿决定书相类似,也应载明赔偿请求人的基本信息和赔偿请求的具体内容,并应当说明不予赔偿的理由。这是为了让赔偿请求人充分了解该不予赔偿决定作出的事实依据和法律依据,体现了对人民负责的态度,同时也有利于定纷止争。

第二十四条　赔偿义务机关在规定期限内未作出是否赔偿的决定,赔偿请求人可以自期限届满之日起三十日内向赔偿义务机关的上一级机关申请复议。

赔偿请求人对赔偿的方式、项目、数额有异议的,或者赔偿义务机关作出不予赔偿决定的,赔偿请求人可以自赔偿义务机关作出赔偿或者不予赔偿决定之日起三十日内,向赔偿义务机关的上一级机关申请复议。

赔偿义务机关是人民法院的，赔偿请求人可以依照本条规定向其上一级人民法院赔偿委员会申请作出赔偿决定。

【释义】　本条是关于提起刑事赔偿复议的程序规定。

刑事赔偿的复议程序是指赔偿请求人向赔偿义务机关提出赔偿请求后，赔偿义务机关不予赔偿，或者赔偿请求人对赔偿的方式和数额有异议时，可以向赔偿义务机关的上一级机关提出复议申请，由复议机关进行审查并对赔偿争议作出决定的程序。复议在整个刑事赔偿程序中处于第二阶段。

在国家赔偿法中，行政赔偿和刑事赔偿均有关于复议程序的规定，但它们是两种不同的制度，存在以下区别：(1)行为性质和法律依据不同。行政赔偿复议，是国家赔偿法依托于行政复议程序而设计的赔偿程序，国家赔偿的决定过程被包含在行政复议程序中，因此，其性质仍属于行政行为，其法律依据除了国家赔偿法之外，主要是行政复议法；刑事赔偿复议是国家赔偿法设立的对刑事司法行为引起的损害赔偿进行审查的程序，其性质属于司法行为，其法律依据是国家赔偿法的规定以及相关司法解释。(2)是否经过"先行处理"不同。行政赔偿请求人要求赔偿，可以先向赔偿义务机关提出，也可以在申请行政复议时一并提出；而刑事赔偿请求，必须先向赔偿义务机关提出，对赔偿义务机关的决定不服时，才可以向赔偿义务机关的上一级机关提出复议申请。(3)审查决定的内容不同。行政赔偿复议解决的是下一级行政机关的具体行政行为的合法性和合理性，在审查具体行政行为是否违法的过程中，一并解决赔偿问题；刑事赔偿复议审查的内容，则是其下一级机关作出的司法赔偿决定是否正确、恰当，并依法作出复议决定。(4)法定救济途径不同。行政赔偿请求人对行政复议决定不服的，包括对国家赔偿部分不服的，可以提起行政诉讼；刑事赔偿请求人对刑事赔偿复议决定不服的，只能向复议机关所在地的同级人民法院赔偿委员会申请作出赔偿决定。(5)复议机关不同。

行政赔偿复议的机关是行政机关,而刑事赔偿复议机关则是除人民法院以外的司法机关,包括侦查机关、检察机关以及看守所、监狱管理机关。

根据本条第一款和第二款的规定,赔偿请求人提起刑事赔偿复议的前提条件有三种:一是赔偿请求人在提出赔偿申请后,刑事赔偿义务机关没有在规定的期间内作出是否赔偿的决定;二是刑事赔偿义务机关作出了赔偿决定,但赔偿请求人对赔偿的方式、项目、数额有异议;三是赔偿义务机关作出不予赔偿的决定。在这三种情况下,赔偿请求人可以根据本条第一款的规定,自期限届满之日起三十日内向赔偿义务机关的上一级机关申请复议。

赔偿请求人提起复议申请时,复议申请书应当载明哪些事项,可以参照本法第十一条和第十二条有关赔偿申请书的要求,同时应附具赔偿义务机关的赔偿决定、不予赔偿的书面通知或者能够证明赔偿义务机关未在规定期限内作出是否赔偿决定的材料。赔偿请求人如何证明赔偿义务机关未在规定的期限内作出是否赔偿的决定?根据本法第十二条和第二十二条的规定,赔偿请求人当面递交申请书的,赔偿义务机关应当当场出具加盖本机关专用印章并注明收讫日期的书面凭证。在书面凭证所注明的收讫日期之日起两个月内,赔偿义务机关未作出任何决定,赔偿请求人就可以向赔偿义务机关的上一级机关提出复议申请。如果有关赔偿义务机关不能出具有赔偿申请人签字或者盖章签收的赔偿决定书或者不予赔偿书面通知的证明,其上一级机关应当准予申请复议。

复议机关接到复议申请书后,应及时对赔偿请求人的申请进行全面审查,并针对不同情况作出相应处理。对于符合法定条件的复议申请,复议机关应予受理。对于超过法定期间提出的申请,复议机关不予受理。对申请复议的材料不齐备的,告知赔偿请求人补正有关材料。对于赔偿请求人未经赔偿义务机关先行处理而直接提出复议申请的，复议机关应当告知赔偿请求人先向赔偿义务机关提出赔偿请求。对于赔偿请求人递交复议申请的机关不是赔偿义务机关的上一级机关的，收到复议申请的机关应告知赔偿请求人向正确的复议机关提出申请。

本条第三款规定，赔偿义务机关是人民法院的，赔偿请求人可以依照本条规定向其上一级人民法院赔偿委员会申请作出赔偿决定。从这一款规定可以看出，当人民法院作为刑事赔偿义务机关时，不适用刑事赔偿复议程序。这是因为，当人民法院为赔偿义务机关时，其“上一级机关”和本法第二十五条的“复议机关所在地的同级人民法院”同属一个人民法院，若仍然设立复议程序，必然造成累讼和程序上的重复。

第二十五条　复议机关应当自收到申请之日起两个月内作出决定。

赔偿请求人不服复议决定的，可以在收到复议决定之日起三十日内向复议机关所在地的同级人民法院赔偿委员会申请作出赔偿决定；复议机关逾期不作决定的，赔偿请求人可以自期限届满之日起三十日内向复议机关所在地的同级人民法院赔偿委员会申请作出赔偿决定。

【释义】　本条是关于复议的处理程序以及对复议决定救济程序的规定。

（一）刑事赔偿复议决定的作出

刑事赔偿的复议机关在收到复议申请后，应当在两个月内作出决定。对作出复议决定的期间作出规定，目的是促使复议机关提高工作效率，及时作出决定，节省时间、人力和物力，使赔偿争议能够得到及时解决，稳定社会关系。

刑事赔偿复议实行一次复议制，通常采用书面审查方式。复议机关应当在充分听取赔偿请求人意见的基础上，及时调取案卷和有关材料进行调查。对事实不清的,可以要求赔偿义务机关补充调查,也可以自行调查。对于审查终结的复议案件,应分不同情况作出以下决定:原决定事实清楚,适用法律正确,赔偿项目、方式、数额恰当的,维持原决定。原决定认定事实或者适用法律错误的,予以纠正;赔偿方式、数额不当的,予以变更。赔偿义务机关逾期未作出决定的,依法作出赔偿或者不予赔偿决定。

复议决定作出后,应当制作刑事赔偿复议决定书,直接送达赔偿义务机关和赔偿请求人。法律中没有规定复议决定的送达期限,但根据国家赔偿法第二十三条关于赔偿决定应当自作出决定之日起十日内送达赔偿请求人的规定和第二条规定的及时履行赔偿义务的原则,复议决定也应当及时送达。如果赔偿请求人在收到复议决定后对复议决定不服的,可以根据本条第二款的规定,自收到复议决定之日起三十日内,向复议机关所在地的同级人民法院赔偿委员会申请作出赔偿决定。如果在此期间内没有提出有关申请的,复议决定即生效。复议决定一经生效,赔偿义务机关和赔偿请求人都必须执行。

(二)对刑事赔偿复议决定的救济

经上一级机关复议并直接作出决定,一方面能够使赔偿问题得到较快解决;另一方面也便于上级机关对下级机关的监督,促使他们依法行使职权。但这样规定也有不足之处:由于复议机关是赔偿义务机关的上一级机关,有的刑事赔偿与该复议机关有利害关系,因此即使经复议程序审查,也有可能出现不纠正赔偿义务机关的错误赔偿决定的情况。因此本条第二款进一步规定了向复议机关所在地的同级人民法院赔偿委员会申请作出赔偿决定的程序。提起这一程序的条件有两种:一是赔偿请求人对复议决定不服,二是复议机关没有在规定的两个月期间内作出复议决定。为防止个别复议机关久拖不决,本条还规定,复议机关逾期不作决定的,赔偿请求人可以自期限(两个月)届满之日起三十日内,向复议机关所在地的同级人民法院赔偿委员会申请作出赔偿决定。这些规定,对于保障赔偿请求人取得国家赔偿的权利是十分必要的。

赔偿请求人在申请法院赔偿委员会作出决定时,应当递交赔偿申请书,同时还应提供其在赔偿义务机关先行处理程序中和复议程序中提交的有关法律文书,以及赔偿义务机关或者复议机关作出的有关决定书。如果赔偿义务机关或者复议机关逾期未作出决定的,赔偿请求人应当向有关人民法院赔偿委员会提供相关证明材料。

赔偿委员会在收到赔偿申请后,应及时通知赔偿请求人是否受理。缺少有关证明材料的,应当通知赔偿请求人予以补充。本法第二十八条规定,人民法院赔偿委员会应当自收到赔偿申请之日起三个月内作出决定。赔偿委员会经审查,认为赔偿请求人的赔偿申请依法不属于人民法院赔偿委员会受理的,应当告知赔偿请求人向有关机关提出赔偿申请,或者转请有关部门处理,并通知赔偿请求人。赔偿委员会决定受理的,在依法作出赔偿决定之前,赔偿请求人申请撤回赔偿申请的,应当准许。

第二十六条　人民法院赔偿委员会处理赔偿请求,赔偿请求人和赔偿义务机关对自己提出的主张,应当提供证据。

被羁押人在羁押期间死亡或者丧失行为能力的,赔偿义务机关的行为与被羁押人的死亡或者丧失行为能力是否存在因果关系,赔偿义务机关应当提供证据。

【释义】　本条是关于刑事赔偿举证责任的规定。

所谓举证责任,又称证明责任,是指当事人对自己提出的主张有提供证据进行证明的责任。虽然赔偿程序不是诉讼程序,但其中涉及对事实的证明,有明显的裁决性质,具有较强的司法性,因此需在法律中明确证明责任的分配。人民法院赔偿委员会作出赔偿决定，前提条件是认定侵权行为是否存在，赔偿义务机关是否应当承担赔偿责任，以及赔偿责任的大小。证明案件事实的责任在赔偿申请人和赔偿义务机关之间如何分配，是人民法院赔偿委员会处理赔偿争议的前提性问题。我国民事诉讼法、行政诉讼法和国家赔偿法分别确立了不同的举证责任分配制度。民事诉讼中采用“谁主张，谁举证”的原则，即当事人对自己提出的诉讼请求所依据的事实或者反驳对方诉讼请求所依据的事实有责任提供证据加以证明。没有证据或者证据不足以证明当事人的事实主张的，由负有举证责任的一方承担不利后果。行政诉讼法中确立了举证责任倒置原则。行政诉讼法第三十二条规定，被告对作出的具体行政行为负有举证责任，应当提供作出该具体行政行为的证据和所依据的规范性文件。2010 年修改国家赔偿法，为便于查清事实、处理争议，总结实践经验，增加了有关举证责任分配的规定。

本条第一款，采取了“谁主张，谁举证”的原则，即赔偿请求人和赔偿义务机关，各自对自己主张的事实，应当提供证据予以证明，否则将承担不利后果。赔偿请求人应当对侵权行为和损害结果的存在、侵权行为属于本法第十七条和第十八条的范围，以及侵权行为和损害结果的因果联系提供证据证明。而赔偿义务机关则要对自身不存在侵权行为，或者损害结果与自身行为没有联系等事实进行证明，此外还要对损害事实是否属于本法第十九条规定的免责范围予以证明。

本条第二款，针对刑事赔偿中的某些特殊情况，对“谁主张，谁举证”的原则设立了例外。根据本条第二款的规定，如果被羁押人在羁押期间死亡或者丧失行为能力的，被羁押人自己无法收集、提供证据，因此，作为监管机关有责任进行调查，查明被羁押人死亡或丧失行为能力的原因；由赔偿义务机关负责证明其行为与被羁押人的死亡或者丧失行为能力之间是否存在因果关系。如果赔偿义务机关不能提供证据证明二者之间没有因果关系,如由于被关押人个人生病导致,或者由于其他被关押人施暴、虐待等行为导致的,赔偿委员会则可认定二者之间具有因果关系,赔偿义务机关要因此承担不利后果的可能性就会加大。但这并不意味着赔偿请求人可以免除一切证明责任,而是应当对相关事实的存在提供证明,如被羁押人关押前的身体情况。根据本法第二十七条的规定,赔偿委员会处理赔偿请求,也可以主动调查情况、收集证据。因此,经赔偿委员会调查也是揭示被关押人死亡或者丧失行为能力原因的渠道之一。

第二十七条　人民法院赔偿委员会处理赔偿请求,采取书面审查的办法。必要时,可以向有关单位和人员调查情况、收集证据。赔偿请求人与赔偿义务机关对损害事实及因果关系有争议的,赔偿委员会可以听取赔偿请求人和赔偿义务机关的陈述和申辩,并可以进行质证。

【释义】　本条是对赔偿委员会处理赔偿案件程序的规定。

原国家赔偿法由于规定了确认程序,一般来说赔偿委员会处理赔偿请求的任务相对较轻,因此没有规定赔偿委员会处理赔偿案件的程序。此次修改国家赔偿法取消确认程序后,不少案件都要对是否符合应予赔偿的情形予以认定。因此,本条规定了赔偿委员会处理案件程序的书面审查制度和证据制度,特别规定了质证制度。

(一)原则上采取书面审查办法

赔偿委员会对案件的处理原则上采取书面审查办法。理由在于,刑事诉讼程序以及非刑事的法院司法程序中,各机关办案遵循案卷主义,只能根据案卷所载的证据定案,案卷外的证据不能作为定案依据。由于刑事诉讼程序以及非刑事司法程序有严格的程序规定,被请求赔偿机关在办案过程中已形成案卷可供审查,赔偿委员会处理刑事赔偿案件以及非刑事司法赔偿案件，一般情况下通过书面审查案卷即可查清赔偿请求的事实。

（二）必要时可调查情况、收集证据

国家赔偿法第二十六条规定，赔偿请求人和赔偿义务机关对自己提出的主张，应当提供证据。但为了查清案情，赔偿委员会认为必要时，可以向有关单位和人员调查情况、收集证据。例如，涉及国家利益、公共利益或者他人合法权益的事实认定，赔偿请求人无法提供证据，赔偿义务机关不提供对赔偿请求人有利的证据。

本条所说的有关单位和人员，既包括赔偿义务机关及其工作人员，也包括其他有关单位和人员。赔偿委员会调查情况、收集证据时，有关单位和人员有配合的法定义务。

（三）对争议的损害事实及因果关系听取陈述和申辩

对于刑事诉讼中被拘留、逮捕，或者被判处刑罚的人，其被羁押的天数是容易计算的，因此对赔偿问题一般不会发生争议，也不需要听取陈述和申辩。侵犯生命健康权、财产权的，在实践中对损害事实的认定以及损害事实与行使职权的行为之间是否存在因果关系，有可能发生争议，赔偿委员会需要听取赔偿请求人和赔偿义务机关双方的陈述和申辩。

（四）质证

赔偿请求人和赔偿义务机关对损害事实及因果关系有争议时，赔偿委员会除了可以听取陈述和申辩外，还可以组织赔偿请求人和赔偿义务机关进行质证。质证时，赔偿义务机关应当派员参加。赔偿委员会组织质证，是因为证据的可靠性存在问题，通过单方面听取陈述和申辩无法认定损害事实以及因果关系。比如，涉及财产的损害，可能存在估价过高或者过低的问题；当事人提供的证据不合乎常理，存在伪造的可能。

第二十八条　人民法院赔偿委员会应当自收到赔偿申请之日起三个月内作出决定；属于疑难、复杂、重大案件的，经本院院长批准，可以延长三个月。

【释义】　本条是对赔偿委员会处理案件期限的规定。

原国家赔偿法没有规定赔偿委员会处理案件的期限，有关司法解释做了补充。最高人民法院《人民法院赔偿委员会审理赔偿案件程序的暂行规定》第二十条对此作了规定。2010年修改国家赔偿法时对此作了完善，规定了赔偿委员会处理案件的期限。

刑事赔偿案件涉及国家和公民个人之间的关系，如果不能及时处理，容易引起矛盾激化，不利于保护赔偿请求人的合法权益，不利于社会秩序的稳定。本条明确规定了人民法院赔偿委员会办理案件的期限，对于及时作出赔偿决定，保护赔偿请求人的合法权益，减少社会矛盾，维护社会秩序的稳定，具有重要意义。

刑事赔偿取消确认程序后，畅通了赔偿程序，对于赔偿委员会来说，办理有些案件的工作量将会增加，需要一段合理的办案期限。同时，又要考虑到及时赔偿原则，赔偿委员会处理案件不能久拖不决。

1996年颁布的最高人民法院《人民法院赔偿委员会审理赔偿案件程序的暂行规定》第二十条对办理期限作了规定，赔偿案件应当在三个月内作出是否赔偿的决定。因案件情况复杂，三个月内不能作出决定的，经本院院长批准，可以延长一个月；仍不能作出决定需要再延长审理期限的，应当报请上级人民法院批准，再延长的时间最多不得超过三个月。这一规定是比较合理的。

2010年修改国家赔偿法，对于赔偿委员会处理案件的期限，参考了民事诉讼法有关简易程序和普通程序审理期限的规定。民事诉讼的简易程序审理期限为三个月，普通程序审理期限一般为六个月。一般来说，赔偿委员会应当自收到赔偿申请之日起三个月内作出决定。属于疑难、复杂、重大的案件，经本院院长批准，可以延长三个月。疑难、复杂、重大的案件，在实践中有不少是涉财案件。比如，违法对财产采取查封、扣押、冻结、追缴等措施，涉及对造成损失的计算。又如，刑讯逼供或者殴打、虐待造成公民身体伤害或者死亡，涉及对因果关系的认定。

第二十九条　中级以上的人民法院设立赔偿委员会，由人民法院三名以上审判员组成，组成人员的人数应当为单数。

赔偿委员会作赔偿决定，实行少数服从多数的原则。

赔偿委员会作出的赔偿决定，是发生法律效力的决定，必须执行。

【释义】　本条是对人民法院赔偿委员会组成的规定。

修改前的国家赔偿法规定人民法院赔偿委员会由人民法院三名至七名审判员组成。考虑到此次修改国家赔偿法取消了确认程序，畅通了赔偿程序，赔偿委员会，尤其是高级人民法院赔偿委员会和最高人民法院赔偿委员会，办理案件的数量会有较大幅度增加，原来三人至七人难以适应这一变化，因此2010年修改为对组成人员的人数不规定上限，规定赔偿委员会由人民法院三名以上审判员组成，组成人员的人数应当为单数。

（一）赔偿委员会的设置

赔偿委员会是设置于中级以上人民法院内部的一个专门机构。最高人民法院的有关司法解释规定，赔偿委员会设主任委员一名，由副院长兼任，亦可设专职主任主持工作，其组成人员须报上一级人民法院批准。赔偿委员会下设办公室，配备工作人员，负责办理具体事宜。

（二）赔偿委员会的组成人员

本条第一款规定，赔偿委员会由三名以上审判员组成，组成人员的人数应当为单数。这里有三层意思：一是人民陪审员不能成为赔偿委员会的组成人员。赔偿委员会处理案件，采取书面审查制度，其决定是终局的，办理案件人员需要较高的专业性、权威性，因此规定由审判员组成。二是不规定组成人员的上限，可以根据赔偿委员会办理案件的情况，合理配备审判员的人数。三是考虑到赔偿委员会办理案件时，实行少数服从多数的原则，因此组成人员的人数应当为单数。

（三）赔偿委员会作赔偿决定的原则

本条第二款规定，赔偿委员会作赔偿决定，实行少数服从多数的原则。条文中的"作赔偿决定"，既包括作出赔偿决定，也包括作出不予赔偿决定。

（四）赔偿委员会的赔偿决定的效力

赔偿委员会作出的赔偿决定是终局的，是立即生效的决定，必须执行。对赔偿委员会的赔偿决定不服，不得上诉，只能提出申诉，但不影响赔偿决定的执行。作出这样的规定，是考虑到赔偿委员会作出赔偿决定之前，赔偿申请人经过了较长的前置程序，再延长程序不利于其及时获得赔偿；规定赔偿委员会的赔偿决定必须执行，有利于保证赔偿金的及时支付；赔偿委员会在中级以上人民法院设立，其级别较高，已具有一定的权威性，可以确保赔偿案件的正确处理。

第三十条　赔偿请求人或者赔偿义务机关对赔偿委员会作出的决定，认为确有错误的，可以向上一级人民法院赔偿委员会提出申诉。

赔偿委员会作出的赔偿决定生效后，如发现赔偿决定违反本法规定的，经本院院长决定或者上级人民法院指令，赔偿委员会应当在两个月内重新审查并依法作出决定，上一级人民法院赔偿委员会也可以直接审查并作出决定。

最高人民检察院对各级人民法院赔偿委员会作出的决定，上级人民检察院对下级人民法院赔偿委员会作出的决定，发现违反

本法规定的，应当向同级人民法院赔偿委员会提出意见，同级人民法院赔偿委员会应当在两个月内重新审查并依法作出决定。

【释义】 本条是关于对人民法院赔偿委员会所作决定进行监督的规定。

修改前的国家赔偿法对赔偿委员会作出的决定是错误的，没有规定纠正程序，不利于对赔偿委员会的监督，不利于保障赔偿请求人的合法权益。在国家赔偿法修改过程中，有些常委会组成人员和一些地方机关人员、部门组成人员提出，应当加强对赔偿委员会的监督。此次修改国家赔偿法，规定了对赔偿委员会决定的重新审查程序。

对赔偿委员会决定的重新审查程序是特别程序，类似于三大诉讼法中规定的审判监督程序。国家赔偿法规定这一程序，旨在纠正可能存在的错误，从而维护当事人的合法权益。重新审查并不是对原赔偿决定的上诉审，重新审查期间，原赔偿决定仍然发生法律效力，不停止执行。

（一）当事人的申诉权

当事人包括赔偿请求人和赔偿义务机关。只要当事人认为赔偿委员会作出的决定确有错误，即有权向上一级人民法院赔偿委员会提出申诉。但对于当事人的申诉，赔偿委员会经过审查后，认为应当重新审查的，才决定重新审查。采取这一原则，一方面保护了当事人的申诉权，有利于在法律程序内解决纠纷；另一方面维护了赔偿委员会决定的权威性。

对赔偿委员会的赔偿决定，本条第一款规定的“认为确有错误”，与第二款、第三款规定的“发现违反本法规定”，并不是一个意思。一是“认为确有错误”的范围较大，包含“发现违反本法规定”，还包括赔偿金的计算错误等其他情形；二是“认为确有错误”采取的是主观标准，而“发现违反本法规定”采取的是客观标准。上一级人民法院赔偿委员会对于当事人“认为确有错误”提起申诉的赔偿决定,认为应当重新审查的,即使没有“发现违反本法规定”,也可以决定重新审查。

(二)本院院长或者上级人民法院指令重新审查

考虑到要平衡纠正错误和保持法秩序稳定的要求,第二款规定了依职权重新审查的条件是“违反本法规定”,强调的是对国家赔偿法本身的违反。只要违反国家赔偿法的规定,就应当重新审查。

按照人民法院组织法的规定,最高人民法院是国家的最高审判机关,有权监督地方各级人民法院和专门人民法院的审判工作。同时,上级人民法院有权监督下级人民法院的审判工作。上级法院赔偿委员会对下级法院赔偿委员会作出的赔偿决定指令重新审查,是其监督权的内容之一。

经本院院长决定或者上级人民法院指令重新审查,赔偿委员会应当在两个月内重新审查并依法作出决定。此外,为了防止作出原赔偿决定的赔偿委员会不作为,本条还规定上一级人民法院赔偿委员会也可以在两个月内直接审查并作出决定。

(三)最高人民检察院、上级人民检察院的监督权

我国宪法第一百二十九条规定:“中华人民共和国人民检察院是国家的法律监督机关。”本条规定了最高人民检察院、上级人民检察院的监督权。这一监督权类似于三大诉讼法中的检察院行使监督权的“抗诉”。根据本条规定,只有最高人民检察院有权对各级人民法院赔偿委员会作出的决定、上级人民检察院有权对下级人民法院赔偿委员会作出的赔偿决定进行监督。地方人民检察院如果认为同级人民法院赔偿委员会的赔偿决定违反本法规定的,无权进行监督,应当提请上级人民检察院向其同级人民法院赔偿委员会提出意见进行监督。

检察院既是法律监督机关,也可作为赔偿义务机关。实践中,采取刑事拘留、批准逮捕措施的检察机关,多为县级检察机关。如

果是县级检察机关作为赔偿义务机关,则由中级人民法院赔偿委员会负责办理赔偿案件,进行监督的上级人民检察院即为最高人民检察院、省级人民检察院。如果是设区的市级检察机关作为赔偿义务机关,则由高级人民法院赔偿委员会负责办理赔偿案件,进行监督的上级人民检察院即为最高人民检察院。

检察院是法律监督机关,因此向人民法院赔偿委员会提出意见,人民法院赔偿委员会必须重新审查,应当在两个月内重新审查并依法作出决定。

第三十一条　赔偿义务机关赔偿后,应当向有下列情形之一的工作人员追偿部分或者全部赔偿费用:

(一)有本法第十七条第四项、第五项规定情形的;

(二)在处理案件中有贪污受贿,徇私舞弊,枉法裁判行为的。

对有前款规定情形的责任人员,有关机关应当依法给予处分;构成犯罪的,应当依法追究刑事责任。

【释义】　本条是关于刑事追偿的规定。

(一)刑事追偿的意义

追偿制度是国家赔偿制度的重要补充,是国家赔偿制度发展完善的重要体现。在20世纪以前,“国家无责任”学说盛行,许多国家实行“主权豁免”原则,国家公务员侵害相对人的合法权益,被认为完全是个人行为,与国家无关,国家不承担责任。这种制度不利于保护受害人的合法权益,也不利于鼓励公务员积极主动工作,因而在20世纪一些国家逐步建立起由国家对公务员的侵权行为承担责任的国家赔偿制度。例如,联邦德国1971年3月8日实施的刑事追诉措施赔偿法规定,当事人因刑事法庭判决遭受损失,由国库予以赔偿。

但是,完全由国家对公务员的侵权行为承担赔偿责任,又不利于强化公务员的责任感。这样在实践中又逐步形成在国家承担赔偿责任后,对负有特定责任的公务员,追偿部分或全部费用的制度。这一制度既有利于保护受害人的合法权益,又有利于促使公务员恪尽职守,慎重、依法行使职权。例如,我国台湾地区 1981 年 7 月 1 日实施的“国家赔偿法”与“冤狱赔偿法”都明确规定,公务员在执行职务时,故意或过失不法侵害人民的自由或权利,国家承担损害赔偿责任。国家作为赔偿义务机关,对该公务人员有追偿权。

(二)刑事追偿制度的定义和特征

刑事追偿制度,是指行使侦查、检察、审判职权以及看守所、监狱管理机关及其工作人员在行使职权时,侵犯公民、法人及其他组织人身权和财产权造成损害,赔偿义务机关代表国家向受害人承担赔偿责任后,赔偿义务机关再向国家机关工作人员追回国家支付的部分或者全部的赔偿费用。

刑事追偿制度的特征:一是刑事追偿具有派生性。国家赔偿是刑事追偿制度产生的基础,刑事追偿源于国家赔偿;没有国家赔偿的规定就不会有刑事追偿制度。二是刑事追偿具有“先赔后追”的事后性。赔偿义务机关按照赔偿决定向赔偿请求人支付刑事赔偿金后,赔偿义务机关对有关责任人员进行追偿才可开始,在此时间之前无所谓刑事追偿。三是刑事追偿的目的不同于国家赔偿。国家赔偿的目的是国家保障受到损害的权益得到救济,履行赔偿义务;刑事追偿的目的重在要求机关工作人员忠于职守,勤勉尽责,防止滥用职权和腐败。四是刑事追偿是赔偿义务机关追究内部工作人员的内部责任,赔偿义务机关与被追偿责任人之间是隶属关系。

(三)刑事追偿适用的情形

赔偿义务机关完成国家赔偿之后,赔偿义务机关应当向违法行使职权的工作人员追偿部分或全部费用,追偿的适用范围根据本条第一款的规定包括:一是刑讯逼供或者殴打、虐待等行为或者唆使、放纵他人以殴打、虐待等行为造成公民身体伤害或者死亡的;二是违法使用武器、警械造成公民身体伤害或者死亡的;三是在处理案件中有贪污受贿,徇私舞弊,枉法裁判行为的。

对以上责任人员,赔偿义务机关行使追偿后,有关机关同时还要依法对责任人员给予处分;构成犯罪的依法追究刑事责任。这样规定不但使违法行使职权的工作人员受到应有的处罚,而且在客观上对行使国家侦查、检察、审判、看守所、监狱管理职权的机关工作人员依法执行职务、加强廉政建设,起到督促的作用。

(四)刑事追偿费用的实践

由于刑事追偿制度针对的是国家机关工作人员,属于机关内部管理,所以本法只原则规定了赔偿义务机关的追偿职责,国务院颁布的《国家赔偿费用管理办法》也原则规定财政部门有对赔偿义务机关实施追偿审核及追缴的职权。赔偿义务机关赔偿损失后,应当向责任者追偿部分或者全部国家赔偿费用。追偿的国家赔偿费用应当上缴同级财政机关。各地方为了保证赔偿义务机关对追偿费用的即时追缴,对追偿工作进行积极的实践和探索,总结出了追偿费用的三项工作原则:一是负担大小与行为危害程度相适应;二是负担大小与赔偿金额多少相适应;三是负担大小应考虑公务员的工资收入,不影响其生活和家庭生计。

有些地方为保障追偿费用能够顺利、足额追缴到财政,还对赔偿义务机关行使追偿权的条件、追偿程序、追偿时效、追偿费用标准进行了规范。例如,《北京市实施〈国家赔偿费用管理办法〉的规定》、《宁夏回族自治区国家赔偿费用管理办法》、《湖南省实施〈国家赔偿费用管理办法〉的规定》。这为进一步完善国家追偿制度的建设,进行了有益的探索。

第四章 赔偿方式和计算标准

本章共六条，主要规定的是国家赔偿的方式，侵犯公民人身自由、生命健康权、财产权的赔偿标准以及精神损害赔偿，国家赔偿费用等内容。2010年修改国家赔偿法，针对实践中存在的有的地方赔偿经费保障不到位，赔偿金支付机制不尽合理，赔偿项目的规定难以适应变化了的情况等问题，对该章内容作出修改，理顺了赔偿费用管理和支付机制，对赔偿项目进一步细化补充，增加了精神损害赔偿的规定。

第三十二条 国家赔偿以支付赔偿金为主要方式。

能够返还财产或者恢复原状的，予以返还财产或者恢复原状。

【释义】 本条是对国家赔偿方式的规定。

国家赔偿的方式，是指国家机关及其工作人员有国家赔偿法规定的情形，侵犯公民、法人或者其他组织合法权益且造成损害时，承担赔偿责任的形式，即国家对自己造成损害的行为以何种责任方式承担法律后果。

根据我国民法通则的规定，承担民事责任的方式主要有：停止侵害；排除妨碍；消除危险；返还财产；恢复原状；修理、重作、更换；赔偿损失；支付违约金；消除影响、恢复名誉；赔礼道歉十种。以上承担民事责任的方式，可以单独适用，也可以合并适用。上述责任方式，有的仅适用于合同责任，如支付违约金、修理、重作、更换；有的仅适用于侵权责任，如停止侵害、排除妨碍、消除危险、返还财产、恢复原状；还有的适用于所有的民事责任，如赔偿损失。赔偿损失，是指行为人支付一定的金钱，以赔偿其不法行为所造成的损害。赔偿损失是民法中适用最为广泛的责任方式。

国家以何种方式对其侵权行为承担赔偿责任，对于国家和受害人都是至关重要的，它直接关系到国家和受害人的权益。根据我国国家赔偿法，国家赔偿以支付赔偿金为主要方式；能够返还财产或者恢复原状的，予以返还财产或者恢复原状。此外，对致人精神损害的，应当在侵权行为影响的范围内，为受害人消除影响，恢复名誉，赔礼道歉；造成严重后果的，还应当支付相应的精神损害抚慰金。

(一)支付赔偿金

支付赔偿金，是指加害人因侵权行为造成他人财产或人身损害，依法应承担的以给付金钱来弥补所受损害的赔偿责任。我国国家赔偿法规定，支付赔偿金为主要的赔偿方式，也就是说，除特别情形以外，绝大部分赔偿应通过货币支付的方式进行，只有在返还财产、恢复原状更为适当时，才可以采取这两种方式。我国国家赔偿法采用支付赔偿金为主要的赔偿方式，主要是由于金钱赔偿有以下优点：一是有很强的适应性。金钱具有一般等价物的性质，受害人可以通过金钱来修复受损的物品或购买替代性物品，也可以通过金钱来改善生活环境与生活质量，从而抚慰精神创伤。因此，无论是对于人身自由、生命健康的损害，还是对财产的毁损来说，都可以通过计算或估价进行适当的赔偿。二是执行简便易行。与恢复原状等其他赔偿方式相比，金钱赔偿在支付手段上方便快捷，这一方面可以使受害人的赔偿请求能够迅速得到满足；另一方面也便于国家机关进行赔偿，免去为恢复原状所需进行的大量工作。

(二)返还财产

民事上，返还财产适用于财产被他人非法占有的情形。只要原物还在，权利人就可以要求适用这种责任方式。这里的财产，既包括原物，也包括孳息。根据国家赔偿法的规定，处罚款、罚金、追缴、没收财产或者违法征收、征用财产的，返还财产。

返还财产是一种比较便捷易行的赔偿方式，它既可以使损害得到直接赔偿，而且在被非法没收的物品对受害人来说具有特殊意义时，还可以避免或减少精神损害。在原物存在时，返还财产比将财产折算成金钱再予赔偿更加便捷。但适用返还财产这一方式需要一定的条件，即原物存在且可以被返还。如果原物已经不存在，则无法适用这一方式，只能采取金钱赔偿；即使原物存在，但已被处理，如已被拍卖无法返还的，也无法适用这一方式。

（三）恢复原状

恢复原状，赔偿义务机关按照受害人的愿望和要求恢复到损害发生之前的原本状态。例如，将损坏的财产重新修复，解除对财产的扣押和冻结。恢复原状能够较为充分地履行赔偿的义务，因此，恢复原状和赔偿损失是各国国家赔偿的基本方式。实践中，如果被损坏的财物可以恢复原状的，应当先适用恢复原状，以充分保护受害人的权益，及时解决纠纷。但适用恢复原状也需要一定的条件，即恢复原状可能且必要，如果被损坏的财物没有修复的可能，或者修复在经济效益上不合算，或者所有人不再需要，则不应适用这一方式。例如，行政机关违法强行拆迁房屋，原房屋所在地已经修建其他建筑物，一般来说就无法恢复原状。

赔偿义务机关履行赔偿义务时，如何在支付赔偿金与返还财产、恢复原状三种方式间进行选择？根据本条规定，并结合本法第三十六条侵犯财产权的赔偿方式的规定，在赔偿方式的选择上，应当兼顾公平与效率，遵循以下原则：一是充分考虑受害人的要求，尽最大可能消除损害，保护受害人的合法权益；二是受害人要求返还财产或恢复原状，但这两种方式无法实现，或者在适用这两种方式不经济的情况下，则应当适用支付赔偿金的方式。对于应当返还的财产损坏的，能够恢复原状的恢复原状；不能恢复原状的，按照赔偿程序给付相应的赔偿金;应当返还的财产灭失的,给付相应的赔偿金。

第三十三条　侵犯公民人身自由的,每日赔偿金按照国家上年度职工日平均工资计算。

【释义】 本条是对侵犯公民人身自由赔偿金计算标准的规定。

(一)侵犯人身自由应予赔偿的情形

侵犯人身自由,是指非法剥夺或者限制公民的人身自由。根据本法第三条和第十七条的规定,侵犯公民人身自由应予赔偿的情形包括:(1)违法拘留或者违法采取限制公民人身自由的行政强制措施。(2)非法拘禁或者以其他方法非法剥夺公民人身自由。(3)违反刑事诉讼法的规定对公民采取拘留措施,或者依照刑事诉讼法规定的条件和程序对公民采取拘留措施,但是拘留时间超过刑事诉讼法规定的时限,其后决定撤销案件、不起诉或者判决宣告无罪终止追究刑事责任。(4)对公民采取逮捕措施后,决定撤销案件、不起诉或者判决宣告无罪终止追究刑事责任。(5)依照审判监督程序再审改判无罪,原判刑罚已经执行。

(二)侵犯人身自由赔偿金的标准

在国家赔偿法修改过程中,对侵犯公民人身自由赔偿金的标准,存在以下几种意见:一种意见认为,每日赔偿金实行全国"一刀切"的做法没有体现差异性,对各地经济状况的差异和当事人的不同情况考虑不够,此外,对关押时间长短以及办案人员的主观过错程度也未予考虑。有的建议,按照赔偿义务机关所在地的省、自治区、直辖市上年度职工日平均工资计算。有的建议,按照国家上年度职工日平均工资的双倍,或上年度职工日平均工资的一倍至两倍,最高不超过五倍计算。有的建议改变单纯以国家上年度职工年平均工资为计算标准的"一刀切"做法,综合考虑受害人关押时间、利益损失状况、地区特点、所从事的职业特点以及社会地位等因素来确定赔偿数额。另一种意见认为，每日赔偿金是精神损害赔偿，还是误工损失，抑或是既包括精神损害赔偿，又包括误工损失不明确。由于该标准以职工平均工资计算，容易使人误以为是对误工费的赔偿。

各国对侵犯公民人身自由赔偿金标准的规定各有不同。根据日本刑事补偿法的规定，对于关押和拘禁的补偿，按照日数以一天1000 日元以上 7200 日元以下的金额幅度给付补偿金，同时考虑关押的种类，时间的长短，本人在财产上所受的损失和利益，精神上的痛苦和身体上的损失，警察、检察和审判各机关有无故意及其他有关因素。德国刑事追诉措施补偿法规定，只有法官命令作出并且执行了剥夺自由的情况下，才产生精神损害赔偿，每天补偿11 欧元，以被剥夺自由的天数计算；对于不是因为剥夺自由产生的非物质损害，依照法律的特别规定；其他的损害，如误工费、丧失工作岗位，并没有具体的标准，误工费根据收入计算。我国台湾地区“冤狱赔偿法”规定，对被羁押、执行徒刑或者拘役的赔偿，按照被羁押或者执行刑罚的天数，每日赔偿 3000 元以上 5000 元以下新台币，羁押的天数应当从拘捕时起算。

2010 年修改国家赔偿法，对每日赔偿金维持了统一按职工日平均工资计算的标准。采取这一赔偿方式的优点：一是标准明确，便于计算；二是职工日平均工资计算标准对于我国不同地区的多数人来说是较为公平的标准，且能够随着经济的发展随时调整。

此次修改，根据各方面的意见，明确了精神损害赔偿。本法第三十五条中规定：“造成严重后果的，应当支付相应的精神损害抚慰金。”因此，根据修改后的国家赔偿法，侵犯人身自由的赔偿金，可分为两部分，除按国家上年度职工日平均工资支付赔偿金外，对致人精神损害造成严重后果的，还应支付精神损害抚慰金。

第三十四条　侵犯公民生命健康权的，赔偿金按照下列规定计算：

（一）造成身体伤害的，应当支付医疗费、护理费，以及赔偿因误工减少的收入。减少的收入每日的赔偿金按照国家上年度职工日平均工资计算，最高额为国家上年度职工年平均工资的五倍；

（二）造成部分或者全部丧失劳动能力的，应当支付医疗费、护理费、残疾生活辅助具费、康复费等因残疾而增加的必要支出和继续治疗所必需的费用，以及残疾赔偿金。残疾赔偿金根据丧失劳动能力的程度，按照国家规定的伤残等级确定，最高不超过国家上年度职工年平均工资的二十倍。造成全部丧失劳动能力的，对其扶养的无劳动能力的人，还应当支付生活费；

（三）造成死亡的，应当支付死亡赔偿金、丧葬费，总额为国家上年度职工年平均工资的二十倍。对死者生前扶养的无劳动能力的人，还应当支付生活费。

前款第二项、第三项规定的生活费的发放标准，参照当地最低生活保障标准执行。被扶养的人是未成年人的，生活费给付至十八周岁止；其他无劳动能力的人，生活费给付至死亡时止。

【释义】　本条是关于公民生命健康权受损害国家赔偿标准的规定。

生命健康权是公民的重要权利，民法通则第九十八条规定："公民享有生命健康权。"任何国家机关及其工作人员都不能非法侵犯公民的生命健康权。本条对公民生命健康权受侵害的赔偿标准作了规定。

（一）致伤、致残的国家赔偿标准

1. 造成公民身体伤害的，应当赔偿医疗费、护理费以及因误工减少的收入。减少的收入每日的赔偿金按照国家上年度职工日平均工资计算，最高额为国家上年度职工年平均工资的五倍。

身体伤害，也称为一般伤害，是指身体受到的尚未造成残疾、尚未造成劳动能力受损的伤害。医疗费，是指受害人身体受到伤害后为恢复健康进行治疗所支出的费用，包括挂号费、检查费、医药费、治疗费、住院费、康复费。实践中，一般根据医疗机构出具的药费、治疗费等收费凭证，结合病历和诊断证明等相关证据确定医疗费的具体数额。赔偿义务机关对治疗的必要性与合理性有异议的，应当承担相应的举证责任。医疗费一般包括实际已经发生的费用和根据医疗证明或者鉴定结论确定在将来必然发生的医疗费用。

护理费，是指受害人因受损害导致生活不能自理时，由专人进行护理所支出的费用。赔偿护理费的前提是，受害人受到损害，生活不能自理或者不能完全自理，需要有人进行护理。实践中，护理费一般根据护理人员的收入状况和护理人数、护理期限确定。护理人员有收入的，原则上参照其因误工而减少的收入计算；没有收入或者雇佣专门护工的，原则上参照当地护工同等级护理服务的劳务报酬计算。护理期限原则上应计算至受害人恢复自理能力时为止。受害人因残疾不能恢复自理能力的，可以根据其年龄、残疾等级、健康状况等因素综合确定合理的护理期限。

因误工减少的收入，是指受害人因受到伤害而无法从事正常工作或者劳动而失去或者减少的收入，也可以称为误工费。误工费的计算以受害人从受到伤害到恢复正常能参加工作、劳动时为止的这段时间内的损失来计算，这段时间内每天的赔偿金按国家上年度职工日平均工资计算。误工费赔偿的最高限额为国家上年度年平均工资的五倍。

2. 造成部分或者全部丧失劳动能力的，应当支付医疗费、护理费、残疾生活辅助具费、康复费等因残疾而增加的必要支出和继续治疗所必需的费用，以及残疾赔偿金。残疾赔偿金根据丧失劳动能力的程度，按照国家规定的伤残等级确定，最高不超过国家上年度职工年平均工资的二十倍。造成全部丧失劳动能力的，对其扶养的无劳动能力的人,还应当支付生活费。

2010年国家赔偿法的修改,对于国家机关及其工作人员侵犯公民的生命健康权,致使公民部分或者全部丧失劳动能力的,国家赔偿的内容增加了“护理费、残疾生活辅助具费、康复费等因残疾而增加的必要支出和继续治疗所必需的费用”,这一修改扩大了赔偿的范围内容,解决了因国家侵权致残公民的后顾之忧。

残疾赔偿金,是指国家机关及其工作人员侵犯了公民的生命健康权,致使公民部分或者全部丧失劳动能力后,国家支付给受害人的赔偿。对于残疾赔偿金的性质,有不同认识,主要有三种观点:一是收入所得丧失说,即残疾赔偿金是受害人致残前后收入的差额。如果受害人虽然因残疾丧失了部分或者全部劳动能力,但其残疾前后的收入没有差距的,受害人不得请求残疾赔偿金。二是生活来源丧失说,即受害人残疾必然会导致其生活来源丧失或者减少,行为人应当赔偿受害人的损失以使其生活能够恢复到原来的水准或者状况。三是劳动能力丧失说,即受害人因残疾导致部分或者全部劳动能力的丧失本身就是一种损害,无论受害人残疾后其实际收入是否减少,赔偿义务机关都应当对劳动能力的丧失予以赔偿。

公民丧失劳动能力的程度,可由各地的劳动能力鉴定委员会进行鉴定,按照《工伤保险条例》等相关规定,一至四级伤残,为全部丧失劳动能力;五六级伤残,为大部分丧失劳动能力;七至十级伤残,为部分丧失劳动能力。残疾赔偿金的支付应当根据丧失劳动能力的程度,按照国家规定的伤残等级确定,最高不超过国家上年度职工年平均工资的二十倍。

残疾生活辅助具费是指受害人因残疾而造成身体功能全部或者部分丧失后需要配置补偿功能的残疾辅助具的费用。残疾生活辅助具主要包括假肢及其零部件、义眼、助听器、盲人阅读器、助视器、矫形器等方面。

被扶养人的生活费是指国家机关及其工作人员侵犯了公民的生命健康权,致使公民全部丧失劳动能力的,对其扶养的无劳动能力的人所支付的生活费。根据有关规定,公民应扶养的人包括:祖父母、外祖父母、父母、配偶、未满十八周岁的子女以及与公民已经形成扶养关系的人。我国婚姻法第二十九条规定:"有负担能力的兄、姐,对于父母已经死亡或父母无力抚养的未成年的弟、妹,有扶养的义务。由兄、姐扶养长大的有负担能力的弟、妹,对于缺乏劳动能力又缺乏生活来源的兄、姐,有扶养的义务。"根据这一规定,在一定情况下,弟妹、兄姐属于公民应扶养的人的范围。

(二)造成公民死亡的国家赔偿标准

国家机关及其工作人员侵犯公民生命健康权,造成公民死亡的,国家应当支付丧葬费和死亡赔偿金。对死者生前扶养的无劳动能力的人,还应当支付生活费。需要指出的是,在公民死亡的情况下,国家支付的丧葬费以及死者生前的医疗救治费应分别计算,死亡赔偿金为国家上年度职工年平均工资的二十倍。

对于死亡赔偿金的性质,虽然理论与实务界大多将修订前国家赔偿法中的死亡赔偿金理解为收入损失的赔偿,具有财产属性,但2001年以前的法律及司法实践对死亡赔偿金的性质并没有明确,2001年最高人民法院发布的《关于确定民事侵权精神损害赔偿责任若干问题的解释》将死亡赔偿金作为"精神损害抚慰金"的一种方式,2003年最高人民法院发布的《关于审理人身损害赔偿案件适用法律若干问题的解释》则改变了2001年的司法解释的规定,同时规定了"死亡补偿费"和"精神损害抚慰金",即在人身损害赔偿案件中,受害人除了可依据2003年的最高人民法院《关于审理人身损害赔偿案件适用法律若干问题的解释》要求加害人赔偿"死亡补偿费"外,还可以依据2001年的最高人民法院《关于确定民事侵权精神损害赔偿责任若干问题的解释》请求精神损害赔偿。2003年的最高人民法院《关于审理人身损害赔偿案件适用法律若干问题的解释》从司法实践上明确了死亡赔偿金是独立于精神损害抚慰金之外的具有财产属性的赔偿。按照我国侵权责任法的规定,被侵权人死亡的,其近亲属可以同时请求死亡赔偿金与精神损害赔偿金。虽然国家赔偿不同于民事侵权赔偿,但上述有关死亡赔偿金的解释,可为我们理解国家赔偿法中的死亡赔偿金性质提供参考。

一些国家和地区对侵权致人生命健康受损的责任作了规定。例如,德国民法典第八百二十三条规定:"因故意或者过失不法侵害他人生命、身体、健康、自由、所有权或者其他权利者,对他人因此而产生的损害负赔偿义务。违反以保护他人为目的的法律者,负相同的义务。如果根据法律的内容并无过失也可能违反此种法律的,仅在有过失的情况下,始负赔偿义务。"第八百四十七条第一项规定:"在侵害身体或者健康,以及在剥夺人身自由的情况下,受害人所受损害即使不是财产上的损失,亦可以因受损害而要求合理的金钱赔偿。"我国台湾地区"民法"第十八条规定:"人格权受侵害时,得请求法院除去其侵害;有受侵害之虞时,得请求防止之。前项情形,以法律有特别规定者为限,得请求损害赔偿或慰抚金。"第一百九十四条规定:"不法侵害他人致死者,被害人之父、母、子、女及配偶,虽非财产上之损害,亦得请求赔偿相当之金额。"

相关的理论学说对死亡赔偿金也从不同角度作了理论论证。例如,扶养丧失说认为,由于受害人死亡导致其生前依法定扶养义务供给生活费的被扶养人因此丧失了生活的来源,这种损害应当由赔偿义务人加以赔偿。继承丧失说认为,因为受害人的不当死亡会导致其余命年岁内的收入"逸失",而这些收入原本可以作为受害人未来的遗产由其法定继承人继承,死亡赔偿金正是对这种继承利益丧失的赔偿。家庭整体收入损失说认为,死亡赔偿金是对死者家庭整体收入减少的赔偿。因为死者与其家庭成员是经济共同体的关系,死者的收入除去其个人消费部分,基本上用于家庭共同消费或共同积累,受害人的死亡,使得其未来生存年限中的收入丧失,这导致了家庭可预期收入的减少,死亡赔偿金即是对这部分损失的赔偿。加害人赔偿义务说认为,加害人的义务,不因受害人的死亡而消灭,所以被害人得受赔偿的地位,当然由其继承人继承。死者人格存续说认为,损害赔偿请求权随生命消亡没有根据,主张在赔偿请求权的限度内,将受害人视为法律观念上的权利主体,使其人格存续,从而取得损害赔偿。

我国国家赔偿法中的死亡赔偿制度,是为了保障公民的生命权,使得公民的生命价值能够得到充分的肯定和尊重。国家侵权致人死亡情形下的死亡赔偿金正是体现了对于人的生命权的尊重。因此,从保障公民生命权、尊重公民生命价值的角度,当国家机关及其工作人员侵犯公民生命权致受害人死亡时,国家须对受害人死亡的重大过错承担侵权责任,需要支付死亡赔偿金,但因受害人死亡,死亡赔偿金只能支付给受害人的近亲属;至于受害人的近亲属依法请求的精神损害赔偿,则是加害人对受害人近亲属因受害人死亡而产生的悲痛等精神上的伤害而应当支付的抚慰金。

第三十五条　有本法第三条或者第十七条规定情形之一,致人精神损害的,应当在侵权行为影响的范围内,为受害人消除影响,恢复名誉,赔礼道歉;造成严重后果的,应当支付相应的精神损害抚慰金。

【释义】　本条是关于精神损害赔偿的规定。

随着社会的发展,人们越来越注重个人尊严与精神生活。现实的国家赔偿案件中,公民也经常提出精神损害赔偿的请求。基于我国多年的理论及实践的探索与发展,2010 年国家赔偿法的修改明确规定了精神损害抚慰金,这对于公民权利的保障必将起到重大的作用。

精神损害一般是指人所遭受的一定的心理上、精神上的痛苦，这种痛苦会给人的精神状况、身体健康造成一定的影响，严重的甚至会严重扰乱人的生活与健康。对于精神损害能否通过金钱予以赔偿，历史上曾有人认为精神是无价的，不能通过金钱来衡量精神的价值，否则就是罪恶和腐朽的。现在一般认为，精神损害虽然不能用金钱来衡量，但是金钱却具有补偿受害人精神损害的功能，因为从社会一般人的角度而言，接受金钱会得到一定的慰藉，受害人的精神痛苦可因获得金钱所得到的慰藉予以弥补；即使无法从中得到慰藉，也可以借助这笔赔偿金通过康复治疗、旅游等活动使得精神状态得以恢复或者减少精神上的痛苦。

我国法律在精神损害赔偿上也经历了一个发展的过程。从司法实践的角度看，最高人民法院在司法实践中对精神损害赔偿进行了一些探索，列举如下：

(1)1992 年最高人民法院制定的《关于审理涉外海上人身伤亡案件损害赔偿的具体规定(试行)》第三条规定，对受伤致残者的精神损失所给予的安抚费，可按伤势轻重、伤痛情况、残废程度，并考虑其年龄、职业等因素作一次性的赔付；另外，第七条规定，海上人身伤亡损害赔偿的最高限额为每人 80 万元人民币。

(2)1993 年最高人民法院发布的《关于审理名誉权案件若干问题的解答》中规定，公民、法人因名誉权受到侵害要求赔偿的，侵权人应赔偿侵权行为造成的经济损失；公民并提出精神损害赔偿要求的，人民法院可根据侵权人的过错程度、侵权行为的具体情节、给受害人造成精神损害的后果等情况酌定。

(3)2001 年最高人民法院制定的《关于确定民事侵权精神损害赔偿责任若干问题的解释》第一条规定，自然人因生命权、健康权、身体权、姓名权、肖像权、名誉权、荣誉权，人格尊严权、人身自由权等人格权利遭受非法侵害，向人民法院起诉请求赔偿精神损害的,人民法院应当依法予以受理;违反社会公共利益、社会公德侵害他人隐私或者其他人格利益,受害人以侵权为由向人民法院起诉请求赔偿精神损害的,人民法院应当依法予以受理。第十条规定,精神损害的赔偿数额根据以下因素确定:①侵权人的过错程度,法律另有规定的除外;②侵害的手段、场合、行为方式等具体情节;③侵权行为所造成的后果;④侵权人的获利情况;⑤侵权人承担责任的经济能力;⑥受诉法院所在地的平均生活水平。法律、行政法规对残疾赔偿金、死亡赔偿金等有明确规定的,适用法律、行政法规的规定。第十一条还规定,受害人对损害事实和损害后果的发生有过错的,可以根据其过错程度减轻或者免除侵权人的精神损害赔偿责任。

(4)2003 年最高人民法院制定的《关于审理人身损害赔偿案件适用法律若干问题的解释》中规定,因生命、健康、身体遭受侵害,赔偿权利人起诉请求赔偿义务人赔偿财产损失和精神损害的,人民法院应予受理;同时规定,受害人或者死者近亲属遭受精神损害,赔偿权利人向人民法院请求赔偿精神损害抚慰金的,适用最高人民法院《关于确定民事侵权精神损害赔偿责任若干问题的解释》予以确定。我国 2009 年 12 月通过的侵权责任法在立法上第一次明确规定了精神损害赔偿,规定:侵害他人人身权益,造成他人严重精神损害的,被侵权人可以请求精神损害赔偿。这次国家赔偿法的修改将精神损害纳入国家赔偿的内容,是我国赔偿制度的重大发展。

(一)精神损害赔偿的含义及一些国家和地区的赔偿标准

精神损害赔偿是指因不法侵害受害人的人身权而使得受害人受到严重精神损害的,致害人对此给予的赔偿。严重精神损害是指受害人的心理上、精神上遭受的严重损害,其具体表现形式包括:受害人死亡的,其近亲属的悲痛和哀伤;受害人因身体受到严重伤害乃至伤残而感受到的精神上的痛苦,因伤残而导致将来生活与就业困难的精神上的焦虑;受害人因受侵害,虽然身体未受到严重伤害,但是心理上受到严重刺激,精神严重受损,出现了精神病或者间歇性精神病,或者抑郁症等严重的精神障碍;受害人的名誉权和荣誉权受到损害。针对受害人所遭受的严重的精神损害,支付一定的精神损害赔偿金,能够对其受害的精神和心理予以抚慰,以平息其不满、愤怒、痛苦和怨恨的心理,从而有利于化解社会的不安定因素,也有利于和谐社会的建设。但是,因精神损害具有无形性、非财产性等特点,精神损害赔偿难以确定一个客观的标准,赔偿的数额也难以计算和定量。

精神损害赔偿标准是精神损害赔偿理论和实务的一个难点,对此,一些国家和地区有不同的规定,主要有以下几种方法:

(1)酌定赔偿的方法

所谓酌定赔偿的方法,是指法律不制定统一的赔偿标准,由法官根据案件的具体情况自由裁量。

法国民法就精神损害赔偿未作规定,但是,1833 年的判例确定了以下原则,即精神损害赔偿所适用的规则与财产上损害赔偿并无不同。依法国判例的态度,损害赔偿的计算为一个事实问题,法院得依职权的作用为之。依职权的作用计算赔偿金就意味着,精神损害赔偿金的计算不依一定的法律规则,而是取决于法官的个人评价。

德国民法典第二百五十三条规定:“非财产上的损害,以法律有特别规定者为限,始得请求赔偿相当数额。”赔偿金数额是否“相当”,根据不同案件由法官斟酌一切事由自由裁量。

俄罗斯联邦民法典第一千一百零一条第一款第二项也明确规定了由法院斟酌精神损害抚慰金数额,“精神损害补偿的数额,由法院根据给受害人造成身体和精神痛苦的性质决定。当以过错为损害赔偿的依据时,法院还要根据致害人的过错程度确定赔偿数额。在确定精神损害的补偿数额时,应斟酌请求的合理性和公正性”。

(2)固定赔偿方法

固定赔偿方法，是指制定固定的抚慰金赔偿表，就不同性质的精神损害规定抚慰金的最高赔偿数额和最低赔偿数额。

英国对精神损害赔偿金采取标准化的固定赔偿办法，将致残赔偿及各类伤害的精神损害赔偿数额，依通常的社会标准，根据法律政策制定的价目表估算金额。例如，失去一条大腿赔偿精神损害赔偿金5万～6万英镑，失去一只手臂赔偿精神损害赔偿金2.5万～3万英镑。

日本律师协会交通事故咨询中心制定的“住院、就医抚慰金表”作为精神损害赔偿的参照标准，规定了上限金额和下限金额，对于受害者伤情特别严重的情形，则在相应栏目的最高限额上再加20%。日本律师协会公布的“死亡之精神损害额基准”规定，受害人为一家之支柱者，为2100万～2700万日元；为准一家之支柱者，为1900万～2300万日元；其他情形者，为1700万～2100万日元。

(3)最高限额赔偿方法

最高限额赔偿方法就是对精神损害赔偿的数额限制最高标准。捷克民法典第五百零八条规定，涉及任何人身伤害，对其痛苦和遭遇以及对其社会和公共活动的赔偿额最高不能超过4万捷克克朗，除此之外，对其他的人格损害的赔偿额最高不超过12,000捷克克朗。如果对痛苦和遭遇的损害补偿低于12,000捷克克朗，那么，对其社会和公共活动损害所作的赔偿可以超过28,000捷克克朗，但两者相加不能超过40,000捷克克朗。

(4)医药费比例赔偿方法

医药费比例赔偿方法是指受害人抚慰金的赔偿数额根据受害人医药费的比例加以确定。秘鲁民法典第三条规定，法官只能在受害人所必须花费的医疗费数额的半数和两倍之间来估算受害人的抚慰金。

(5)日标准赔偿方法

所谓日标准赔偿方法就是抚慰金赔偿数额以日来计算。丹麦法律规定,致害人对躺在床上的病人每日给付抚慰金25丹麦克朗,给付其他病人的抚慰金为每天10丹麦克朗。

(二)我国国家赔偿法对精神损害赔偿的规定与操作

2010年国家赔偿法的修改,将精神损害赔偿纳入国家赔偿的内容。新修订后的国家赔偿法规定应当给予精神损害赔偿的情形大体可以分为以下两类。

(1)有本法第三条或者第十七条规定情形之一,致人精神损害的,应当在侵权行为影响的范围内,为受害人消除影响,恢复名誉,赔礼道歉。这类精神损害赔偿的要点是:

第一,精神损害赔偿限于侵犯公民人身权的情形,即赔偿义务机关存在本法所规定的如下行为:违法拘留或者违法采取限制公民人身自由的行政强制措施的;非法拘禁或者以其他方法非法剥夺公民人身自由的;违法使用武器、警械造成公民身体伤害或者死亡的;违反刑事诉讼法的规定对公民采取拘留措施的,或者依照刑事诉讼法规定的条件和程序对公民采取拘留措施,但是拘留时间超过刑事诉讼法规定的时限,其后决定撤销案件、不起诉或者判决宣告无罪终止追究刑事责任的;对公民采取逮捕措施后,决定撤销案件、不起诉或者判决宣告无罪终止追究刑事责任的;依照审判监督程序再审改判无罪,原判刑罚已经执行的;刑讯逼供或者以殴打、虐待等行为或者唆使、放纵他人以殴打、虐待等行为造成公民身体伤害或者死亡的等。

第二,赔偿义务机关的行为造成了赔偿请求人的精神损害。所谓精神损害,是指生理或者心理上的痛苦,包括身体遭受痛苦,精神受到恐吓,极度焦虑,名誉受到诋毁,精神受到刺激等方面。这里赔偿请求人的精神损害,并不以造成了严重后果为限。是否造成了精神损害，有关机关可以根据具体情况，结合社会公众的一般认知加以认定。

第三，赔偿方式为在侵权行为影响的范围内，为受害人消除影响，恢复名誉，赔礼道歉。所谓消除影响，是指赔偿义务机关在特定范围内消除因公民名誉权、荣誉权受侵害的不良影响，以恢复公民原有的名誉和荣誉。所谓恢复名誉，是指赔偿义务机关在公民名誉权、荣誉权受损害的范围内为其恢复名誉、荣誉，使之回复到侵害发生之前的状态。所谓赔礼道歉，是指赔偿义务机关因损害了公民的名誉权和荣誉权，通过公开的方式，以使公众广泛知晓的途径，向受害人承认错误、请求受害人谅解。

上述国家赔偿的方式应在侵权行为影响的范围内做出，例如，如果某公民被错误逮捕，其名誉权、荣誉权受到了损害，导致在某县范围内造成了不良影响，则赔偿义务机关应在该县的范围内为其消除影响，恢复名誉，赔礼道歉；如果该错误逮捕在受害人所在省的范围内造成了对该公民的广泛的不良影响，则赔偿义务机关应在该省范围内为其消除影响、恢复名誉、赔礼道歉。赔偿义务机关应当负责相关的费用。需要注意的是，这里的消除影响，恢复名誉，赔礼道歉，只是就精神损害所给予的一种赔偿；其他的如丧失人身自由的赔偿以及伤残、死亡等应当支付的赔偿金，还需要根据法律的规定，按照具体的侵权情形给付。

（2）有本法第三条或者第十七条规定情形之一，造成严重后果的，应当支付相应的精神损害抚慰金。这类精神损害赔偿的要点是：

第一，赔偿义务机关实施了国家赔偿法第三条或者第十七条规定的侵犯公民人身权的行为。

第二，赔偿义务机关的行为造成了严重后果。对于严重后果，法律未予明确界定。一般认为，造成受害人重伤、残疾、死亡，以及出现精神障碍、精神疾病等情形，可以认定为严重后果。受害人因赔偿义务机关的侵权行为遭受重伤,其必然会受到严重的身体上的痛苦以及心理上的愤恨与焦虑;受害人如果因此残疾的,其身体的机能会受到很大的影响,工作、生活会很不便利,并且会持续影响受害人的余生;受害人如果死亡的,其近亲属会因此感到悲痛,甚至会由此导致精神疾患;受害人如果因此出现了精神障碍及精神疾病,如长期失眠、抑郁症、精神分裂症,会给他的工作生活造成很大的影响,甚至会就此不得不与社会隔绝开来。这些都可以认为是严重后果,在司法实践中,对此还需要根据具体情况加以认定。

第三,赔偿方式是给予精神损害抚慰金。这里的给付精神损害抚慰金,不影响其他的包括丧失人身自由的赔偿金、伤残赔偿金、死亡赔偿金、侵犯财产权的赔偿金的给付,也不影响赔偿义务机关按照规定消除影响,恢复名誉,赔礼道歉。这里精神损害抚慰金的具体计算,法律并没有规定。司法实践中,最高人民法院制定的《关于确定民事侵权精神损害赔偿责任若干问题的解释》规定,精神损害抚慰金的计算可以根据侵权人的过错程度,侵害的手段、场合、行为方式等具体情节,侵权行为所造成的后果,侵权人的获利情况,侵权人承担责任的经济能力,受诉法院所在地的平均生活水平等因素综合加以确定。这对确定国家赔偿中的精神损害抚慰金具有参考借鉴作用。

第三十六条　侵犯公民、法人和其他组织的财产权造成损害的,按照下列规定处理:

(一)处罚款、罚金、追缴、没收财产或者违法征收、征用财产的,返还财产;

(二)查封、扣押、冻结财产的,解除对财产的查封、扣押、冻结,造成财产损坏或者灭失的,依照本条第三项、第四项的规定赔偿;

（三）应当返还的财产损坏的，能够恢复原状的恢复原状，不能恢复原状的，按照损害程度给付相应的赔偿金；

（四）应当返还的财产灭失的，给付相应的赔偿金；

（五）财产已经拍卖或者变卖的，给付拍卖或者变卖所得的价款；变卖的价款明显低于财产价值的，应当支付相应的赔偿金；

（六）吊销许可证和执照、责令停产停业的，赔偿停产停业期间必要的经常性费用开支；

（七）返还执行的罚款或者罚金、追缴或者没收的金钱，解除冻结的存款或者汇款的，应当支付银行同期存款利息；

（八）对财产权造成其他损害的，按照直接损失给予赔偿。

【释义】 本条是关于国家机关及其工作人员侵犯财产权的国家赔偿方式的规定。

根据本条的规定，侵犯财产权的国家赔偿，可以按照以下几种情形，分别予以处理。

（一）对处罚款、罚金，对金钱予以追缴或者没收的，对冻结存款或者汇款等侵犯财产权的国家赔偿

对这类情形，按本条第一项、第二项和第七项的规定，应当返还金钱或解除冻结，并支付银行同期存款利息。

冻结是对被侵害人的存款、汇款、资产、债权、股权等收益采取的保全措施。银行、信用社和有关企业根据司法机关的要求冻结赔偿请求人的存款、汇款、资产、债权、股权，给赔偿请求人财产的使用、收益造成很大的障碍和影响，因此，当赔偿义务机关依法作出国家赔偿决定后，应当解除冻结强制措施，使其可以由权利人依法支配。

对返还的金钱支付银行同期存款利息是2010年修改新增加的内容。在修改过程中，有人提出对返还金钱应计算利息的问题，对此，立法机关认为，计算银行同期存款利息是合理的，因此进行了修改完善。

(二)对处追缴、没收财产或者违法征收、征用财产的,查封、扣押财产等侵犯财产权的国家赔偿

按照本条规定,对处追缴、没收财产或者违法征收、征用财产的,应当返还财产;查封、扣押财产的,应当解除对财产的查封、扣押;应返还的财产或者应解除查封、扣押的财产损坏,能够恢复原状的,应恢复原状,不能恢复原状的,按照损害程度给付相应的赔偿金;应返还的财产或者应解除查封扣押的财产灭失的,应当给付相应的赔偿金。

查封,是指在权利人的财产上贴上封条,就地封存,不准任何人移动和处分。扣押,是指把保全的财物运到其他可以便于保存的场所,加以扣留,从而使得权利人不能占用、使用和处分,但也有原地扣押的,比如扣押船舶、航空器。征收是国家以行政权取得公民、法人或其他组织的财产所有权的行为。征用是国家以行政权取得公民、法人或其他组织的财产使用权的行为。

对处追缴、没收财产或者违法征收、征用财产的,首先应当返还财产。返还财产是赔偿义务机关将有关财产归还给受害人的赔偿方式。返还财产的方式比较简单易行,但也需要在一定条件下适用:(1)原物存在。因返还的是原物,只有在原物存在的情况下才能适用返还财产的方式,如果原物灭失的,则应适用给付赔偿金的方式。(2)原物完好。指原物没有损坏,原物的外形、功能等没有受到影响。只有在原物完好的情况下,才能适用返还的方式,否则只能适用恢复原状或给付赔偿金的方式。(3)返还方式适合。这是指适用返还原物的方式能够快速便捷地使受害人得到赔偿。例如,如果原物已经上交或处理,要找寻原物需要花费大量的时间、精力,则给付赔偿金的方式更能使受害人及时得到赔偿;又如,被违法征用的农地上已经盖了高楼,则给付农地所在的土地市场出让金更能使受害人得到赔偿。

应返还的财产或者应解除查封、扣押的财产损坏的,能够恢复

原状的,应恢复原状。恢复原状,是指对原物进行修复,使之恢复到侵害发生之前的状态。从公正和充分地给予受害人救济以及发挥物的最大效用角度而言,恢复原状能够达到国家赔偿的目的,但恢复原状也是有一定的适用条件的:(1)有恢复原状的可能性,是指受害人财产受到的损害可以通过修复等方式恢复到原来的状态。只有存在恢复原状可能的,才能采用恢复原状的赔偿方式,如果被损坏的财产没有修复的可能,则不能也无法采用恢复原状的方式。(2)有恢复原状的必要,是指财产经损坏后的剩余价值能够显著大于修复所需要的费用,只有在此条件下才有恢复原状的必要,否则应当适用给付赔偿金的方式。被损坏的财产有无修复的必要,应依次从该财产的经济效益、社会效益、所有人的需要等因素考虑。如果修复财产从经济效益上讲是不合算的,或者所有人已不再需要,则不能采用恢复原状的赔偿方式。(3)需要恢复到原物所具有的功能、效用和外形。只有在受害人的财产的主要部分、主体部分没有受到损坏,财产才能经修复能够发挥原有的功能、效用与外形。(4)对不能恢复原状的,按照损害程度给付相应的赔偿金。

应返还的财产或者应解除查封、扣押的财产灭失的,应当给付相应的赔偿金。

（三）财产已经拍卖、变卖的赔偿

拍卖是指以公开竞价的形式,将特定物品或者财产权利转让给最高应价者的买卖方式。变卖是指将特定财物委托商业企业代为销售的买卖方式。赔偿义务机关违法对财产予以没收或者查封、扣押、冻结后,如果对财产进行了拍卖、变卖,原物已经不存在或者他人获得了该财产的所有权,返还财产已经不可能,只能采取给付赔偿金的方式。财产已经拍卖或者变卖的,给付拍卖或者变卖所得的价款;变卖的价款明显低于财产价值的,应当支付相应的赔偿金。

（四）吊销许可证和执照、责令停产停业的赔偿

国家机关及其工作人员吊销许可证和执照、责令停产停业的，需赔偿停产停业期间必要的经常性费用开支。所谓必要的经常性费用开支，是指企业、商店等停产停业期间用于维持其基本运转、运营的开支，包括水电费、房屋场地租金、设备保养维护费、职工基本工资。

（五）对财产权造成其他损害的赔偿

国家机关及其工作人员侵害受害人财产权，造成其他损害的，按照直接损失给予赔偿。所谓直接损失，是指因不法侵害而致财产遭受的直接减少或消灭，主要是指既得利益的损失或现有财产的减少。

根据本条的规定，国家赔偿只对直接损失予以赔偿，而对于间接损失等不予赔偿。最高人民法院《关于民事、行政诉讼中司法赔偿若干问题的解释》第十二条对直接损失的范围作了规定。直接损失包括下列情形：保全、执行过程中造成财物灭失、毁损、霉变、腐烂等损坏的。违法使用保全、执行的财物造成损坏的。保全的财产系国家批准的金融机构贷款的，当事人应支付的该贷款借贷状态下的贷款利息；执行上述款项的，贷款本金及当事人应支付的该贷款借贷状态下的贷款利息。保全、执行造成停产停业的，停产停业期间的职工工资、税金、水电费等必要的经常性费用。法律规定的其他直接损失。

第三十七条　赔偿费用列入各级财政预算。

赔偿请求人凭生效的判决书、复议决定书、赔偿决定书或者调解书，向赔偿义务机关申请支付赔偿金。

赔偿义务机关应当自收到支付赔偿金申请之日起七日内，依照预算管理权限向有关的财政部门提出支付申请。财政部门应当自收到支付申请之日起十五日内支付赔偿金。

赔偿费用预算与支付管理的具体办法由国务院规定。

【释义】 本条是关于国家赔偿费用管理的规定。

国家赔偿费用，是指赔偿义务机关依照国家赔偿法的规定，为履行国家赔偿责任而向赔偿请求人支付的费用。国家赔偿费用管理包括国家赔偿费用的预算、使用、核拨、支付、追偿、追缴以及监督。

国家赔偿制度设计的目的在于保护公民、法人和其他组织的合法权益，促进国家机关依法行使职权。上述目的的实现，最终往往要体现在国家赔偿费用的支付上。实践中，国家赔偿费用兑现难、赔偿请求人迟迟拿不到赔偿金的现象屡屡发生。一方面，赔偿义务机关拒不执行或者怠于执行赔偿决定，使受害人无法及时获得国家赔偿费用；另一方面，赔偿义务机关不用国家赔偿费用进行赔偿，而是用来源于其他渠道的资金进行赔偿，既规避了财政机关的审查，也使国家赔偿费用形同虚设。针对实践中出现的上述问题，本条对赔偿费用的预算、支付等作了明确规定，使得法律对赔偿请求人的权益保护更为完善。

（一）国家赔偿费用的预算

从国外的情况看，国家赔偿费用的设立主要有以下几种方式：一是统筹管理模式，由中央政府统筹编制预算，将国家赔偿费用作为一项专项支出列入收支科目，地方行政支出的赔偿费用由中央财政统一拨付，地方不用负责筹措，如法国、德国、新加坡；二是分级管理模式，由各级政府分别编制作为国家赔偿费用的预算，各级政府所属的机关造成的损害，需要赔偿的，由该级政府从其专项赔偿费用中支付，如韩国；三是保险模式，即由政府机关或者公民个人向保险公司投保，发生侵权行为时，由保险机构向受害人支付赔偿费用，如美国的一些州政府；四是专项基金模式，由国家设立独立的专项基金，在一般情况下赔偿费用由侵权的各级国家机关自行负担，但在超过某一特定数额时，超过部分的赔偿费用由基金付款，如美国。

本条第一款规定："赔偿费用列入各级财政预算。"可见，我国赔偿费用实行的是分级管理模式，即国家赔偿费用由中央和地方各级政府分别负担，上下级政府之间没有相互承担国家赔偿费用的义务。这是和我国现行的财政体制相契合的，能够有效利用现有制度在预算编制、国库管理方面的行政管理资源。这种管理模式可以引起各级政府对赔偿问题的高度重视，增强其工作的责任感。

预算是国家制定的年度财政收支计划，由中央预算和地方预算两部分组成。根据预算法的有关规定，中央预算由中央各部门（含直属单位）的预算组成，包括地方向中央上缴的收入数额和中央对地方返还或者给予补助的数额。我国的中央预算由国务院编制，全国人大审查批准。地方预算由各省、自治区、直辖市的总预算组成。地方各级政府预算由本级各部门（含直属单位）的预算组成。地方预算由地方各级人民政府编制，同级人大审查批准。中央预算和地方预算，经本级人民代表大会批准后，非经法定程序，不得改变。

（二）请求支付赔偿金的依据

赔偿请求人凭生效的判决书、复议决定书、赔偿决定书或者调解书，向赔偿义务机关申请支付赔偿金。也就是说，赔偿请求人请求支付赔偿金的依据是已经发生法律效力的法律文书，这些有效的法律文书包括：

（1）判决书，是指行政赔偿判决书。有两种情形：一是在行政诉讼中一并提出行政赔偿。根据本法第九条第二款的规定，赔偿请求人可以在提起行政诉讼时一并提出行政赔偿请求。人民法院行政判决书中有关行政赔偿的部分，是赔偿请求人请求支付赔偿金的依据。二是单独提出行政赔偿。根据本法第十四条的规定，赔偿请求人对赔偿的方式、项目、数额有异议，或者在赔偿义务机关逾期未作出是否赔偿的决定、作出不予赔偿决定之日起 3 个月内,赔偿请求人可以向人民法院提出请求国家赔偿的行政赔偿诉讼。行政赔偿判决书则是指由人民法院就行政赔偿诉讼作出的已经发生法律效力的判决书。

(2)复议决定书,是指复议机关作出的对赔偿请求人进行国家赔偿的书面决定。具体分为两种情况:一是行政复议机关作出的复议决定书。根据本法第九条第二款的规定,赔偿请求人可以在申请行政复议时一并提出行政赔偿请求。行政复议机关作出的复议决定书中有关行政赔偿的部分,是赔偿请求人请求支付赔偿金的依据。二是赔偿义务机关的上一级机关作出的复议决定书。根据本法第二十四条的规定,在刑事赔偿中,赔偿请求人对赔偿的方式、项目、数额有异议,或者在赔偿义务机关逾期未作出是否赔偿的决定、作出不予赔偿决定之日起三十日内,赔偿请求人可以向赔偿义务机关的上一级机关申请复议。复议机关作出的对赔偿请求人进行国家赔偿的复议决定书,也是赔偿请求人申请支付赔偿金的依据。

(3)赔偿决定书,是指由赔偿义务机关或者人民法院赔偿委员会作出的对赔偿请求人进行国家赔偿的书面决定。包括:①赔偿义务机关作出的赔偿决定书。根据本法第十三条和第二十三条的规定,赔偿请求人向赔偿义务机关要求国家赔偿,赔偿义务机关决定赔偿的,应当制作赔偿决定书。②人民法院赔偿委员会作出的赔偿决定书。根据本法第二十四条、第二十五条和第二十八条的规定,在刑事赔偿中,赔偿请求人不服复议决定或者复议机关逾期不作决定的,赔偿请求人在法定时限内可以向复议机关所在地的同级人民法院赔偿委员会申请作出赔偿决定。赔偿义务机关是人民法院的,赔偿请求人对赔偿的方式、项目、数额有异议,或者在赔偿义务机关逾期未作出是否赔偿的决定、作出不予赔偿决定之日起三十日内,赔偿请求人可以向其上一级人民法院赔偿委员会申请作出赔偿决定。

(4)调解书,是指行政赔偿调解书。根据我国行政诉讼法第六十七条第三款的规定,行政赔偿诉讼可以适用调解。人民法院审理行政赔偿诉讼,在坚持合法、自愿的前提下,可以就赔偿范围、赔偿方式和赔偿数额进行调解,调解成立的,应当制作行政赔偿调解书。行政赔偿调解书与行政赔偿判决书具有同等的法律效力。

(三)国家赔偿费用的支付

国家赔偿费用的支付,是权利受到侵害的公民、法人或者其他组织顺利获得国家赔偿的重要保证,是赔偿请求人权利得到救济的具体体现。没有赔偿费用的支付,再公正的赔偿决定或者判决对赔偿请求人来说也只是一纸空文。只有保证赔偿请求人能够及时、足额地获得赔偿费用,国家赔偿法的宗旨才能真正得到体现,国家赔偿的权利救济功能才能真正得到实现,对受害的公民、法人和其他组织的权益维护才能真正落到实处。

关于支付程序,在国家赔偿法修改征求意见过程中,主要有以下三种意见:第一种意见认为,应当由赔偿请求人先向赔偿义务机关提出支付申请,再由赔偿义务机关向财政部门申请支付赔偿金。第二种意见认为,由赔偿请求人凭生效的法律文书直接向财政部门提出申请,财政部门审核后直接将赔偿金支付给赔偿请求人。第三种意见认为,维持现有的国家赔偿费用支付方式,由赔偿义务机关先行垫付再向财政部门申请核拨。这次修改最终采纳了第一种意见,这主要是考虑到从实际工作上看,这一方案更为合理且便于操作,既能更好地体现国家赔偿法的立法宗旨,顺应财政改革的趋势,方便赔偿请求人及时获得足额赔偿金,又能促使赔偿义务机关增强责任感。同时,为了防止赔偿义务机关和财政部门怠于履行职责,使赔偿金能够及时支付给赔偿请求人,本条第三款对赔偿义务机关和财政部门履行职责的期限作了规定,赔偿义务机关应当自收到赔偿申请之日起七日内,依照预算管理权限向有关的财政部门提出支付申请;财政部门应当自收到支付申请之日起十五日内支付赔偿金。

需要注意的是,财政部门对国家赔偿申请的审核为形式审核。财政部门在确认国家赔偿申请所依据的国家赔偿决定或判决及申请人身份证明等材料真实、有效、齐全后,即应予以拨付。

(四)国家赔偿费用预算与支付的管理

根据本条第四款的规定,国家赔偿费用预算与支付管理的具体办法由国务院规定。1994 年国家赔偿法通过后,国务院于 1995 年颁布了《国家赔偿费用管理办法》,根据国家赔偿法的规定,对国家赔偿费用预算与支付管理等制定了具体的实施办法。此次国家赔偿法修改后,《国家赔偿费用管理办法》也要根据修改后的国家赔偿法的有关规定作相应调整,调整时应当把握以下几个要求:(1)要体现国家赔偿法的精神和原则,不得与之相抵触。(2)要把握 2010 年修改国家赔偿法时国家赔偿金支付方式改革的精神。赔偿金的支付程序是此次修改的重点,具体来说有三点:一是将原法规定的由赔偿义务机关先行垫付赔偿金修改为由赔偿义务机关向财政部门申请支付赔偿金;二是对赔偿义务机关和财政部门支付赔偿金的期限作了明确规定;三是具体规定了请求支付赔偿金的依据。《国家赔偿费用管理办法》的任务就是要把法律的原则规定具体化,把授权规范的内容予以明确,以便有效实施法律。

第五章　其他规定

本章共三条，对民事、行政诉讼中的司法赔偿，国家赔偿时效，国家赔偿中涉外案件的办理作了规定。

第三十八条　人民法院在民事诉讼、行政诉讼过程中，违法采取对妨害诉讼的强制措施、保全措施或者对判决、裁定及其他生效法律文书执行错误，造成损害的，赔偿请求人要求赔偿的程序，适用本法刑事赔偿程序的规定。

【释义】 本条是关于民事、行政诉讼中的司法赔偿的规定。

民事、行政诉讼中的司法赔偿是指人民法院在民事、行政诉讼过程中，违法采取对妨害诉讼的强制措施、保全措施，或者对判决、裁定及其他生效法律文书执行错误，造成公民、法人和其他组织合法权益受到损害的，国家依法给予赔偿的国家赔偿制度。违法采取对妨害诉讼的强制措施、保全措施，或者对判决、裁定及其他生效法律文书执行错误，属于违反法定程序的司法行为或事实行为，会造成正常权利状态的混乱，继而影响有关当事人的权益，因此，需要对此造成的损害给予国家赔偿。

按照国家赔偿法的规定，民事、行政诉讼中的司法赔偿包括以下三个部分：

（一）违法采取对妨害诉讼的强制措施的赔偿

妨害诉讼行为一般是指诉讼参加人或其他人故意实施的扰乱、危害正常的诉讼秩序，并在客观上妨害了诉讼活动正常进行的行为。对妨害诉讼的强制措施是人民法院在民事、行政诉讼过程中，为了保障诉讼的顺利进行，对妨害诉讼的行为人所采取的一种教育和制裁的手段，是保证人民法院审判工作顺利进行的一项措施。

我国民事诉讼法对故意妨害司法程序、阻碍司法工作人员执行职务的行为规定了一些强制措施，如拘传、训诫、责令退出法庭、罚款、拘留。行政诉讼法规定的强制措施有：训诫、责令具结悔过、罚款、拘留。两部法律都对强制措施的运用情形作了严格的限制性规定，例如，伪造、隐藏、毁灭证据的；指使、贿买、胁迫他人作伪证或者威胁、阻止证人作证的等情形。

在对妨害诉讼的各种强制措施中，一般产生国家赔偿责任的是罚款、拘留两种，而其他的强制措施一般不会造成对公民人身自由与财产权的损害，例如训诫是司法工作人员对有轻微妨害民事诉讼行为的人所采取的批评、教育的一种强制措施，一般不会造成公民人身权和财产权的损害，所以也就不会产生国家赔偿责任的问题。

最高人民法院在《关于民事、行政诉讼中司法赔偿若干问题的司法解释》中明确地界定了违法采取对妨害诉讼的强制措施的具体范围：对没有实施妨害诉讼行为的人或者没有证据证明实施妨害诉讼的人采取司法拘留、罚款措施的；超过法律规定期限实施司法拘留的；对同一妨害诉讼行为重复采取罚款、司法拘留措施的；超过法律规定金额实施罚款的；违反法律规定的其他情形的。

（二）违法采取保全措施的赔偿

保全措施主要包括证据保全和财产保全两种。证据保全，是指在证据可能灭失或者以后难以取得的情况下，人民法院依据职权对证据资料采取收存等方法，以保持其证明作用的措施。财产保全是指人民法院审理案件，在判决前，对于因当事人一方的行为或者其他原因，可能使判决不能执行或难以执行，根据当事人的申请，或者必要时依职权而采取的限制当事人对其财物进行处分的强制性措施,如查封、扣押、冻结。

行政诉讼法只规定了证据保全,而民事诉讼法除了规定证据保全外,还规定了财产保全。无论是财产保全还是证据保全,都关系到相对人的财产权的保护,如果法院没有依据法律规定的条件采取保全措施,随意扩大保全范围,对保全的财产不妥善保管或处理不当,造成财产损害的,国家都应承担赔偿责任。

最高人民法院在《关于民事、行政诉讼中司法赔偿若干问题的解释》中对违法采取保全措施的行为加以明确规定:依法不应当采取保全措施而采取保全措施或者依法不应当解除保全措施而解除保全措施的;保全案外人财产的,但案外人对案件当事人负有到期债务的情形除外;明显超过申请人申请保全数额或者保全范围的;对查封、扣押的财物不履行监管职责,严重不负责任,造成毁损、灭失的,但依法交由有关单位、个人负责保管的情形除外;变卖财产未由合法评估机构估价,或者应当拍卖而未依法拍卖,强行将财物变卖给他人的;违反法律规定的其他情形。

需要注意的是,在民事诉讼中,国家对法院主动采取财产保全措施所致损害负责赔偿,而在当事人申请财产保全错误致使法院根据其申请采取财产保全措施造成损害的,申请人应当赔偿被申请人因财产保全所遭受的损失,国家不负赔偿责任,受害人可以根据民事诉讼法第九十六条的规定,请求申请人赔偿其遭受的损失。

(三)对生效法律文书执行错误所致损害的赔偿

人民法院的判决、裁定和其他生效的法律文书体现着法律的效力,必须执行。民事、行政诉讼中的强制执行,是指法院执行组织及其工作人员,按照法定的程序,根据法院生效的判决、裁定或其他法律文书的规定,在义务人逾期不履行义务的情况下,运用国家强制力强制义务人履行义务,实现法律所保护的权利的行为。根据我国民事诉讼法和行政诉讼法的规定,人民法院对拒不履行判决、裁定以及其他生效的法律文书的义务人,有权依法采取强制执行措施。强制执行措施主要有:查封、冻结、划拨被执行人的存款;扣留、提取被执行人的收入、存款;查封、扣押、拍卖、变卖被执行人的财产;搜查被执行人的财产;强制被执行人迁出房屋或退出占用的土地等。

判决、裁定和其他生效的法律文书的执行也会因法院或法院工作人员的过失而发生错误,使公民、法人和其他组织的合法权益受到损害,对此,国家应当承担赔偿责任。

在我国,作为人民法院执行依据的法律文书有:民事判决书、裁定书、调解书、支付令、具有财产执行内容的刑事判决书;承认并执行外国法院判决或仲裁机构裁决的裁决书;公证机关公证并依法赋予强制执行效力的债权文书;仲裁机关所作出的由人民法院执行的裁决书;行政机关作出的依法由人民法院执行的行政处罚决定书等。人民法院因错误执行上述法律文书,给被执行人造成损害的,国家应承担赔偿责任。

最高人民法院在《关于民事、行政诉讼中司法赔偿若干问题的解释》中,将此类问题的国家赔偿范围界定为下列几种:执行尚未发生法律效力的判决、裁定、民事制裁决定等法律文书的;违反法律规定先予执行的;违法执行案外人的财产且无法执行回转的;明显超过申请数额、范围执行且无法执行回转的;执行过程中,对查封、扣押的财产不履行监管职责,严重不负责任,造成财物毁损、灭失的;执行过程中,变卖财物未由合法评估机构估价,或者应当拍卖而未依法拍卖,强行将财物变卖给他人的;违反法律规定的其他情形。

需要注意的是,关于错误采取先予执行措施造成损害的赔偿问题。先予执行是指人民法院在审理案件过程中,因当事人一方生产或生活的急需,在作出判决前,裁定一方当事人给付另一方当事人一定数额的款项或者特定物,或者停止或实施某些行为,并立即执行的法律制度。人民法院裁定先予执行后,发现先予执行错误并给当事人造成损害的,应当给予赔偿。最高人民法院《关于在经济审判工作中严格执行〈中华人民共和国民事诉讼法〉的若干规定》第十九条规定:“受诉人民法院院长或者上级人民法院发现采取财产保全或者先予执行措施确有错误的,应当按照审判监督程序立即纠正。因申请错误造成被申请人损失的,由申请人予以赔偿;因人民法院依职权采取保全措施错误造成损失的,由人民法院依法予以赔偿。”

第三十九条　赔偿请求人请求国家赔偿的时效为两年,自其知道或者应当知道国家机关及其工作人员行使职权时的行为侵犯其人身权、财产权之日起计算,但被羁押等限制人身自由期间不计算在内。在申请行政复议或者提起行政诉讼时一并提出赔偿请求的,适用行政复议法、行政诉讼法有关时效的规定。

赔偿请求人在赔偿请求时效的最后六个月内,因不可抗力或者其他障碍不能行使请求权的,时效中止。从中止时效的原因消除之日起,赔偿请求时效期间继续计算。

【释义】　本条是关于国家赔偿请求时效的规定。

2010年修改前的国家赔偿请求时效制度是建立在确认程序基础之上的,国家赔偿法修改中取消了确认程序,因此请求时效制度也相应进行了修改。

(一)国家赔偿请求时效的性质

时效是指一定的事实状态持续地经过法定期间,产生一定法律后果的法律制度。时效由以下三个要素构成:一是一定事实状态的存在。所谓的事实状态是指占有财产或不行使权利等客观情况,这是时效成立的前提条件。二是该事实状态持续达法定期间。这是时效成立的充分条件。三是发生一定的法律后果。即引起权利义务关系的变化,当事人或取得权利,或丧失权利,或其权利丧失法律保护。

根据事实状态和法律后果的不同,可将时效分为取得时效和消灭时效两大类。占有他人财产持续达到法定期间而依法取得财产权的,是取得时效;不行使权利达到法定期间而依法发生权利消灭或权利不受法律保护的,是消灭时效。消灭时效与诉讼时效不完全相同。诉讼时效,是指时效期限届满后权利人的权利不受法律的保护,而消灭时效除这种情况外还包括权利的消灭;权利的消灭期限与权利的不受法律保护期限从理论上说不一定等长。

国家赔偿请求时效从性质上说是诉讼时效,是指时效期限届满后权利人的权利不受法律保护,但赔偿请求人的权利并不消灭。因此,时效期限届满后,赔偿义务机关可以予以赔偿。赔偿义务机关误以为时效期限未届满而给予赔偿的,不得以时效期限已届满为由要求赔偿请求人返还赔偿金。

(二)国家赔偿请求时效的计算

1. 时效期间起算点

修改前的国家赔偿法规定,赔偿请求时效自国家机关及其工作人员行使职权时的行为被依法确认为违法之日起计算,但没有规定赔偿请求人向国家机关请求确认的时效期限。这一规定虽然在保护受害人方面有一定作用,但也有弊端。实践中,不少案件中受害人向国家机关请求确认的时间超过两年,国家机关确认违法后,加上请求国家赔偿的两年时效期间,可能因时间过长证据灭失难以认定赔偿事实。2010 年国家赔偿法修改后,取消了确认程序,因此,对于国家赔偿请求时效的起算点也作了相应的修改。

理论上一般认为,诉讼时效自请求权可行使时起算。请求权可行使包含两个因素:一是权利人的权利受到侵犯,而且权利人知道或者根据日常生活经验、法律规定推定其应当知道这一事实;二是权利人行使请求权没有障碍,既没有事实障碍,也没有法律障碍。

根据本条规定,赔偿请求时效自赔偿请求人知道或者应当知道国家机关及其工作人员行使职权时的行为侵犯其人身权、财产权之日起计算。认定赔偿请求人知道,或者推定其应当知道,由法院或者赔偿委员会裁量判断。

赔偿请求人知道的内容一般来说包括三个方面:职权行为、损害、职权行为与损害之间的因果关系。因此,赔偿请求人知道或者应当知道,应当是指全部知道这三个方面的内容,也就是说,时效期间的起算点是赔偿请求人全部知道这三个方面内容之时。赔偿请求人只知道职权行为,不知道损害的程度和因果关系,还不能说赔偿请求人已经知道,因此不能开始计算时效期间。

2. 时效期间起算点的延后

时效期间起算点因障碍而延后。障碍分为事实障碍和法律障碍。事实障碍包括不可抗力、非法拘禁、因伤住院等情形。法律障碍包括被行政拘留、羁押、标的物受另一法律程序拘束等情形。此外,还应考虑职权行为有连续或继续状态的情形。职权行为的连续是指同一国家机关对同一赔偿请求人作出数个职权行为。比如,公安机关先刑事拘留犯罪嫌疑人,再扣押其财产。职权行为的继续是指一个职权行为从开始到终了有一定的时间段,如拘留、扣押行为。对于职权行为有连续或继续状态的,从职权行为终了时起计算时效期间,更加合理。

本条规定不计算在内的障碍限于被羁押等限制人身自由的期间,包括行政赔偿范围与刑事赔偿范围中限制人身自由的情形:

一是行政赔偿范围中的限制人身自由。包括:行政拘留;限制人身自由的行政强制措施,如留置盘问、劳动教养、收容教养、强制医疗、强制隔离戒毒;非法拘禁或者以其他方法非法剥夺公民人身自由。

二是刑事赔偿范围中的限制人身自由。包括:刑事诉讼中犯罪嫌疑人、被告人被采取拘留、逮捕措施;罪犯在监狱、看守所服刑期间被关押。

3. 一并提出赔偿请求的时效计算

赔偿请求人在申请行政复议或者提起行政诉讼时一并提出赔偿请求的，由于申请行政复议的期限为六十日，提起行政诉讼的期限为三个月，均比赔偿请求时效期限短，因此本条规定一并提出赔偿请求的，适用行政复议法、行政诉讼法有关时效的规定。

（三）国家赔偿请求时效的中止

本条规定的时效中止的条件有两个：一是在赔偿请求时效的最后六个月内；二是因不可抗力或者其他障碍不能行使请求权。这里的障碍包括不可抗力等其他事实障碍和法律障碍。

法律障碍在实践中出现较多的情形是，赔偿请求人主张权利的标的物受另一法律程序拘束，无法予以赔偿。比如，刑事诉讼中赔偿请求人未被羁押，但其财产被查封、扣押、冻结的，由于刑事诉讼程序的拘束，赔偿请求人只能等到刑事诉讼程序终结后才可请求赔偿。如果在赔偿请求时效的最后六个月内发生这种情形，国家赔偿的请求时效就应中止。

本条没有规定赔偿请求时效的中断。民事诉讼时效有中断制度，即诉讼时效因提起诉讼、当事人一方提出要求或者同意履行义务而中断。民法诉讼时效的中断制度在于保障民事当事人的意思自治，诉讼时效重新起算后，债务人不履行的，债权人可以再次提出请求。这一情形在国家赔偿中并不存在，赔偿决定生效后，赔偿义务机关就应当履行，因此没有必要规定中断制度。

第四十条　外国人、外国企业和组织在中华人民共和国领域内要求中华人民共和国国家赔偿的，适用本法。

外国人、外国企业和组织的所属国对中华人民共和国公民、法人和其他组织要求该国国家赔偿的权利不予保护或者限制的，中华人民共和国与该外国人、外国企业和组织的所属国实行对等原则。

【释义】 本条是国家赔偿中涉外案件的办理规定。

按照国家赔偿法的规定，外国人、外国企业和组织在中华人民共和国领域内要求中华人民共和国国家赔偿的，与中国公民一样，适用本法。同时，国家赔偿法也规定了涉外法律适用对等原则，即外国人、外国企业和组织的所属国对中华人民共和国公民、法人和其他组织要求该国国家赔偿的权利不予保护或者限制的，中华人民共和国与该外国人、外国企业和组织的所属国实行对等原则。

对等原则是国际关系中的一项基本原则，也是对外处理国际事务的一项基本政策，其目的主要是各国之间能够相互尊重主权，有利于各国之间平等交往。我国的国家赔偿法实行对等原则，一方面便于维护我国主权，另一方面也有利于保护我国的公民、法人和其他组织在国外请求国家赔偿的合法权益。因此，我国公民在国外要求国家赔偿，该国对我国公民请求国家赔偿予以限制的，我国也可以对该国公民在我国请求国家赔偿予以限制。

由于各国法律制度的差异，有的国家没有国家赔偿制度，更谈不上对涉外赔偿的制度安排。在此情况下，外国人在我国申请国家赔偿，是否对其要求国家赔偿的权利予以保护或限制，需要该赔偿请求人所在国家的司法机关获取书面确认。若该国驻华使馆经该国最高司法机构正式授权，书面承诺对中国公民、法人和其他组织在该国寻求国家赔偿予以保护或者不予限制的，可以适用本条第一款的规定，依法予以处理。

第六章 附 则

附则共两条,规定对赔偿请求人要求国家赔偿不得收取费用、对赔偿金不予征税以及施行日期。

第四十一条 赔偿请求人要求国家赔偿的,赔偿义务机关、复议机关和人民法院不得向赔偿请求人收取任何费用。

对赔偿请求人取得的赔偿金不予征税。

【释义】 本条是关于对要求国家赔偿不收取费用和对赔偿金不予征税的规定。

赔偿请求人要求国家赔偿的,赔偿义务机关、复议机关和人民法院不得向赔偿请求人收取任何费用。国家之所以在处理国家赔偿的请求时不收取费用,原因在于国家赔偿是国家纠正自己的错误,国家不能利用纠正自己错误的"机会"再收取费用。对于赔偿请求人请求国家赔偿,国家应当对请求人的请求及时做出处理,这种处理虽然会占用一定的资源,但是会在一定程度上纠正国家机关的错误行为,消除请求人的不满和愤怒,对此,国家不应当收取任何费用。同时,不收取费用也是为了防止有的请求人因为无法支付费用而放弃要求国家赔偿。

国家赔偿的请求人取得赔偿金的,国家对此不予征税。税收是国家依照法律的规定,强制向纳税人征收货币或实物所形成的特定分配关系。税收在本质上是一种特定的分配关系。当国家赔偿的请求人取得国家赔偿金时,该赔偿金只是因为请求人的合法权益受到国家侵害后,国家给予的一种补救和抚慰,以达到侵害发生之前的状态，对该赔偿金，国家没有理由强制性地要求从中进行再次分配，否则，就无法达到国家赔偿的目的。

第四十二条　本法自 1995 年 1 月 1 日起施行。

【释义】　本条是关于本法施行日期的规定。

立法法第五十一条规定："法律应当明确规定施行日期。"法律的施行日期，即法律的生效时间，是指法律何时开始生效、何时终止效力，以及法律对于其生效前的事件或者行为是否具有溯及力的问题，是一部法律的重要组成部分。

法律的施行日期即生效时间，一般有以下几种形式：一是自法律公布之日起生效；二是具体规定本法的生效时间；三是规定法律生效的条件。本法采取的是第二种做法，即具体规定本法的生效日期。我国多数法律的生效日期采用的都是这种形式，即法律公布后并不立即生效施行，而是经过一段时间后才生效施行。

修改后的法律的生效时间一般由修改法律的形式决定。目前，我国立法实践中修改法律的形式主要有以下两种：一是以修订的方式对法律条文进行全面修改，重新公布法律文本以替代原法律文本；二是以修正的方式对法律的部分条文予以修改，并以修改决定的形式公布，具体形式是修改决定之后附修正本，将原法律根据这一决定做相应的修改并重新公布，这是我国法律修改最重要的形式，本法亦采取这种形式。采用修订形式修改的法律，由于修改的内容较多，涉及法律原则、制度的修改，一般是重新规定法律施行日期；以修正形式修改的法律，由于只涉及部分条文的修改，一般不改变法律的施行日期，只规定修改决定的施行日期，该施行日期对没有修改的部分不适用，未修改的部分仍然适用原法规定的生效日期。国家赔偿法的施行日期是 1995 年 1 月 1 日，2010 年 4 月 29 日第十一届全国人大常委会第十四次会议审议通过的《全国人民代表大会常务委员会关于修改〈中华人民共和国国家赔偿法〉的决定》规定:“本决定自 2010 年 12 月 1 日起施行。”所以,本法的实施时间仍然是 1995 年 1 月 1 日,经过修改的条文生效时间则为 2010 年 12 月 1 日。

本法的公布日期为 1994 年 5 月 12 日,施行日期为 1995 年 1 月 1 日。本法修改决定的公布日期为 2010 年 4 月 29 日,施行日期为 2010 年 12 月 1 日。本法及本法的修改决定自公布到施行均间隔一段时间,这主要是考虑到国家赔偿法的实施涉及面大,为保障本法得到很好的贯彻执行,在修改决定颁布后还有大量的工作要做,这些工作主要包括:为贯彻落实国家赔偿法,国务院需要制定相应的配套法规,最高人民法院、最高人民检察院需要制定有关司法解释;为提高执法水平,各级行政机关、人民法院、人民检察院、公安机关以及看守所、监狱管理机关对执行国家赔偿法需要有一个准备时间,这些国家机关的工作人员对新法有一个学习、熟悉的过程;为了使人民更好地了解国家赔偿法的立法宗旨,保护自己的合法权益,需要全社会深入地组织学习、宣传教育,做好这些工作也需要一定的时间。

关于本法的溯及力。法的溯及力,也称法溯及既往的效力,是指法律对其生效以前的事件或者行为是否适用的问题。立法法第八十四条规定:“法律、行政法规、地方性法规、自治条例和单行条例、规章不溯及既往,但为了更好地保护公民、法人和其他组织的权利和利益而作的特别规定除外。”根据这一规定,本法原则上不溯及既往,也就是说,本法对其生效以前的事件或者行为不适用。结合本条和最高人民法院《关于〈中华人民共和国国家赔偿法〉溯及力和人民法院赔偿委员会受案范围问题的批复》的规定,本法的适用具体可分为以下几种情形:(1)国家机关及其工作人员行使职权时侵犯公民、法人和其他组织合法权益的行为,发生在 1994 年 12 月 31 日以前的,依照以前的有关规定处理;(2)发生在 1995 年 1 月 1 日以后 2010 年 12 月 1 日之前,并经依法确认的，适用修改前的国家赔偿法的规定予以赔偿；(3)发生在2010年12月1日以后的，适用修改后的国家赔偿法的规定予以赔偿。

第二部分　附　　录

附录一：

全国人民代表大会常务委员会关于修改《中华人民共和国国家赔偿法》的决定

（2010年4月29日第十一届全国人民代表大会常务委员会第十四次会议通过）

第十一届全国人民代表大会常务委员会第十四次会议决定对《中华人民共和国国家赔偿法》作如下修改：

一、将第二条修改为："国家机关和国家机关工作人员行使职权，有本法规定的侵犯公民、法人和其他组织合法权益的情形，造成损害的，受害人有依照本法取得国家赔偿的权利。

"本法规定的赔偿义务机关，应当依照本法及时履行赔偿义务。"

二、将第三条第三项修改为："（三）以殴打、虐待等行为或者唆使、放纵他人以殴打、虐待等行为造成公民身体伤害或者死亡的"。

三、将第四条第三项修改为："（三）违法征收、征用财产的"。

四、将第六条第三款修改为："受害的法人或者其他组织终止的，其权利承受人有权要求赔偿。”

五、将第九条修改为：“赔偿义务机关有本法第三条、第四条规定情形之一的，应当给予赔偿。

“赔偿请求人要求赔偿，应当先向赔偿义务机关提出，也可以在申请行政复议或者提起行政诉讼时一并提出。”

六、在第十二条中增加一款，作为第三款：“赔偿请求人不是受害人本人的，应当说明与受害人的关系，并提供相应证明。”

增加一款，作为第四款：“赔偿请求人当面递交申请书的，赔偿义务机关应当当场出具加盖本行政机关专用印章并注明收讫日期的书面凭证。申请材料不齐全的，赔偿义务机关应当当场或者在五日内一次性告知赔偿请求人需要补正的全部内容。”

七、将第十三条改为第十三条、第十四条。第十三条：“赔偿义务机关应当自收到申请之日起两个月内，作出是否赔偿的决定。赔偿义务机关作出赔偿决定，应当充分听取赔偿请求人的意见，并可以与赔偿请求人就赔偿方式、赔偿项目和赔偿数额依照本法第四章的规定进行协商。

“赔偿义务机关决定赔偿的，应当制作赔偿决定书，并自作出决定之日起十日内送达赔偿请求人。

“赔偿义务机关决定不予赔偿的，应当自作出决定之日起十日内书面通知赔偿请求人，并说明不予赔偿的理由。”

第十四条：“赔偿义务机关在规定期限内未作出是否赔偿的决定，赔偿请求人可以自期限届满之日起三个月内，向人民法院提起诉讼。

“赔偿请求人对赔偿的方式、项目、数额有异议的，或者赔偿义务机关作出不予赔偿决定的，赔偿请求人可以自赔偿义务机关作出赔偿或者不予赔偿决定之日起三个月内，向人民法院提起诉讼。”

八、增加一条，作为第十五条：“人民法院审理行政赔偿案件，赔偿请求人和赔偿义务机关对自己提出的主张，应当提供证据。

“赔偿义务机关采取行政拘留或者限制人身自由的强制措施期

间，被限制人身自由的人死亡或者丧失行为能力的，赔偿义务机关的行为与被限制人身自由的人的死亡或者丧失行为能力是否存在因果关系，赔偿义务机关应当提供证据。”

九、将第十四条改为第十六条，第二款修改为：“对有故意或者重大过失的责任人员，有关机关应当依法给予处分；构成犯罪的，应当依法追究刑事责任。”

十、将第十五条改为第十七条，修改为：“行使侦查、检察、审判职权的机关以及看守所、监狱管理机关及其工作人员在行使职权时有下列侵犯人身权情形之一的，受害人有取得赔偿的权利：（一）违反刑事诉讼法的规定对公民采取拘留措施的，或者依照刑事诉讼法规定的条件和程序对公民采取拘留措施，但是拘留时间超过刑事诉讼法规定的时限，其后决定撤销案件、不起诉或者判决宣告无罪终止追究刑事责任的；（二）对公民采取逮捕措施后，决定撤销案件、不起诉或者判决宣告无罪终止追究刑事责任的；（三）依照审判监督程序再审改判无罪，原判刑罚已经执行的；（四）刑讯逼供或者以殴打、虐待等行为或者唆使、放纵他人以殴打、虐待等行为造成公民身体伤害或者死亡的；（五）违法使用武器、警械造成公民身体伤害或者死亡的。”

十一、将第十六条改为第十八条，修改为：“行使侦查、检察、审判职权的机关以及看守所、监狱管理机关及其工作人员在行使职权时有下列侵犯财产权情形之一的，受害人有取得赔偿的权利：（一）违法对财产采取查封、扣押、冻结、追缴等措施的；（二）依照审判监督程序再审改判无罪，原判罚金、没收财产已经执行的。”

十二、将第十七条改为第十九条，第三项修改为：“（三）依照刑事诉讼法第十五条、第一百四十二条第二款规定不追究刑事责任的人被羁押的”。

第四项修改为：“（四）行使侦查、检察、审判职权的机关以及看守所、监狱管理机关的工作人员与行使职权无关的个人行为”。

十三、将第十九条改为第二十一条，修改为：“行使侦查、检察、审判职权的机关以及看守所、监狱管理机关及其工作人员在行使职权时侵犯公民、法人和其他组织的合法权益造成损害的，该机关为赔偿义务机关。

“对公民采取拘留措施，依照本法的规定应当给予国家赔偿的，作出拘留决定的机关为赔偿义务机关。

“对公民采取逮捕措施后决定撤销案件、不起诉或者判决宣告无罪的，作出逮捕决定的机关为赔偿义务机关。

“再审改判无罪的，作出原生效判决的人民法院为赔偿义务机关。二审改判无罪，以及二审发回重审后作无罪处理的，作出一审有罪判决的人民法院为赔偿义务机关。”

十四、将第二十条改为第二十二条，修改为：“赔偿义务机关有本法第十七条、第十八条规定情形之一的，应当给予赔偿。

“赔偿请求人要求赔偿，应当先向赔偿义务机关提出。

“赔偿请求人提出赔偿请求，适用本法第十一条、第十二条的规定。”

十五、将第二十一条改为第二十三条和第二十四条。第二十三条：“赔偿义务机关应当自收到申请之日起两个月内，作出是否赔偿的决定。赔偿义务机关作出赔偿决定，应当充分听取赔偿请求人的意见，并可以与赔偿请求人就赔偿方式、赔偿项目和赔偿数额依照本法第四章的规定进行协商。

“赔偿义务机关决定赔偿的，应当制作赔偿决定书，并自作出决定之日起十日内送达赔偿请求人。

“赔偿义务机关决定不予赔偿的，应当自作出决定之日起十日内书面通知赔偿请求人，并说明不予赔偿的理由。”

第二十四条：“赔偿义务机关在规定期限内未作出是否赔偿的决定，赔偿请求人可以自期限届满之日起三十日内向赔偿义务机关的上一级机关申请复议。

“赔偿请求人对赔偿的方式、项目、数额有异议的，或者赔偿义务机关作出不予赔偿决定的，赔偿请求人可以自赔偿义务机关作出赔偿或者不予赔偿决定之日起三十日内，向赔偿义务机关的上一级机关申请复议。

“赔偿义务机关是人民法院的，赔偿请求人可以依照本条规定向其上一级人民法院赔偿委员会申请作出赔偿决定。”

十六、将第二十二条改为第二十五条，第二款修改为：“赔偿请求人不服复议决定的，可以在收到复议决定之日起三十日内向复议机关所在地的同级人民法院赔偿委员会申请作出赔偿决定；复议机关逾期不作决定的，赔偿请求人可以自期限届满之日起三十日内向复议机关所在地的同级人民法院赔偿委员会申请作出赔偿决定。”

十七、增加一条，作为第二十六条：“人民法院赔偿委员会处理赔偿请求，赔偿请求人和赔偿义务机关对自己提出的主张，应当提供证据。

“被羁押人在羁押期间死亡或者丧失行为能力的，赔偿义务机关的行为与被羁押人的死亡或者丧失行为能力是否存在因果关系，赔偿义务机关应当提供证据。”

十八、增加一条，作为第二十七条：“人民法院赔偿委员会处理赔偿请求，采取书面审查的办法。必要时，可以向有关单位和人员调查情况、收集证据。赔偿请求人与赔偿义务机关对损害事实及因果关系有争议的，赔偿委员会可以听取赔偿请求人和赔偿义务机关的陈述和申辩，并可以进行质证。”

十九、增加一条，作为第二十八条：“人民法院赔偿委员会应当自收到赔偿申请之日起三个月内作出决定；属于疑难、复杂、重大案件的，经本院院长批准，可以延长三个月。”

二十、将第二十三条改为第二十九条，第一款修改为：“中级以上的人民法院设立赔偿委员会，由人民法院三名以上审判员组成，组成人员的人数应当为单数。”

二十一、增加一条，作为第三十条：“赔偿请求人或者赔偿义务机关对赔偿委员会作出的决定，认为确有错误的，可以向上一级人民法院赔偿委员会提出申诉。

“赔偿委员会作出的赔偿决定生效后，如发现赔偿决定违反本法规定的，经本院院长决定或者上级人民法院指令，赔偿委员会应当在两个月内重新审查并依法作出决定，上一级人民法院赔偿委员会也可以直接审查并作出决定。

“最高人民检察院对各级人民法院赔偿委员会作出的决定，上级人民检察院对下级人民法院赔偿委员会作出的决定，发现违反本法规定的，应当向同级人民法院赔偿委员会提出意见，同级人民法院赔偿委员会应当在两个月内重新审查并依法作出决定。”

二十二、将第二十四条改为第三十一条，第二款修改为：“对有前款规定情形的责任人员，有关机关应当依法给予处分；构成犯罪的，应当依法追究刑事责任。”

二十三、将第二十七条改为第三十四条，第一款第一项修改为：“（一）造成身体伤害的，应当支付医疗费、护理费，以及赔偿因误工减少的收入。减少的收入每日的赔偿金按照国家上年度职工日平均工资计算，最高额为国家上年度职工年平均工资的五倍”。

第一款第二项修改为：“（二）造成部分或者全部丧失劳动能力的，应当支付医疗费、护理费、残疾生活辅助具费、康复费等因残疾而增加的必要支出和继续治疗所必需的费用，以及残疾赔偿金。残疾赔偿金根据丧失劳动能力的程度，按照国家规定的伤残等级确定，最高不超过国家上年度职工年平均工资的二十倍。造成全部丧失劳动能力的，对其扶养的无劳动能力的人，还应当支付生活费”。

第二款修改为：“前款第二项、第三项规定的生活费的发放标准，参照当地最低生活保障标准执行。被扶养的人是未成年人的，生活费给付至十八周岁止；其他无劳动能力的人，生活费给付至死亡时止。”

二十四、将第三十条改为第三十五条，修改为：“有本法第三条或者第十七条规定情形之一，致人精神损害的，应当在侵权行为影响的范围内，为受害人消除影响，恢复名誉，赔礼道歉；造成严重后果的，应当支付相应的精神损害抚慰金。”

二十五、将第二十八条改为第三十六条，第一项修改为：“（一）处罚款、罚金、追缴、没收财产或者违法征收、征用财产的，返还财产”。

第五项修改为：“（五）财产已经拍卖或者变卖的，给付拍卖或者变卖所得的价款；变卖的价款明显低于财产价值的，应当支付相应的赔偿金”。

增加一项，作为第七项：“（七）返还执行的罚款或者罚金、追缴或者没收的金钱，解除冻结的存款或者汇款的，应当支付银行同期存款利息”。

二十六、将第二十九条改为第三十七条，修改为：“赔偿费用列入各级财政预算。

“赔偿请求人凭生效的判决书、复议决定书、赔偿决定书或者调解书，向赔偿义务机关申请支付赔偿金。

“赔偿义务机关应当自收到支付赔偿金申请之日起七日内，依照预算管理权限向有关的财政部门提出支付申请。财政部门应当自收到支付申请之日起十五日内支付赔偿金。

“赔偿费用预算与支付管理的具体办法由国务院规定。”

二十七、将第三十二条改为第三十九条，第一款修改为：“赔偿请求人请求国家赔偿的时效为两年，自其知道或者应当知道国家机关及其工作人员行使职权时的行为侵犯其人身权、财产权之日起计算，但被羁押等限制人身自由期间不计算在内。在申请行政复议或者提起行政诉讼时一并提出赔偿请求的，适用行政复议法、行政诉讼法有关时效的规定。”

本决定自2010年12月1日起施行。

《中华人民共和国国家赔偿法》根据本决定作相应修改并对条款顺序作相应调整，重新公布。

中华人民共和国国家赔偿法

(1994年5月12日第八届全国人民代表大会常务委员会第七次会议通过　根据2010年4月29日第十一届全国人民代表大会常务委员会第十四次会议《关于修改〈中华人民共和国国家赔偿法〉的决定》修正)

目　　录

第一章　总　　则

第一条　为保障公民、法人和其他组织享有依法取得国家赔偿的权利，促进国家机关依法行使职权，根据宪法，制定本法。

第二条 国家机关和国家机关工作人员行使职权，有本法规定的侵犯公民、法人和其他组织合法权益的情形，造成损害的，受害人有依照本法取得国家赔偿的权利。

本法规定的赔偿义务机关，应当依照本法及时履行赔偿义务。

第二章 行政赔偿

第一节 赔偿范围

第三条 行政机关及其工作人员在行使行政职权时有下列侵犯人身权情形之一的，受害人有取得赔偿的权利：

（一）违法拘留或者违法采取限制公民人身自由的行政强制措施的；

（二）非法拘禁或者以其他方法非法剥夺公民人身自由的；

（三）以殴打、虐待等行为或者唆使、放纵他人以殴打、虐待等行为造成公民身体伤害或者死亡的；

（四）违法使用武器、警械造成公民身体伤害或者死亡的；

（五）造成公民身体伤害或者死亡的其他违法行为。

第四条 行政机关及其工作人员在行使行政职权时有下列侵犯财产权情形之一的，受害人有取得赔偿的权利：

（一）违法实施罚款、吊销许可证和执照、责令停产停业、没收财物等行政处罚的；

（二）违法对财产采取查封、扣押、冻结等行政强制措施的；

（三）违法征收、征用财产的；

（四）造成财产损害的其他违法行为。

第五条 属于下列情形之一的，国家不承担赔偿责任：

（一）行政机关工作人员与行使职权无关的个人行为；

（二）因公民、法人和其他组织自己的行为致使损害发生的；

（三）法律规定的其他情形。

第二节　赔偿请求人和赔偿义务机关

第六条　受害的公民、法人和其他组织有权要求赔偿。

受害的公民死亡,其继承人和其他有扶养关系的亲属有权要求赔偿。

受害的法人或者其他组织终止的,其权利承受人有权要求赔偿。

第七条　行政机关及其工作人员行使行政职权侵犯公民、法人和其他组织的合法权益造成损害的,该行政机关为赔偿义务机关。

两个以上行政机关共同行使行政职权时侵犯公民、法人和其他组织的合法权益造成损害的,共同行使行政职权的行政机关为共同赔偿义务机关。

法律、法规授权的组织在行使授予的行政权力时侵犯公民、法人和其他组织的合法权益造成损害的,被授权的组织为赔偿义务机关。

受行政机关委托的组织或者个人在行使受委托的行政权力时侵犯公民、法人和其他组织的合法权益造成损害的,委托的行政机关为赔偿义务机关。

赔偿义务机关被撤销的,继续行使其职权的行政机关为赔偿义务机关;没有继续行使其职权的行政机关的,撤销该赔偿义务机关的行政机关为赔偿义务机关。

第八条　经复议机关复议的,最初造成侵权行为的行政机关为赔偿义务机关,但复议机关的复议决定加重损害的,复议机关对加重的部分履行赔偿义务。

第三节　赔 偿 程 序

第九条　赔偿义务机关有本法第三条、第四条规定情形之一的,应当给予赔偿。

赔偿请求人要求赔偿,应当先向赔偿义务机关提出,也可以在申请行政复议或者提起行政诉讼时一并提出。

第十条　赔偿请求人可以向共同赔偿义务机关中的任何一个赔

偿义务机关要求赔偿，该赔偿义务机关应当先予赔偿。

第十一条　赔偿请求人根据受到的不同损害，可以同时提出数项赔偿要求。

第十二条　要求赔偿应当递交申请书，申请书应当载明下列事项：

（一）受害人的姓名、性别、年龄、工作单位和住所，法人或者其他组织的名称、住所和法定代表人或者主要负责人的姓名、职务；

（二）具体的要求、事实根据和理由；

（三）申请的年、月、日。

赔偿请求人书写申请书确有困难的，可以委托他人代书；也可以口头申请，由赔偿义务机关记入笔录。

赔偿请求人不是受害人本人的，应当说明与受害人的关系，并提供相应证明。

赔偿请求人当面递交申请书的，赔偿义务机关应当当场出具加盖本行政机关专用印章并注明收讫日期的书面凭证。申请材料不齐全的，赔偿义务机关应当当场或者在五日内一次性告知赔偿请求人需要补正的全部内容。

第十三条　赔偿义务机关应当自收到申请之日起两个月内，作出是否赔偿的决定。赔偿义务机关作出赔偿决定，应当充分听取赔偿请求人的意见，并可以与赔偿请求人就赔偿方式、赔偿项目和赔偿数额依照本法第四章的规定进行协商。

赔偿义务机关决定赔偿的，应当制作赔偿决定书，并自作出决定之日起十日内送达赔偿请求人。

赔偿义务机关决定不予赔偿的，应当自作出决定之日起十日内书面通知赔偿请求人，并说明不予赔偿的理由。

第十四条　赔偿义务机关在规定期限内未作出是否赔偿的决定，赔偿请求人可以自期限届满之日起三个月内，向人民法院提起诉讼。

赔偿请求人对赔偿的方式、项目、数额有异议的，或者赔偿义务机关作出不予赔偿决定的，赔偿请求人可以自赔偿义务机关作出赔偿或者不予赔偿决定之日起三个月内，向人民法院提起诉讼。

第十五条 人民法院审理行政赔偿案件，赔偿请求人和赔偿义务机关对自己提出的主张，应当提供证据。

赔偿义务机关采取行政拘留或者限制人身自由的强制措施期间，被限制人身自由的人死亡或者丧失行为能力的，赔偿义务机关的行为与被限制人身自由的人的死亡或者丧失行为能力是否存在因果关系，赔偿义务机关应当提供证据。

第十六条 赔偿义务机关赔偿损失后，应当责令有故意或者重大过失的工作人员或者受委托的组织或者个人承担部分或者全部赔偿费用。

对有故意或者重大过失的责任人员，有关机关应当依法给予处分；构成犯罪的，应当依法追究刑事责任。

第三章 刑事赔偿

第一节 赔偿范围

第十七条 行使侦查、检察、审判职权的机关以及看守所、监狱管理机关及其工作人员在行使职权时有下列侵犯人身权情形之一的，受害人有取得赔偿的权利：

（一）违反刑事诉讼法的规定对公民采取拘留措施的，或者依照刑事诉讼法规定的条件和程序对公民采取拘留措施，但是拘留时间超过刑事诉讼法规定的时限，其后决定撤销案件、不起诉或者判决宣告无罪终止追究刑事责任的；

（二）对公民采取逮捕措施后，决定撤销案件、不起诉或者判决宣告无罪终止追究刑事责任的；

（三）依照审判监督程序再审改判无罪，原判刑罚已经执行的；

（四）刑讯逼供或者以殴打、虐待等行为或者唆使、放纵他人以殴打、虐待等行为造成公民身体伤害或者死亡的；

（五）违法使用武器、警械造成公民身体伤害或者死亡的。

第十八条 行使侦查、检察、审判职权的机关以及看守所、监狱管理机关及其工作人员在行使职权时有下列侵犯财产权情形之一的，受害人有取得赔偿的权利：

（一）违法对财产采取查封、扣押、冻结、追缴等措施的；

（二）依照审判监督程序再审改判无罪，原判罚金、没收财产已经执行的。

第十九条 属于下列情形之一的，国家不承担赔偿责任：

（一）因公民自己故意作虚伪供述，或者伪造其他有罪证据被羁押或者被判处刑罚的；

（二）依照刑法第十七条、第十八条规定不负刑事责任的人被羁押的；

（三）依照刑事诉讼法第十五条、第一百七十三条第二款、第二百七十三条第二款、第二百七十九条规定不追究刑事责任的人被羁押的；（本项于2012年10月26日修改。——编者注）

（四）行使侦查、检察、审判职权的机关以及看守所、监狱管理机关的工作人员与行使职权无关的个人行为；

（五）因公民自伤、自残等故意行为致使损害发生的；

（六）法律规定的其他情形。

第二节 赔偿请求人和赔偿义务机关

第二十条 赔偿请求人的确定依照本法第六条的规定。

第二十一条 行使侦查、检察、审判职权的机关以及看守所、监狱管理机关及其工作人员在行使职权时侵犯公民、法人和其他组织的合法权益造成损害的，该机关为赔偿义务机关。

对公民采取拘留措施，依照本法的规定应当给予国家赔偿的，作出拘留决定的机关为赔偿义务机关。

对公民采取逮捕措施后决定撤销案件、不起诉或者判决宣告无罪的，作出逮捕决定的机关为赔偿义务机关。

再审改判无罪的，作出原生效判决的人民法院为赔偿义务机关。二审改判无罪，以及二审发回重审后作无罪处理的，作出一审有罪判决的人民法院为赔偿义务机关。

第三节 赔偿程序

第二十二条 赔偿义务机关有本法第十七条、第十八条规定情形之一的，应当给予赔偿。

赔偿请求人要求赔偿，应当先向赔偿义务机关提出。

赔偿请求人提出赔偿请求，适用本法第十一条、第十二条的规定。

第二十三条 赔偿义务机关应当自收到申请之日起两个月内，作出是否赔偿的决定。赔偿义务机关作出赔偿决定，应当充分听取赔偿请求人的意见，并可以与赔偿请求人就赔偿方式、赔偿项目和赔偿数额依照本法第四章的规定进行协商。

赔偿义务机关决定赔偿的，应当制作赔偿决定书，并自作出决定之日起十日内送达赔偿请求人。

赔偿义务机关决定不予赔偿的，应当自作出决定之日起十日内书面通知赔偿请求人，并说明不予赔偿的理由。

第二十四条 赔偿义务机关在规定期限内未作出是否赔偿的决定，赔偿请求人可以自期限届满之日起三十日内向赔偿义务机关的上一级机关申请复议。

赔偿请求人对赔偿的方式、项目、数额有异议的，或者赔偿义务机关作出不予赔偿决定的，赔偿请求人可以自赔偿义务机关作出赔偿或者不予赔偿决定之日起三十日内，向赔偿义务机关的上一级机关申请复议。

赔偿义务机关是人民法院的，赔偿请求人可以依照本条规定向其上一级人民法院赔偿委员会申请作出赔偿决定。

第二十五条 复议机关应当自收到申请之日起两个月内作出决定。

赔偿请求人不服复议决定的，可以在收到复议决定之日起三十日内向复议机关所在地的同级人民法院赔偿委员会申请作出赔偿决定；复议机关逾期不作决定的，赔偿请求人可以自期限届满之日起三十日内向复议机关所在地的同级人民法院赔偿委员会申请作出赔偿决定。

第二十六条　人民法院赔偿委员会处理赔偿请求，赔偿请求人和赔偿义务机关对自己提出的主张，应当提供证据。

被羁押人在羁押期间死亡或者丧失行为能力的，赔偿义务机关的行为与被羁押人的死亡或者丧失行为能力是否存在因果关系，赔偿义务机关应当提供证据。

第二十七条　人民法院赔偿委员会处理赔偿请求，采取书面审查的办法。必要时，可以向有关单位和人员调查情况、收集证据。赔偿请求人与赔偿义务机关对损害事实及因果关系有争议的，赔偿委员会可以听取赔偿请求人和赔偿义务机关的陈述和申辩，并可以进行质证。

第二十八条　人民法院赔偿委员会应当自收到赔偿申请之日起三个月内作出决定；属于疑难、复杂、重大案件的，经本院院长批准，可以延长三个月。

第二十九条　中级以上的人民法院设立赔偿委员会，由人民法院三名以上审判员组成，组成人员的人数应当为单数。

赔偿委员会作赔偿决定，实行少数服从多数的原则。

赔偿委员会作出的赔偿决定，是发生法律效力的决定，必须执行。

第三十条　赔偿请求人或者赔偿义务机关对赔偿委员会作出的决定，认为确有错误的，可以向上一级人民法院赔偿委员会提出申诉。

赔偿委员会作出的赔偿决定生效后，如发现赔偿决定违反本法规定的，经本院院长决定或者上级人民法院指令，赔偿委员会应当在两个月内重新审查并依法作出决定，上一级人民法院赔偿委员会也可以直接审查并作出决定。

最高人民检察院对各级人民法院赔偿委员会作出的决定,上级人民检察院对下级人民法院赔偿委员会作出的决定,发现违反本法规定的,应当向同级人民法院赔偿委员会提出意见,同级人民法院赔偿委员会应当在两个月内重新审查并依法作出决定。

第三十一条 赔偿义务机关赔偿后,应当向有下列情形之一的工作人员追偿部分或者全部赔偿费用:

(一)有本法第十七条第四项、第五项规定情形的;

(二)在处理案件中有贪污受贿,徇私舞弊,枉法裁判行为的。

对有前款规定情形的责任人员,有关机关应当依法给予处分;构成犯罪的,应当依法追究刑事责任。

第四章 赔偿方式和计算标准

第三十二条 国家赔偿以支付赔偿金为主要方式。

能够返还财产或者恢复原状的,予以返还财产或者恢复原状。

第三十三条 侵犯公民人身自由的,每日赔偿金按照国家上年度职工日平均工资计算。

第三十四条 侵犯公民生命健康权的,赔偿金按照下列规定计算:

(一)造成身体伤害的,应当支付医疗费、护理费,以及赔偿因误工减少的收入。减少的收入每日的赔偿金按照国家上年度职工日平均工资计算,最高额为国家上年度职工年平均工资的五倍;

(二)造成部分或者全部丧失劳动能力的,应当支付医疗费、护理费、残疾生活辅助具费、康复费等因残疾而增加的必要支出和继续治疗所必需的费用,以及残疾赔偿金。残疾赔偿金根据丧失劳动能力的程度,按照国家规定的伤残等级确定,最高不超过国家上年度职工年平均工资的二十倍。造成全部丧失劳动能力的,对其扶养的无劳动能力的人,还应当支付生活费;

(三)造成死亡的,应当支付死亡赔偿金、丧葬费,总额为国家上年度职工年平均工资的二十倍。对死者生前扶养的无劳动能力的人,还应当支付生活费。

前款第二项、第三项规定的生活费的发放标准,参照当地最低生活保障标准执行。被扶养的人是未成年人的,生活费给付至十八周岁止;其他无劳动能力的人,生活费给付至死亡时止。

第三十五条　有本法第三条或者第十七条规定情形之一,致人精神损害的,应当在侵权行为影响的范围内,为受害人消除影响,恢复名誉,赔礼道歉;造成严重后果的,应当支付相应的精神损害抚慰金。

第三十六条　侵犯公民、法人和其他组织的财产权造成损害的,按照下列规定处理:

(一)处罚款、罚金、追缴、没收财产或者违法征收、征用财产的,返还财产;

(二)查封、扣押、冻结财产的,解除对财产的查封、扣押、冻结,造成财产损坏或者灭失的,依照本条第三项、第四项的规定赔偿;

(三)应当返还的财产损坏的,能够恢复原状的恢复原状,不能恢复原状的,按照损害程度给付相应的赔偿金;

(四)应当返还的财产灭失的,给付相应的赔偿金;

(五)财产已经拍卖或者变卖的,给付拍卖或者变卖所得的价款;变卖的价款明显低于财产价值的,应当支付相应的赔偿金;

(六)吊销许可证和执照、责令停产停业的,赔偿停产停业期间必要的经常性费用开支;

(七)返还执行的罚款或者罚金、追缴或者没收的金钱,解除冻结的存款或者汇款的,应当支付银行同期存款利息;

(八)对财产权造成其他损害的,按照直接损失给予赔偿。

第三十七条　赔偿费用列入各级财政预算。

赔偿请求人凭生效的判决书、复议决定书、赔偿决定书或者调解书,向赔偿义务机关申请支付赔偿金。

赔偿义务机关应当自收到支付赔偿金申请之日起七日内,依照预算管理权限向有关的财政部门提出支付申请。财政部门应当自收到支付申请之日起十五日内支付赔偿金。

赔偿费用预算与支付管理的具体办法由国务院规定。

第五章 其他规定

第三十八条 人民法院在民事诉讼、行政诉讼过程中,违法采取对妨害诉讼的强制措施、保全措施或者对判决、裁定及其他生效法律文书执行错误,造成损害的,赔偿请求人要求赔偿的程序,适用本法刑事赔偿程序的规定。

第三十九条 赔偿请求人请求国家赔偿的时效为两年,自其知道或者应当知道国家机关及其工作人员行使职权时的行为侵犯其人身权、财产权之日起计算,但被羁押等限制人身自由期间不计算在内。在申请行政复议或者提起行政诉讼时一并提出赔偿请求的,适用行政复议法、行政诉讼法有关时效的规定。

赔偿请求人在赔偿请求时效的最后六个月内,因不可抗力或者其他障碍不能行使请求权的,时效中止。从中止时效的原因消除之日起,赔偿请求时效期间继续计算。

第四十条 外国人、外国企业和组织在中华人民共和国领域内要求中华人民共和国国家赔偿的,适用本法。

外国人、外国企业和组织的所属国对中华人民共和国公民、法人和其他组织要求该国国家赔偿的权利不予保护或者限制的,中华人民共和国与该外国人、外国企业和组织的所属国实行对等原则。

第六章 附 则

第四十一条 赔偿请求人要求国家赔偿的,赔偿义务机关、复议机关和人民法院不得向赔偿请求人收取任何费用。

对赔偿请求人取得的赔偿金不予征税。

第四十二条 本法自 1995 年 1 月 1 日起施行。

关于《中华人民共和国国家赔偿法修正案（草案）》的说明

——2008年10月2日在第十一届全国人民代表大会常务委员会第五次会议上

全国人大常委会法制工作委员会主任 李适时

全国人民代表大会常务委员会：

我受委员长会议的委托，作关于《中华人民共和国国家赔偿法修正案（草案）》的说明。

一、修改国家赔偿法的必要性

国家赔偿法是根据宪法的规定制定的，于1994年5月12日通过，1995年1月1日起实施。这部法律的制定和实施，对于保障公民、法人和其他组织依法取得国家赔偿的权利，促进国家机关及其工作人员依法行使职权，化解矛盾纠纷，维护社会和谐稳定，具有重要意义。国家赔偿法实施以来，行政机关、司法机关依法处理了一批国家赔偿案件，一批当事人依法获得了国家赔偿。总的看，我国国家赔偿制度的建立与实施，在国家的法制化进程中发挥了积极作用。

与此同时，国家赔偿法在实施中也存在一些问题，主要是：赔偿程序的规定比较原则，对赔偿义务机关约束不够，有的机关对应予赔偿的案件拖延不予赔偿，当事人的合法权益难以得到保障；有的地方赔偿经费保障不到位,赔偿金支付机制不尽合理;赔偿项目的规定难以适应变化了的情况。此外,刑事赔偿范围的规定不够明确,实施中存在分歧。这些问题不同程度地阻碍了赔偿请求人及时有效地获得国家赔偿。近年来,各有关方面提出对国家赔偿法需要进行必要的修改。到目前,全国人大代表共有2053人次提出了61件修改国家赔偿法的议案和14件建议。一些部门、地方和专家学者也从不同角度提出了对国家赔偿法的修改意见和建议。

根据国家赔偿法的实施情况和各方面的意见,十届全国人大常委会将修改国家赔偿法列入了五年立法规划。根据立法规划的要求,法制工作委员会从2005年底开始着手国家赔偿法的修改工作,向最高人民法院、最高人民检察院、公安部、财政部、司法部、国务院法制办等中央有关部门及部分地方发函征求修改意见,并先后召开了领衔提出修改国家赔偿法议案和建议的全国人大代表座谈会、中央有关部门座谈会、法学专家座谈会以及国际研讨会,还分别到十个省市进行了调研。此外,对一些国家的国家赔偿法律制度进行了比较研究。2008年以来,按照常委会立法工作计划,法制工作委员会加紧了修改研究工作,在深入调研并认真研究各方面意见的基础上,经同最高人民法院、最高人民检察院、公安部、财政部、司法部、国务院法制办等部门协商沟通,起草了国家赔偿法修正案(草案)。

二、修改国家赔偿法的指导思想和工作思路

修改国家赔偿法,总的指导思想是以邓小平理论和“三个代表”重要思想为指导,落实科学发展观,贯彻党的十六大和十七大精神,坚持实事求是和有法必依、有错必纠的原则,体现宪法规定的尊重和保障人权的精神,体现我们党以人为本、执政为民的执政理念。修改工作要注意从我国现阶段经济社会发展的实际出发,分清体制机制问题和工作执行问题,既要保障公民、法人和其他组织依法获得国家赔偿的权利,也要保障国家机关及其工作人员依法行使职权。

国家赔偿法涉及公权力的行使与公民的切身利益,社会影响较

大。同时,这部法律涉及民法、刑法、刑事诉讼法、民事诉讼法、行政诉讼法等多部法律,涉及人民法院、人民检察院、公安机关和监狱等司法机关以及行政机关行使职权,法律关系比较复杂。总的看,国家赔偿法的修改要服务于改革发展稳定的大局,要为构建和谐社会提供有力的法制保障。在修改思路上,把握突出重点、积极稳妥的工作方针,针对法律实施中最突出、最急需的问题进行修改完善;同时注意稳步推进,对重大问题瞻前顾后,照顾左邻右舍,不求一步到位。据此,草案以完善赔偿程序、畅通赔偿渠道为重点,兼顾其他问题。对于赔偿范围等一时难以达成共识的问题,草案暂未列入。这些问题需要根据实际情况进一步研究论证后,再作修改完善。

三、修改的主要内容

(一)畅通赔偿请求渠道

国家赔偿法规定,赔偿请求人要求刑事赔偿,应当先向赔偿义务机关提出,由赔偿义务机关进行确认。一些人大代表、地方和部门提出,实践中,有的赔偿义务机关以各种理由不确认或对确认申请拖延不办,申请人向其上一级机关申诉又往往行不通,建议明确规定,对于赔偿义务机关不予赔偿的,赔偿请求人有权向人民法院赔偿委员会申请赔偿。

经与最高人民法院、最高人民检察院、公安部等部门沟通研究,为保障赔偿请求人依法获得国家赔偿的权利,建议对这一程序作如下修改:赔偿义务机关应当自收到申请之日起两个月内,作出是否赔偿的决定。赔偿义务机关逾期不予赔偿,或者赔偿请求人对不予赔偿的决定或者赔偿数额有异议的,赔偿请求人可以向其上一级机关申请复议。赔偿请求人不服复议决定或者复议机关逾期不作决定的,赔偿请求人可以向复议机关所在地的同级人民法院赔偿委员会申请作出赔偿决定。

(二)完善赔偿办理程序

国家赔偿法对行政赔偿程序和刑事赔偿程序仅作了原则规定。

一些人大代表、地方和部门提出,现行的国家赔偿程序没有明确期限要求、办理程序及方式,缺乏可操作性,建议增加赔偿义务机关、人民法院赔偿委员会办理赔偿请求的程序性规定,促进有关机关依法公正处理赔偿请求,保障赔偿请求人的合法权益。

经同有关部门研究,建议增加以下规定:一是赔偿请求人递交申请书后,赔偿义务机关应当出具加盖本行政机关印章并注明收讫日期的书面凭证;二是赔偿义务机关作出赔偿决定,应当充分听取赔偿请求人的意见,并可以与赔偿请求人就赔偿方式、赔偿项目、赔偿数额依照本法关于赔偿标准的规定进行协商。赔偿义务机关作出不予赔偿决定的,应当书面通知赔偿请求人,并说明不予赔偿的理由;三是人民法院赔偿委员会处理赔偿请求,采取书面审查的办法。必要时,可以向有关单位和人员调查情况、收集证据。赔偿请求人与赔偿义务机关对损害事实及因果关系有争议的,赔偿委员会可以听取赔偿请求人和赔偿义务机关的陈述和申辩;四是人民法院赔偿委员会应当自收到赔偿申请之日起三个月内作出决定。对于疑难、复杂、重大案件,经本院院长批准,可以延长一个月。

(三)确定双方举证义务

国家赔偿法对人民法院审理行政赔偿案件、人民法院赔偿委员会处理刑事赔偿案件应如何举证没有作出规定。一些人大代表、地方和部门提出,在一些赔偿案件中,赔偿请求人和赔偿义务机关对于导致损害发生的原因各执一词,如没有关于举证的规定,法院难以认定。特别是受害人被羁押期间死亡的,因赔偿请求人无法举证,这种情况下应当明确由监管机关提供证据。

经同有关部门沟通研究,建议在行政赔偿程序和刑事赔偿程序中分别规定:赔偿请求人和赔偿义务机关对自己提出的主张,应当提供证据。受害人被羁押期间死亡的,被请求机关对自己的行为与损害结果之间不存在因果关系的主张,应当提供证据。

(四)明确精神损害赔偿

国家赔偿法没有明确精神损害赔偿。目前在民事侵权赔偿中,可以请求赔偿财产损失,也可以提出精神损害赔偿。一些人大代表、地方和部门提出,国家机关及其工作人员违法侵犯公民的人身自由及生命健康权,同样会对受害人造成精神损害。实践中,不少赔偿请求人要求赔偿义务机关支付精神损害赔偿金。国家赔偿法应当明确精神损害赔偿。

经与有关部门研究,建议在国家赔偿法现行有关规定的基础上,明确规定:有本法第三条或者第十七条规定情形之一,致人精神损害的,应当在侵权行为影响的范围内,为受害人消除影响,恢复名誉,赔礼道歉;造成严重后果的,应当支付相应的精神损害抚慰金。考虑到现实中这类情况非常复杂,法律难以对精神损害的赔偿标准作出统一规定,可由最高人民法院根据审判实践中出现的具体问题,作出具体应用的解释。

(五)保障赔偿费用支付

国家赔偿法没有对赔偿费用的支付作出具体规定。根据国务院《国家赔偿费用管理办法》的规定,现行做法是,在赔偿责任确定后,由赔偿义务机关先向赔偿请求人垫付赔偿金,然后再向同级财政申请核销赔偿费用。各地反映,这一做法实施中存在以下问题;一是一些县、市由于财政困难,多年来一直没有设置国家赔偿费用预算,用于国家赔偿的费用难以保障。二是近年来推进财政预算体制改革和细化部门预算,一些地方国家机关已经没有先行垫付的资金,失去了先行垫付的条件。三是有的赔偿义务机关采用"私了"的办法支付赔偿金,不到财政部门申请核销。四是有的地方要求赔偿义务机关必须先处理责任人并追偿以后,才能向财政申请核拨,财政部门仅核拨追偿后的差额部门。因此,各地普遍要求完善现行国家赔偿费用的支付方式。

经同财政部等部门沟通研究,建议增加规定:赔偿请求人凭生效的判决书、复议决定书、赔偿决定书或者调解书,向赔偿义务机关申请支付赔偿金。赔偿义务机关应当自收到支付赔偿金申请之日起七日内,依照预算管理权限向有关的财政部门提出支付申请。财政部门应当自收到支付申请之日起十五日内支付赔偿金。

另外,修正案(草案)还对侵犯生命健康权、财产权的赔偿项目作了适当调整,对条文顺序也作了相应调整。

《中华人民共和国国家赔偿法修正案(草案)》和以上说明是否妥当,请审议。

全国人民代表大会法律委员会关于《中华人民共和国国家赔偿法修正案(草案)》修改情况的汇报

——2009年6月22日在第十一届全国人民代表大会常务委员会第九次会议上

全国人大法律委员会副主任委员 洪 虎

全国人民代表大会常务委员会:

常委会第五次会议对国家赔偿法修正案(草案)进行了初次审议。会后,法制工作委员会将草案印发各省(区、市)、中央有关部门、部分企事业单位、社会团体和法学教学研究机构等单位征求意见,并召开座谈会,吸取最高人民法院、最高人民检察院、公安部、司法部、财政部、国务院法制办等有关部门以及部分专家学者的意见。中国人大网站全文公布草案,向社会征求意见。法律委员会于5月31日召开会议,根据常委会组成人员的审议意见和各方面的意见,对草案进行了逐条审议。内司委和国务院法制办的有关负责同志列席了会议。6月15日,法律委员会召开会议,再次进行了审议。现就修改情况汇报如下:

一、现行国家赔偿法规定,国家机关和国家机关工作人员,违法行使职权侵犯公民、法人和其他组织的合法权益造成损害的,承担国家赔偿责任。有的常委委员、一些地方和部门提出,除了违法行使职权对没有犯罪事实和没有事实证明有犯罪重大嫌疑的人错误拘捕、错判的应当赔偿外,对按刑事诉讼法规定程序拘捕的人,事后决定撤销案件、不起诉或者判决宣告无罪终止追究刑事责任的,也应给予国家赔偿。法律委员会经研究,赞成上述意见,建议将国家赔偿法第二条第一款修改为:"国家机关和国家机关工作人员行使职权,有本法规定的侵犯公民、法人和其他组织合法权益的情形,造成损害的,受害人有依照本法取得国家赔偿的权利";将国家赔偿法第十五条第一项、第二项合并,修改为"对公民采取拘留、逮捕措施后,决定撤销案件、不起诉或者判决宣告无罪终止追究刑事责任的",受害人有取得国家赔偿的权利。

同时,有的常委委员和一些部门还提出,按照刑事诉讼法的规定,公安机关、检察机关作出撤销案件、不起诉决定的案件中,包含了有轻微犯罪行为但可以不追究刑事责任的情形,在这种情况下,有关机关依法对当事人的违法行为给予行政处罚的,国家不应承担赔偿责任。法律委员会经研究,建议在国家赔偿法第十七条中增加一项,规定:"依照刑事诉讼法的规定作出撤销案件、不起诉决定,不予追究刑事责任,但基于同一违法事实,依法受到行政处罚或者处分的",国家不承担赔偿责任。

二、国家赔偿法第四条第三项规定:"违反国家规定征收财物、摊派费用的"受害人有取得国家赔偿的权利。第二十八条第一项规定:"处罚款、罚金、追缴、没收财产或者违反国家规定征收财物、摊派费用的,返还财产"。有的部门提出,违法征用财物,也应予以赔偿,同时,由于违法摊派属于违法征收,建议将摊派费用改为违法征收。法律委员会经研究,建议将国家赔偿法第四条第三项修改为:"违法征收、征用财产的",受害人有取得国家赔偿的权利。建议将第二十八条第一项修改为:"处罚款、罚金、追缴、没收财产或者违法征收、征用财产的,返还财产"。

三、国家赔偿法第六条第三款规定:"受害的法人或者其他组织终止,承受其权利的法人或者其他组织有权要求赔偿。”有的部门提出,法人或者其他组织终止,承受其权利的可能是法人或者其他组织,也可能是个人,在这种情况下,个人应当有权提出赔偿请求。法律委员会经研究,建议将国家赔偿法第六条第三款修改为:“受害的法人或者其他组织终止的,其权利承受人有权要求赔偿。”

四、修正案草案第三条和第七条分别对赔偿义务机关的赔偿决定作了规定。有的部门提出,赔偿决定书是赔偿请求人向赔偿义务机关申请支付赔偿金的凭据,也是财政部门拨付赔偿金的依据,建议对赔偿决定书的制作与送达作出明确规定。据此,法律委员会建议在修正案草案的上述两条中分别增加规定:“赔偿义务机关决定赔偿的,应当制作赔偿决定书,并自作出决定之日起十日内送达赔偿请求人。”

五、修正案草案第四条、第八条中规定:“受害人被羁押期间死亡的,被请求机关对自己的行为与损害结果之间不存在因果关系的主张,应当提供证据。”有的常委委员和一些部门提出,对被羁押人在被羁押期间丧失行为能力的,羁押机关也应对自己的行为与该后果是否存在因果关系提供证据。法律委员会经研究,建议将上述规定修改为:“被羁押人在羁押期间死亡或者丧失行为能力的,赔偿义务机关的行为与被羁押人的死亡或者丧失行为能力是否存在因果关系,赔偿义务机关应当提供证据。”

六、根据有些常委委员和一些地方、部门关于要加强对赔偿委员会监督的意见,法律委员会经研究,建议在修正案草案中增加一条规定:“赔偿请求人对赔偿委员会作出的决定,认为确有错误的,可以向上一级赔偿委员会提出申诉。”“赔偿委员会作出的赔偿决定生效后,如发现赔偿决定违反本法规定的,经本院院长决定或者上级人民法院指令,赔偿委员会应当重新审查,依法作出决定。”“最高人民检察院对各级人民法院赔偿委员会作出的决定,上级人民检察院对下级人民法院赔偿委员会作出的决定,发现违反本法规定的,应当向同级人民法院赔偿委员会提出意见,同级人民法院赔偿委员会应当在两个月内重新审查并依法作出决定。"

此外,还对修正案草案作了一些文字修改和条文顺序调整。

修正案草案二次审议稿已按上述意见作了修改,法律委员会建议提请常委会第九次会议继续审议。

修正案草案二次审议稿和以上汇报是否妥当,请审议。

全国人民代表大会法律委员会关于《中华人民共和国国家赔偿法修正案(草案)》审议结果的报告

——2009年10月27日在第十一届全国人民代表大会常务委员会第十一次会议上

全国人大法律委员会副主任委员 洪 虎

全国人民代表大会常务委员会:

常委会第九次会议对国家赔偿法修正案(草案)进行了第二次审议。会后,法制工作委员会就有关问题与最高人民法院、最高人民检察院、公安院、司法部、财政部和国务院法制办等部门交换意见,共同研究,并召开了部分法学专家座谈会,进一步听取意见。法律委员会于10月10日召开会议,根据常委会组成人员的审议意见和各方面的意见,对草案进行了审议。内务司法委员会、国务院法制办的负责同志列席了会议。10月20日,法律委员会召开会议,再次进行了审议。法律委员会认为,为保障公民、法人和其他组织依法取得国家赔偿的权利,针对实施中存在的问题,对国家赔偿法进行修改是必要的。修正案草案经过常委会两次审议修改,已经比较成熟;同时提出以下主要修改意见:

一、有些常委委员、地方和专家提出,为保障公民、法人和其他组织依法及时获得国家赔偿,促进国家机关依法履行赔偿义务,建议强化赔偿义务机关应当依法及时履行赔偿义务的内容。法律委员会经同内务司法委员会、国务院法制办研究,建议将国家赔偿法第二条第二款修改为:“本法规定的赔偿义务机关,应当依照本法及时履行赔偿义务。”

二、国家赔偿法第三条第三项和第十五条第四项规定,以殴打等暴力行为或者唆使他人以殴打等暴力行为造成公民身体伤害或者死亡的,受害人有取得赔偿的权利。有些常委委员、地方和专家提出,上述规定没有包括受到虐待,以及监管人员放纵他人实施殴打、虐待的情形,建议予以明确。法律委员会经同内务司法委员会、国务院法制办研究,建议将国家赔偿法第三条第三项修改为“以殴打、虐待等行为或者唆使、放纵他人以殴打、虐待等行为造成公民身体伤害或者死亡的”;将国家赔偿法第十五条第四项修改为“刑讯逼供或者以殴打、虐待等行为或者唆使、放纵他人以殴打、虐待等行为造成公民身体伤害或者死亡的”。

三、国家赔偿法第十五条、第十六条、第十七条和第十九条中规定,行使侦查、检察、审判、监狱管理职权的机关为刑事赔偿的赔偿义务机关。有的部门提出,根据国家有关规定,目前被判处拘役的罪犯,以及被判处有期徒刑的罪犯,在被交付执行前,剩余刑期在一年以下的,由看守所代为执行刑罚,应当将看守所管理机关也纳入赔偿义务机关的范围。法律委员会经研究,建议将国家赔偿法有关规定中“行使侦查、检察、审判、监狱管理职权的机关”修改为“行使侦查、检察、审判职权的机关以及看守所、监狱管理机关”。

四、有些常委委员、部门和地方提出,为保证赔偿委员会公正处理赔偿请求,建议对赔偿委员会处理赔偿请求的相关程序进一步予以完善。经同最高人民法院、最高人民检察院研究,法律委员会建议对刑事赔偿程序作如下修改:一是增加规定人民法院赔偿委员会可以组织赔偿请求人和赔偿义务机关进行质证;二是将赔偿委员会处理疑难、复杂、重大赔偿案件可以延长的期限由一个月修改为三个月;三是将人民法院赔偿委员会由三至七名审判员组成,修改为“由人民法院三名以上审判员组成”;四是增加规定赔偿义务机关认为赔偿委员会的决定确有错误的,可以向上一级人民法院赔偿委员会提出申诉;上一级人民法院赔偿委员会如发现赔偿决定违反本法规定,可以直接审查并作出决定。

这里还有一个问题需要汇报。有些常委委员、部门和地方提出,草案明确了有关精神损害赔偿的规定,是对国家赔偿制度的进一步完善,但这一规定还不够具体,有的建议区别不同情况规定具体标准,有的建议规定最高赔偿限额,有的提出应与现行国家赔偿法规定的残疾赔偿金或者死亡赔偿金统筹考虑、合并计算。经同有关部门和法律专家反复研究,考虑到国家赔偿案件涉及公民人身自由、生命健康以及财产等权利,案件情况千差万别,非常复杂,对精神损害赔偿的标准,在实践经验不足的情况下,不宜在法律中作出具体规定,可在司法实践中根据案件的具体情况由司法解释予以明确。

此外,还对草案二次审议稿作了一些文字修改。

法律委员会已按上述意见提出了修改决定草案,法律委员会建议,修改决定草案经本次常委会会议审议,如果意见比较一致,作进一步修改后,由本次常委会会议审议通过。

修改决定草案和以上报告是否妥当,请审议。

全国人民代表大会法律委员会关于《全国人民代表大会常务委员会关于修改〈中华人民共和国国家赔偿法〉的决定(草案)》修改情况的汇报

——2010年4月26日在第十一届全国人民代表大会常务委员会第十四次会议上

全国人大法律委员会副主任委员 洪 虎

全国人民代表大会常务委员会:

常委会第十一次会议对关于修改国家赔偿法的决定(草案)进行了审议。审议中,有些常委委员提出,考虑到刑事案件情况复杂,公安机关对拘留的犯罪嫌疑人,特别是流窜、多次、结伙作案的重大嫌疑人,需要一定时间进行侦查甄别,因此,对犯罪嫌疑人依法采取刑事拘留措施后予以释放的,是否应予以国家赔偿,建议慎重研究。会后,我们就这一问题,与内务司法委员会、最高人民法院、最高人民检察院、公安部、司法部、国务院法制办等部门作了研究,并与公安部反复沟通。4月6日,法律委员会召开会议,对决定草案进行了审议。内务司法委员会和国务院法制办的有关负责同志列席了会议。4月19日,法律委员会召开会议,再次进行了审议。

关于公安机关采取刑事拘留措施的问题,刑事诉讼法第六十一条规定了明确的条件："公安机关对于现行犯或者重大嫌疑分子，如果有下列情形之一的，可以先行拘留：（一）正在预备犯罪、实行犯罪或者在犯罪后即时被发觉的；（二）被害人或者在场亲眼看见的人指认他犯罪的；（三）在身边或者住处发现有犯罪证据的；（四）犯罪后企图自杀、逃跑或者在逃的；（五）有毁灭、伪造证据或者串供可能的；（六）不讲真实姓名、住址、身份不明的；（七）有流窜作案、多次作案、结伙作案重大嫌疑的。"同时，刑事诉讼法第六十九条还规定了拘留的期限："公安机关对被拘留的人，认为需要逮捕的，应当在拘留后的三日以内，提请人民检察院审查批准。在特殊情况下，提请审查批准的时间可以延长一日至四日"。"对于流窜作案、多次作案、结伙作案的重大嫌疑分子，提请审查批准的时间可以延长至三十日。"法律委员会经研究认为，对于违反刑事诉讼法的规定采取刑事拘留措施的，应当明确规定受害人有取得赔偿的权利。对于公安机关依法采取的刑事拘留措施，应当在上述法定期间内进行侦查取证，予以甄别。采取拘留措施的时间超过规定时限，其后决定撤销案件的，应当规定受害人有取得赔偿的权利。据此，建议对决定草案第九条关于刑事拘留赔偿的规定区别情况作出修改："违反刑事诉讼法的规定对公民采取拘留措施的，或者依照刑事诉讼法规定的条件和程序对公民采取拘留措施，但是拘留时间超过刑事诉讼法规定的时限，其后决定撤销案件、不起诉或者判决宣告无罪终止追究刑事责任的"，受害人有取得赔偿的权利。相应删除决定草案第十一条第四项的规定。

此外，最高人民检察院提出，依照刑事诉讼法的规定，对于犯罪情节轻微，依照刑法规定不需要判处刑罚或者免除刑罚的，人民检察院可以作出不起诉的决定，对于这种情况下采取的逮捕措施，国家不承担赔偿责任，建议在国家赔偿法关于免责的规定中予以明确。法律委员会经研究，赞成这一意见，建议对国家赔偿法第十七条第三项作出相应修改。

修改决定草案已按上述意见作了修改。法律委员会建议，修改决定草案经本次常委会会议审议，如果意见比较一致，作进一步修改后，由本次常委会会议审议通过。

修改决定草案和以上汇报是否妥当，请审议。

全国人民代表大会法律委员会关于《全国人民代表大会常务委员会关于修改〈中华人民共和国国家赔偿法〉的决定(草案)》修改意见的报告

——2010年4月29日在第十一届全国人民代表大会常务委员会第十四次会议上

全国人民代表大会常务委员会：

本次常委会会议于4月27日上午对关于修改国家赔偿法的决定(草案)进行了分组审议。普遍认为，修改决定草案已经比较成熟，建议进一步修改后，提请本次会议表决通过；同时，有些常委委员还提出了一些修改意见。法律委员会于4月27日下午召开会议，逐条研究了常委会组成人员的审议意见，对草案进行了审议。内务司法委员会和国务院法制办的负责同志列席了会议。法律委员会认为，修改决定草案是可行的，同时提出以下主要修改意见：

一、有的常委委员提出，修改决定(草案)第七条和第十四条中对赔偿义务机关决定赔偿的，规定了应在十日内将赔偿决定书送达赔偿请求人，但对赔偿义务机关决定不予赔偿的，没有关于送达时间的规定，也应对此作出规定。法律委员会经研究，赞成上述意见，建议将修改决定(草案)第七条第三款和第十四条第三款分别修改为："赔偿义务机关决定不予赔偿的，应当自作出决定之日起十日内书面通知赔偿请求人,并说明不予赔偿的理由。”

二、修改决定(草案)第十九条规定,中级以上的人民法院设立赔偿委员会,由人民法院三名以上审判员组成。有的常委委员提出,为保证赔偿委员会按照少数服从多数的原则作出赔偿决定,赔偿委员会的组成人员应当为单数。法律委员会经研究,赞成上述意见,建议在上述规定中增加规定;赔偿委员会“组成人员的人数应当为单数。”

三、有的常委委员建议,在修改决定(草案)第二十条中对经本院院长决定或者上级人民法院指令,赔偿委员会重新审查并依法作出决定的时限作出规定。法律委员会经研究,赞成上述意见,建议规定:“赔偿委员会应当在两个月内重新审查并依法作出决定”。

此外,根据有些常委委员的意见,还对修改决定草案作了一些文字修改。

修改决定草案建议表决稿已按上述意见作了修改,法律委员会建议本次常委会会议通过。

修改决定草案建议表决稿和以上报告是否妥当,请审议。

附录二:相关法律及规定

中华人民共和国行政诉讼法

(1989年4月4日第七届全国人民代表大会第二次会议通过 1989年4月4日中华人民共和国主席令第16号公布 自1990年10月1日起施行)

目 录

第一章 总 则

第一条 为保证人民法院正确、及时审理行政案件,保护公民、法人和其他组织的合法权益，维护和监督行政机关依法行使行政职权，根据宪法制定本法。

第二条 公民、法人或者其他组织认为行政机关和行政机关工作人员的具体行政行为侵犯其合法权益，有权依照本法向人民法院提起诉讼。

第三条 人民法院依法对行政案件独立行使审判权，不受行政机关、社会团体和个人的干涉。

人民法院设行政审判庭，审理行政案件。

第四条 人民法院审理行政案件，以事实为根据，以法律为准绳。

第五条 人民法院审理行政案件，对具体行政行为是否合法进行审查。

第六条 人民法院审理行政案件，依法实行合议、回避、公开审判和两审终审制度。

第七条 当事人在行政诉讼中的法律地位平等。

第八条 各民族公民都有用本民族语言、文字进行行政诉讼的权利。

在少数民族聚居或者多民族共同居住的地区，人民法院应当用当地民族通用的语言、文字进行审理和发布法律文书。

人民法院应当对不通晓当地民族通用的语言、文字的诉讼参与人提供翻译。

第九条 当事人在行政诉讼中有权进行辩论。

第十条 人民检察院有权对行政诉讼实行法律监督。

第二章 受案范围

第十一条 人民法院受理公民、法人和其他组织对下列具体行政行为不服提起的诉讼：

（一）对拘留、罚款、吊销许可证和执照、责令停产停业、没收财物等行政处罚不服的；

（二）对限制人身自由或者对财产的查封、扣押、冻结等行政强制措施不服的；

（三）认为行政机关侵犯法律规定的经营自主权的；

（四）认为符合法定条件申请行政机关颁发许可证和执照，行政机关拒绝颁发或者不予答复的；

（五）申请行政机关履行保护人身权、财产权的法定职责，行政机关拒绝履行或者不予答复的；

（六）认为行政机关没有依法发给抚恤金的；

（七）认为行政机关违法要求履行义务的；

（八）认为行政机关侵犯其他人身权、财产权的。

除前款规定外，人民法院受理法律、法规规定可以提起诉讼的其他行政案件。

第十二条　人民法院不受理公民、法人或者其他组织对下列事项提起的诉讼：

（一）国防、外交等国家行为；

（二）行政法规、规章或者行政机关制定、发布的具有普遍约束力的决定、命令；

（三）行政机关对行政机关工作人员的奖惩、任免等决定；

（四）法律规定由行政机关最终裁决的具体行政行为。

第三章　管　　辖

第十三条　基层人民法院管辖第一审行政案件。

第十四条　中级人民法院管辖下列第一审行政案件：

（一）确认发明专利权的案件、海关处理的案件；

（二）对国务院各部门或者省、自治区、直辖市人民政府所作的具体行政行为提起诉讼的案件；

（三）本辖区内重大、复杂的案件。

第十五条　高级人民法院管辖本辖区内重大、复杂的第一审行政案件。

第十六条 最高人民法院管辖全国范围内重大、复杂的第一审行政案件。

第十七条 行政案件由最初作出具体行政行为的行政机关所在地人民法院管辖。经复议的案件,复议机关改变原具体行政行为的,也可以由复议机关所在地人民法院管辖。

第十八条 对限制人身自由的行政强制措施不服提起的诉讼,由被告所在地或者原告所在地人民法院管辖。

第十九条 因不动产提起的行政诉讼,由不动产所在地人民法院管辖。

第二十条 两个以上人民法院都有管辖权的案件,原告可以选择其中一个人民法院提起诉讼。原告向两个以上有管辖权的人民法院提起诉讼的,由最先收到起诉状的人民法院管辖。

第二十一条 人民法院发现受理的案件不属于自己管辖时,应当移送有管辖权的人民法院。受移送的人民法院不得自行移送。

第二十二条 有管辖权的人民法院由于特殊原因不能行使管辖权的,由上级人民法院指定管辖。

人民法院对管辖权发生争议,由争议双方协商解决。协商不成的,报它们的共同上级人民法院指定管辖。

第二十三条 上级人民法院有权审判下级人民法院管辖的第一审行政案件,也可以把自己管辖的第一审行政案件移交下级人民法院审判。

下级人民法院对其管辖的第一审行政案件,认为需要由上级人民法院审判的,可以报请上级人民法院决定。

第四章 诉讼参加人

第二十四条 依照本法提起诉讼的公民、法人或者其他组织是原告。

有权提起诉讼的公民死亡,其近亲属可以提起诉讼。

有权提起诉讼的法人或者其他组织终止,承受其权利的法人或者其他组织可以提起诉讼。

第二十五条 公民、法人或者其他组织直接向人民法院提起诉讼的，作出具体行政行为的行政机关是被告。

经复议的案件，复议机关决定维持原具体行政行为的，作出原具体行政行为的行政机关是被告；复议机关改变原具体行政行为的，复议机关是被告。

两个以上行政机关作出同一具体行政行为的，共同作出具体行政行为的行政机关是共同被告。

由法律、法规授权的组织所作的具体行政行为，该组织是被告。由行政机关委托的组织所作的具体行政行为，委托的行政机关是被告。

行政机关被撤销的，继续行使其职权的行政机关是被告。

第二十六条 当事人一方或者双方为二人以上，因同一具体行政行为发生的行政案件，或者因同样的具体行政行为发生的行政案件、人民法院认为可以合并审理的，为共同诉讼。

第二十七条 同提起诉讼的具体行政行为有利害关系的其他公民、法人或者其他组织，可以作为第三人申请参加诉讼，或者由人民法院通知参加诉讼。

第二十八条 没有诉讼行为能力的公民，由其法定代理人代为诉讼。法定代理人互相推诿代理责任的，由人民法院指定其中一人代为诉讼。

第二十九条 当事人、法定代理人，可以委托一至二人代为诉讼。

律师、社会团体、提起诉讼的公民的近亲属或者所在单位推荐的人，以及经人民法院许可的其他公民，可以受委托为诉讼代理人。

第三十条 代理诉讼的律师，可以依照规定查阅本案有关材料，可以向有关组织和公民调查，收集证据。对涉及国家秘密和个人隐私的材料，应当依照法律规定保密。

经人民法院许可，当事人和其他诉讼代理人可以查阅本案庭审材料，但涉及国家秘密和个人隐私的除外。

第五章 证 据

第三十一条 证据有以下几种：

（一）书证；

（二）物证；

（三）视听资料；

（四）证人证言；

（五）当事人的陈述；

（六）鉴定结论；

（七）勘验笔录、现场笔录。

以上证据经法庭审查属实，才能作为定案的根据。

第三十二条 被告对作出的具体行政行为负有举证责任，应当提供作出该具体行政行为的证据和所依据的规范性文件。

第三十三条 在诉讼过程中，被告不得自行向原告和证人收集证据。

第三十四条 人民法院有权要求当事人提供或者补充证据。

人民法院有权向有关行政机关以及其他组织、公民调取证据。

第三十五条 在诉讼过程中，人民法院认为对专门性问题需要鉴定的，应当交由法定鉴定部门鉴定；没有法定鉴定部门的，由人民法院指定的鉴定部门鉴定。

第三十六条 在证据可能灭失或者以后难以取得的情况下，诉讼参加人可以向人民法院申请保全证据，人民法院也可以主动采取保全措施。

第六章 起诉和受理

第三十七条 对属于人民法院受案范围的行政案件，公民、法人或者其他组织可以先向上一级行政机关或者法律、法规规定的行政机关申请复议，对复议不服的，再向人民法院提起诉讼；也可以直接向人民法院提起诉讼。

法律、法规规定应当先向行政机关申请复议，对复议不服再向人民法院提起诉讼的，依照法律、法规的规定。

第三十八条　公民、法人或者其他组织向行政机关申请复议的，复议机关应当在收到申请书之日起两个月内作出决定。法律、法规另有规定的除外。

申请人不服复议决定的，可以在收到复议决定书之日起十五日内向人民法院提起诉讼。复议机关逾期不作决定的，申请人可以在复议期满之日起十五日内向人民法院提起诉讼。法律另有规定的除外。

第三十九条　公民、法人或者其他组织直接向人民法院提起诉讼的，应当在知道作出具体行政行为之日起三个月内提出。法律另有规定的除外。

第四十条　公民、法人或者其他组织因不可抗力或者其他特殊情况耽误法定期限的，在障碍消除后的十日内，可以申请延长期限，由人民法院决定。

第四十一条　提起诉讼应当符合下列条件：

（一）原告是认为具体行政行为侵犯其合法权益的公民、法人或者其他组织；

（二）有明确的被告；

（三）有具体的诉讼请求和事实根据；

（四）属于人民法院受案范围和受诉人民法院管辖。

第四十二条　人民法院接到起诉状，经审查，应当在七日内立案或者作出裁定不予受理。原告对裁定不服的，可以提起上诉。

第七章　审理和判决

第四十三条　人民法院应当在立案之日起五日内，将起诉状副本发送被告。被告应当在收到起诉状副本之日起十日内向人民法院提交作出具体行政行为的有关材料，并提出答辩状。人民法院应当在收到答辩状之日起五日内,将答辩状副本发送原告。

被告不提出答辩状的,不影响人民法院审理。

第四十四条 诉讼期间,不停止具体行政行为的执行。但有下列情形之一的,停止具体行政行为的执行:

(一)被告认为需要停止执行的;

(二)原告申请停止执行,人民法院认为该具体行政行为的执行会造成难以弥补的损失,并且停止执行不损害社会公共利益,裁定停止执行的;

(三)法律、法规规定停止执行的。

第四十五条 人民法院公开审理行政案件,但涉及国家秘密、个人隐私和法律另有规定的除外。

第四十六条 人民法院审理行政案件,由审判员组成合议庭,或者由审判员、陪审员组成合议庭。合议庭的成员,应当是三人以上的单数。

第四十七条 当事人认为审判人员与本案有利害关系或者有其他关系可能影响公正审判,有权申请审判人员回避。

审判人员认为自己与本案有利害关系或者有其他关系,应当申请回避。

前两款规定,适用于书记员、翻译人员、鉴定人、勘验人。

院长担任审判长时的回避,由审判委员会决定;审判人员的回避,由院长决定;其他人员的回避,由审判长决定。当事人对决定不服的,可以申请复议。

第四十八条 经人民法院两次合法传唤,原告无正当理由拒不到庭的,视为申请撤诉;被告无正当理由拒不到庭的,可以缺席判决。

第四十九条 诉讼参与人或者其他人有下列行为之一的,人民法院可以根据情节轻重,予以训诫、责令具结悔过或者处一千元以下的罚款、十五日以下的拘留;构成犯罪的,依法追究刑事责任:

(一)有义务协助执行的人,对人民法院的协助执行通知书,无故推拖、拒绝或者妨碍执行的;

（二）伪造、隐藏、毁灭证据的；

（三）指使、贿买、胁迫他人作伪证或者威胁、阻止证人作证的；

（四）隐藏、转移、变卖、毁损已被查封、扣押、冻结的财产的；

（五）以暴力、威胁或者其他方法阻碍人民法院工作人员执行职务或者扰乱人民法院工作秩序的；

（六）对人民法院工作人员、诉讼参与人、协助执行人侮辱、诽谤、诬陷、殴打或者打击报复的。

罚款、拘留须经人民法院院长批准。当事人不服的，可以申请复议。

第五十条 人民法院审理行政案件，不适用调解。

第五十一条 人民法院对行政案件宣告判决或者裁定前，原告申请撤诉的，或者被告改变其所作的具体行政行为，原告同意并申请撤诉的，是否准许，由人民法院裁定。

第五十二条 人民法院审理行政案件，以法律和行政法规、地方性法规为依据。地方性法规适用于本行政区域内发生的行政案件。

人民法院审理民族自治地方的行政案件，并以该民族自治地方的自治条例和单行条例为依据。

第五十三条 人民法院审理行政案件，参照国务院部、委根据法律和国务院的行政法规、决定、命令制定、发布的规章以及省、自治区、直辖市和省、自治区的人民政府所在地的市和经国务院批准的较大的市的人民政府根据法律和国务院的行政法规制定、发布的规章。

人民法院认为地方人民政府制定、发布的规章与国务院部、委制定、发布的规章不一致的，以及国务院部、委制定、发布的规章之间不一致的，由最高人民法院送请国务院作出解释或者裁决。

第五十四条 人民法院经过审理，根据不同情况，分别作出以下判决：

（一）具体行政行为证据确凿，适用法律、法规正确，符合法定程序的，判决维持。

（二）具体行政行为有下列情形之一的，判决撤销或者部分撤销，并可以判决被告重新作出具体行政行为：

1. 主要证据不足的；

2. 适用法律、法规错误的；

3. 违反法定程序的；

4. 超越职权的；

5. 滥用职权的。

（三）被告不履行或者拖延履行法定职责的，判决其在一定期限内履行。

（四）行政处罚显失公正的，可以判决变更。

第五十五条 人民法院判决被告重新作出具体行政行为的，被告不得以同一的事实和理由作出与原具体行政行为基本相同的具体行政行为。

第五十六条 人民法院在审理行政案件中，认为行政机关的主管人员、直接责任人员违反政纪的，应当将有关材料移送该行政机关或者其上一级行政机关或者监察、人事机关；认为有犯罪行为的，应当将有关材料移送公安、检察机关。

第五十七条 人民法院应当在立案之日起三个月内作出第一审判决。有特殊情况需要延长的，由高级人民法院批准，高级人民法院审理第一审案件需要延长的，由最高人民法院批准。

第五十八条 当事人不服人民法院第一审判决的，有权在判决书送达之日起十五日内向上一级人民法院提起上诉。当事人不服人民法院第一审裁定的，有权在裁定书送达之日起十日内向上一级人民法院提起上诉。逾期不提起上诉的，人民法院的第一审判决或者裁定发生法律效力。

第五十九条 人民法院对上诉案件，认为事实清楚的，可以实行书面审理。

第六十条 人民法院审理上诉案件，应当在收到上诉状之日起两个月内作出终审判决。有特殊情况需要延长的，由高级人民法院批准，高级人民法院审理上诉案件需要延长的，由最高人民法院批准。

第六十一条　人民法院审理上诉案件,按照下列情形,分别处理:

(一)原判决认定事实清楚,适用法律、法规正确的,判决驳回上诉,维持原判;

(二)原判决认定事实清楚,但是适用法律、法规错误的,依法改判;

(三)原判决认定事实不清,证据不足,或者由于违反法定程序可能影响案件正确判决的,裁定撤销原判,发回原审人民法院重审,也可以查清事实后改判。当事人对重审案件的判决、裁定,可以上诉。

第六十二条　当事人对已经发生法律效力的判决、裁定,认为确有错误的,可以向原审人民法院或者上一级人民法院提出申诉,但判决、裁定不停止执行。

第六十三条　人民法院院长对本院已经发生法律效力的判决、裁定,发现违反法律、法规规定认为需要再审的,应当提交审判委员会决定是否再审。

上级人民法院对下级人民法院已经发生法律效力的判决、裁定,发现违反法律、法规规定的,有权提审或者指令下级人民法院再审。

第六十四条　人民检察院对人民法院已经发生法律效力的判决、裁定,发现违反法律、法规规定的,有权按照审判监督程序提出抗诉。

第八章　执　　行

第六十五条　当事人必须履行人民法院发生法律效力的判决、裁定。

公民、法人或者其他组织拒绝履行判决、裁定的,行政机关可以向第一审人民法院申请强制执行,或者依法强制执行。

行政机关拒绝履行判决、裁定的,第一审人民法院可以采取以下措施:

（一）对应当归还的罚款或者应当给付的赔偿金，通知银行从该行政机关的帐户内划拨；

（二）在规定期限内不履行的，从期满之日起，对该行政机关按日处五十元至一百元的罚款；

（三）向该行政机关的上一级行政机关或者监察、人事机关提出司法建议。接受司法建议的机关，根据有关规定进行处理，并将处理情况告知人民法院；

（四）拒不履行判决、裁定，情节严重构成犯罪的，依法追究主管人员和直接责任人员的刑事责任。

第六十六条 公民、法人或者其他组织对具体行政行为在法定期限内不提起诉讼又不履行的，行政机关可以申请人民法院强制执行，或者依法强制执行。

第九章 侵权赔偿责任

第六十七条 公民、法人或者其他组织的合法权益受到行政机关或者行政机关工作人员作出的具体行政行为侵犯造成损害的，有权请求赔偿。

公民、法人或者其他组织单独就损害赔偿提出请求，应当先由行政机关解决。对行政机关的处理不服，可以向人民法院提起诉讼。

赔偿诉讼可以适用调解。

第六十八条 行政机关或者行政机关工作人员作出的具体行政行为侵犯公民、法人或者其他组织的合法权益造成损害的，由该行政机关或者该行政机关工作人员所在的行政机关负责赔偿。

行政机关赔偿损失后，应当责令有故意或者重大过失的行政机关工作人员承担部分或者全部赔偿费用。

第六十九条 赔偿费用，从各级财政列支。各级人民政府可以责令有责任的行政机关支付部分或者全部赔偿费用。具体办法由国务院规定。

第十章 涉外行政诉讼

第七十条 外国人、无国籍人、外国组织在中华人民共和国进行行政诉讼,适用本法。法律另有规定的除外。

第七十一条 外国人、无国籍人、外国组织在中华人民共和国进行行政诉讼,同中华人民共和国公民、组织有同等的诉讼权利和义务。

外国法院对中华人民共和国公民、组织的行政诉讼权利加以限制的,人民法院对该国公民、组织的行政诉讼权利,实行对等原则。

第七十二条 中华人民共和国缔结或者参加的国际条约同本法有不同规定的,适用该国际条约的规定。中华人民共和国声明保留的条款除外。

第七十三条 外国人、无国籍人、外国组织在中华人民共和国进行行政诉讼,委托律师代理诉讼的,应当委托中华人民共和国律师机构的律师。

第十一章 附 则

第七十四条 人民法院审理行政案件,应当收取诉讼费用。诉讼费用由败诉方承担,双方都有责任的由双方分担。收取诉讼费用的具体办法另行规定。

第七十五条 本法自 1990 年 10 月 1 日起施行。

最高人民法院关于人民法院执行《中华人民共和国国家赔偿法》几个问题的解释

（1996 年 5 月 6 日　法发〔1996〕15 号）

一、根据《中华人民共和国国家赔偿法》（以下简称赔偿法）第十七条第（二）项、第（三）项的规定，依照刑法第十四条、第十五条规定不负刑事责任的人和依照刑事诉讼法第十五条规定不追究刑事责任的人被羁押，国家不承担赔偿责任。但是对起诉后经人民法院判处拘役、有期徒刑、无期徒刑和死刑并已执行的上列人员，有权依法取得赔偿。判决确定前被羁押的日期依法不予赔偿。

二、依照赔偿法第三十一条的规定，人民法院在民事诉讼、行政诉讼过程中，违法采取对妨害诉讼的强制措施、保全措施或者对判决、裁定及其他生效法律文书执行错误，造成损害，具有以下情形之一的，适用刑事赔偿程序予以赔偿：

（一）错误实施司法拘留、罚款的；

（二）实施赔偿法第十五条第（四）项、第（五）项规定行为的；

（三）实施赔偿法第十六条第（一）项规定行为的。

人民法院审理的民事、经济、行政案件发生错判并已执行，依法应当执行回转的，或者当事人申请财产保全、先予执行，申请有错误造成财产损失依法应由申请人赔偿的，国家不承担赔偿责任。

三、公民、法人和其他组织申请人民法院依照赔偿法规定予以赔偿的案件，应当经过依法确认。未经依法确认的，赔偿请求人应当要求有关人民法院予以确认。被要求的人民法院由有关审判庭负责办理依法确认事宜，并应以人民法院的名义答复赔偿请求人。被要求的人民法院不予确认的，赔偿请求人有权申诉。

四、根据赔偿法第二十六条、第二十七条的规定，人民法院判处管制、有期徒刑缓刑、剥夺政治权利等刑罚的人被依法改判无罪的，国家不承担赔偿责任，但是，赔偿请求人在判决生效前被羁押的，依法有权取得赔偿。

五、根据赔偿法第十九条第四款“再审改判无罪的，作出原生效判决的人民法院为赔偿义务机关”的规定，原一审人民法院作出判决后，被告人没有上诉，人民检察院没有抗诉，判决发生法律效力的，原一审人民法院为赔偿义务机关；被告人上诉或者人民检察院抗诉，原二审人民法院维持一审判决或者对一审人民法院判决予以改判的，原二审人民法院为赔偿义务机关。

六、赔偿法第二十六条关于“侵犯公民人身自由的，每日的赔偿金按照国家上年度职工日平均工资计算”中规定的上年度，应为赔偿义务机关、复议机关或者人民法院赔偿委员会作出赔偿决定时的上年度；复议机关或者人民法院赔偿委员会决定维持原赔偿决定的，按作出原赔偿决定时的上年度执行。

国家上年度职工日平均工资数额，应当以职工年平均工资除以全年法定工作日数的方法计算。年平均工资以国家统计局公布的数字为准。

最高人民法院关于审理行政赔偿案件若干问题的规定

（1997 年 4 月 29 日　法发〔1997〕10 号）

为正确审理行政赔偿案件，根据《中华人民共和国国家赔偿法》和《中华人民共和国行政诉讼法》的规定，对审理行政赔偿案件的若干问题作以下规定：

一、受案范围

第一条　《中华人民共和国国家赔偿法》第三条、第四条规定的其他违法行为，包括具体行政行为和与行政机关及其工作人员行使行政职权有关的，给公民、法人或者其他组织造成损害的，违反行政职责的行为。

第二条　赔偿请求人对行政机关确认具体行政行为违法但又决定不予赔偿，或者对确定的赔偿数额有异议提起行政赔偿诉讼的，人民法院应予受理。

第三条　赔偿请求人认为行政机关及其工作人员实施了国家赔偿法第三条第（三）、（四）、（五）项和第四条第（四）项规定的非具体行政行为的行为侵犯其人身权、财产权并造成损失，赔偿义务机关拒不确认致害行为违法，赔偿请求人可直接向人民法院提起行政赔偿诉讼。

第四条　公民、法人或者其他组织在提起行政诉讼的同时一并提出行政赔偿请求的，人民法院应一并受理。

赔偿请求人单独提起行政赔偿诉讼，须以赔偿义务机关先行处理为前提。赔偿请求人对赔偿义务机关确定的赔偿数额有异议或者赔偿义务机关逾期不予赔偿，赔偿请求人有权向人民法院提起行政赔偿诉讼。

第五条　法律规定由行政机关最终裁决的具体行政行为，被作出最终裁决的行政机关确认违法，赔偿请求人以赔偿义务机关应当赔偿而不予赔偿或逾期不予赔偿或者对赔偿数额有异议提起行政赔偿诉讼，人民法院应依法受理。

第六条　公民、法人或者其他组织以国防、外交等国家行为或者行政机关制定发布行政法规、规章或者具有普遍约束力的决定、命令侵犯其合法权益造成损害为由，向人民法院提起行政赔偿诉讼的，人民法院不予受理。

二、管辖

第七条　公民、法人或者其他组织在提起行政赔偿诉讼的同时一并提出行政赔偿请求的，人民法院依照行政诉讼法第十七条、第十八条、第二十条的规定管辖。

第八条　赔偿请求人提起行政赔偿诉讼的请求涉及不动产的，由不动产所在地的人民法院管辖。

第九条　单独提起的行政赔偿诉讼案件由被告住所地的基层人民法院管辖。

中级人民法院管辖下列第一审行政赔偿案件：

(1)被告为海关、专利管理机关的；

(2)被告为国务院各部门或者省、自治区、直辖市人民政府的；

(3)本辖区内其他重大影响和复杂的行政赔偿案件。

高级人民法院管辖本辖区内有重大影响和复杂的第一审行政赔偿案件。

最高人民法院管辖全国范围内有重大影响和复杂的第一审行政

赔偿案件。

第十条 赔偿请求人因同一事实对两个以上行政机关提起行政赔偿诉讼的,可以向其中任何一个行政机关住所地的人民法院提起。赔偿请求人向两个以上有管辖权的人民法院提起行政赔偿诉讼的,由最先收到起诉状的人民法院管辖。

第十一条 公民对限制人身自由的行政强制措施不服,或者对行政机关基于同一事实对同一当事人作出限制人身自由和对财产采取强制措施的具体行政行为不服,在提起行政诉讼的同时一并提出行政赔偿请求的,由受理该行政案件的人民法院管辖;单独提起行政赔偿诉讼的,由被告住所地或原告住所地或不动产所在地的人民法院管辖。

第十二条 人民法院发现受理的案件不属于自己管辖,应当移送有管辖权的人民法院;受移送的人民法院不得再行移送。

第十三条 人民法院对管辖权发生争议的,由争议双方协商解决,协商不成的,报请他们的共同上级人民法院指定管辖。如双方为跨省、自治区、直辖市的人民法院,高级人民法院协商不成的,由最高人民法院及时指定管辖。

依前款规定报请上级人民法院指定管辖时,应当逐级进行。

三、诉讼当事人

第十四条 与行政赔偿案件处理结果有法律上的利害关系的其他公民、法人或者其他组织有权作为第三人参加行政赔偿诉讼。

第十五条 受害的公民死亡,其继承人和其他有抚养关系的亲属以及死者生前抚养的无劳动能力的人有权提起行政赔偿诉讼。

第十六条 企业法人或者其他组织被行政机关撤销、变更、兼并、注销,认为经营自主权受到侵害,依法提起行政赔偿诉讼,原企业法人或其他组织,或者对其享有权利的法人或其他组织均具有原告资格。

第十七条 两个以上行政机关共同侵权,赔偿请求人对其中一个或者数个侵权机关提起行政赔偿诉讼，若诉讼请求系可分之诉，被诉的一个或者数个侵权机关被告；若诉讼请求系不可分之诉，由人民法院依法追加其他侵权机关为共同被告。

第十八条　复议机关的复议决定加重损害的，赔偿请求人只对作出原决定的行政机关提起行政赔偿诉讼，作出原决定的行政机关为被告；赔偿请求人只对复议机关提起行政赔偿诉讼的，复议机关为被告。

第十九条　行政机关依据行政诉讼第六十六条的规定申请人民法院强制执行具体行政行为，由于据以强制执行的根据错误而发生行政赔偿诉讼的，申请强制执行的行政机关为被告。

第二十条　人民法院审理行政赔偿案件，需要变更被告而原告不同意变更的，裁定驳回起诉。

四、起诉与受理

第二十一条　赔偿请求人单独提起行政赔偿诉讼，应当符合下列条件：

（1）原告具有请求资格；

（2）有明确的被告；

（3）有具体的赔偿请求和受损害的事实根据；

（4）加害行为为具体行政行为的，该行为已被确认为违法；

（5）赔偿义务机关已先行处理或超过法定期限不予处理；

（6）属于人民法院行政赔偿诉讼的受案范围和受诉人民法院管辖；

（7）符合法律规定的起诉期限。

第二十二条　赔偿请求人单独提起行政赔偿诉讼，可以在向赔偿义务机关递交赔偿申请后的两个月届满之日起三个月内提出。

第二十三条　公民、法人或者其他组织在提起行政诉讼的同时一并提出行政赔偿请求的，其起诉期限按照行政诉讼起诉期限的规定执行。

行政案件的原告可以在提起行政诉讼后至人民法院一审庭审结束前，提出行政赔偿请求。

第二十四条 赔偿义务机关作出赔偿决定时，未告知赔偿请求人的诉权或者起诉期限，致使赔偿请求人逾期向人民法院起诉的，其起诉期限从赔偿请求人实际知道诉权或者起诉期限时计算，但逾期的期间自赔偿请求人收到赔偿决定之日起不得超过一年。

第二十五条 受害的公民死亡，其继承人和有抚养关系的人提起行政赔偿诉讼，应当提供该公民死亡的证明及赔偿请求人与死亡公民之间的关系证明。

第二十六条 当事人先后被采取限制人身自由的行政强制措施和刑事拘留等强制措施，因强制措施被确认为违法而请求赔偿的，人民法院按其行为性质分别适用行政赔偿程序和刑事赔偿程序立案受理。

第二十七条 人民法院接到原告单独提起的行政赔偿起诉状，应当进行审查，并在七日内立案或者作出不予受理的裁定。

人民法院接到行政赔偿起诉状后，在七日内不能确定可否受理的，应当先予受理。审理中发现不符合受理条件的，裁定驳回起诉。

当事人对不予受理或者驳回起诉的裁定不服的，可以在裁定书送达之日起十日内向上一级人民法院提起上诉。

五、审理和判决

第二十八条 当事人在提起行政诉讼的同时一并提出行政赔偿请求，或者因具体行政行为和与行使行政职权有关的其他行为侵权造成损害一并提出行政赔偿请求的，人民法院应当分别立案，根据具体情况可以合并审理，也可以单独审理。

第二十九条 人民法院审理行政赔偿案件，就当事人之间的行政赔偿争议进行审理与裁判。

第三十条 人民法院审理行政赔偿案件在坚持合法、自愿的前提下，可以就赔偿范围、赔偿方式和赔偿数额进行调解。调解成立的，应当制作行政赔偿调解书。

第三十一条　被告在一审判决前同原告达成赔偿协议，原告申请撤诉的，人民法院应当依法予以审查并裁定是否准许。

第三十二条　原告在行政赔偿诉讼中对自己的主张承担举证责任。被告有权提供不予赔偿或者减少赔偿数额方面的证据。

第三十三条　被告的具体行政行为违法但尚未对原告合法权益造成损害的，或者原告的请求没有事实根据或法律根据的，人民法院应当判决驳回原告的赔偿请求。

第三十四条　人民法院对赔偿请求人未经确认程序而直接提起行政赔偿诉讼的案件，在判决时应当对赔偿义务机关致害行为是否违法予以确认。

第三十五条　人民法院对单独提起行政赔偿案件作出判决的法律文书的名称为行政赔偿判决书、行政赔偿裁定书或者行政赔偿调解书。

六、执行与期间

第三十六条　发生法律效力的行政赔偿判决、裁定或调解协议，当事人必须履行。一方拒绝履行的，对方当事人可以向第一审人民法院申请执行。

申请执行的期限，申请人是公民的为一年，申请人是法人或者其他组织的为六个月。

第三十七条　单独受理的第一审行政赔偿案件的审理期限为三个月，第二审为两个月；一并受理行政赔偿请求案件的审理期限与该行政案件的审理期限相同。如因特殊情况不能按期结案，需要延长审限的，应按照行政诉讼法的有关规定报请批准。

七、其他

第三十八条　人民法院审理行政赔偿案件，除依照国家赔偿法行政赔偿程序的规定外，对本规定没有规定的，在不与国家赔偿法相抵触的情况下,可以适用行政诉讼的有关规定。

第三十九条 赔偿请求人要求人民法院确认致害行为违法涉及的鉴定、勘验、审计等费用,由申请人预付,最后由败诉方承担。

第四十条 最高人民法院以前所作的有关司法解释与本规定不一致的,按本规定执行。

最高人民法院关于民事、行政诉讼中司法赔偿若干问题的解释

(2000 年 9 月 16 日公布 自 2000 年 9 月 21 日起施行
法释〔2000〕27 号)

根据《中华人民共和国国家赔偿法》(以下简称国家赔偿法)以及有关法律规定,现就审理民事、行政诉讼中司法赔偿案件具体适用法律的若干问题解释如下:

第一条 根据国家赔偿法第三十一条的规定,人民法院在民事、行政诉讼过程中,违法采取对妨害诉讼的强制措施、保全措施或者对判决、裁定及其他生效法律文书执行错误,侵犯公民、法人和其他组织合法权益造成损害的,依法应由国家承担赔偿责任。

第二条 违法采取对妨害诉讼的强制措施,是指下列行为:

(一)对没有实施妨害诉讼行为的人或者没有证据证明实施妨害诉讼的人采取司法拘留、罚款措施的;

(二)超过法律规定期限实施司法拘留的;

(三)对同一妨害诉讼行为重复采取罚款、司法拘留措施的;

(四)超过法律规定金额实施罚款的;

(五)违反法律规定的其他情形。

第三条 违法采取保全措施,是指人民法院依职权采取的下列行为:

(一)依法不应当采取保全措施而采取保全措施或者依法不应当

解除保全措施而解除保全措施的；

（二）保全案外人财产的，但案外人对案件当事人负有到期债务的情形除外；

（三）明显超过申请人申请保全数额或者保全范围的；

（四）对查封、扣押的财物不履行监管职责，严重不负责任，造成毁损、灭失的，但依法交由有关单位、个人负责保管的情形除外；

（五）变卖财产未由合法评估机构估价，或者应当拍卖而未依法拍卖，强行将财物变卖给他人的；

（六）违反法律规定的其他情形。

第四条 对判决、裁定及其他生效法律文书执行错误，是指对已经发生法律效力的判决、裁定、民事制裁决定、调解、支付令、仲裁裁决、具有强制执行效力的公证债权文书以及行政处罚、处理决定等执行错误。包括下列行为：

（一）执行尚未发生法律效力的判决、裁定、民事制裁决定等法律文书的；

（二）违反法律规定先予执行的；

（三）违法执行案外人财产且无法执行回转的；

（四）明显超过申请数额、范围执行且无法执行回转的；

（五）执行过程中，对查封、扣押的财产不履行监管职责，严重不负责任，造成财物毁损、灭失的；

（六）执行过程中，变卖财物未由合法评估机构估价，或者应当拍卖而未依法拍卖，强行将财物变卖给他人的；

（七）违反法律规定的其他情形。

第五条 人民法院及其工作人员在民事、行政诉讼或者执行过程中，以殴打或者唆使他人以殴打等暴力行为，或者违法使用武器、警械，造成公民身体伤害、死亡的，应当比照国家赔偿法第十五条第（四）项、第（五）项规定予以赔偿。

第六条 人民法院及其工作人员在民事、行政诉讼或者执行过程中，具有本解释第二条至第五条规定情形，造成损害的，应当承担直接损失的赔偿责任。

因多种原因造成的损害,只赔偿因违法侵权行为所造成的直接损失。

第七条 根据国家赔偿法第十七条、第三十一条的规定,具有下列情形之一的,国家不承担赔偿责任:

(一)因申请人申请保全有错误造成损害的;

(二)因申请人提供的执行标的物有错误造成损害的;

(三)人民法院工作人员与行使职权无关的个人行为;

(四)属于民事诉讼法第二百一十四条规定情形的;

(五)被保全人、被执行人,或者人民法院依法指定的保管人员违法动用、隐匿、毁损、转移、变卖人民法院已经保全的财产的;

(六)因不可抗力造成损害后果的;

(七)依法不应由国家承担赔偿责任的其他情形。

第八条 申请民事、行政诉讼中司法赔偿的,违法行使职权的行为应当先经依法确认。

申请确认的,应当先向侵权的人民法院提出。

人民法院应自受理确认申请之日起两个月内依照相应程序作出裁决或相关的决定。

申请人对确认裁定或者决定不服或者侵权的人民法院逾期不予确认的,申请人可以向其上一级人民法院申诉。

第九条 未经依法确认直接向人民法院赔偿委员会申请作出赔偿决定的,人民法院赔偿委员会不予受理。

第十条 经依法确认有本解释第二条至第五条规定情形之一的,赔偿请求人可依法向侵权的人民法院提出赔偿申请,人民法院应当受理。人民法院逾期不作决定的,赔偿请求人可以向其上一级人民法院赔偿委员会申请作出赔偿决定。

第十一条 民事、行政诉讼中司法赔偿的赔偿方式主要为支付赔偿金。包括:支付侵犯人身自由权、生命健康权的赔偿金;财产损坏的,赔偿修复所需费用;财产灭失的,按侵权行为发生时当地市场价格予以赔偿;财产已拍卖的,给付拍卖所得的价款;财产已变卖的,按合法评估机构的估价赔偿;造成其他损害的,赔偿直接损失。

能够返还财产或者恢复原状的,予以返还财产或者恢复原状。包括:解除查封、扣押、冻结;返还财产、恢复原状;退还罚款、罚没财物。

第十二条 国家赔偿法第二十八条第(七)项规定的直接损失包括下列情形:

(一)保全、执行过程中造成财物灭失、毁损、霉变、腐烂等损坏的;

(二)违法使用保全、执行的财物造成损坏的;

(三)保全的财产系国家批准的金融机构贷款的,当事人应支付的该贷款借贷状态下的贷款利息。执行上述款项的,贷款本金及当事人应支付的该贷款借贷状态下的贷款利息;

(四)保全、执行造成停产停业的,停产停业期间的职工工资、税金、水电费等必要的经常性费用;

(五)法律规定的其他直接损失。

第十三条 违法采取司法拘留措施的,按国家赔偿法第二十六条规定予以赔偿。

造成受害人名誉权、荣誉权损害的,按照国家赔偿法第三十条规定,在侵权行为影响的范围内,为受害人消除影响、恢复名誉、赔礼道歉。

第十四条 人民法院赔偿委员会在审理侦查、检察、监狱管理机关及其工作人员违法行使职权侵犯公民财产权造成损害的赔偿案件时,可参照本解释的有关规定办理。

附录三:一些国家和地区的国家赔偿制度

德国国家赔偿法律制度

一、德国国家赔偿法律制度的渊源及特点

德国目前的国家赔偿法律制度没有统一的法典,虽然在1981年曾颁布《德意志联邦共和国国家赔偿法》,但该法被联邦宪法法院裁决违宪而无效。德国现行的国家赔偿法律制度主要包括:德国基本法、联邦责任法、民法典中有关国家赔偿责任的规定;刑事追诉措施补偿法等专门法律的规定;法院判决所确立的有关国家赔偿责任的原理和原则。

德国国家赔偿法律制度有以下特点:(1)以请求权作为制度构建的核心。德国的国家赔偿法律制度由各种请求权构成,并存在竞合的关系。(2)赔偿与补偿并存。广义的德国国家赔偿法既包括对合法行为的补偿,又包括对违法行为的赔偿。

二、德国国家赔偿责任的归责原则

(一)过错责任原则

在德国,国家机关工作人员因行使公共权力违背职务义务造成损害时,由国家进行赔偿,称为职务赔偿。

职务责任是过错责任,以国家机关工作人员的过错为必要条件,即只有在其故意或者过失的情况下,因行使公共权力违背职务义务

造成损害时,才予以职务赔偿。

过失的认定依据民法典所规定的客观标准,其关键在于执行职务通常所需的知识和能力,只需证明国家机关工作人员的客观注意未达到必要的认真水平即可。

(二)无过错责任原则

无过错原则又称危险责任原则,是指国家赔偿责任的构成不以违法或者过错为归责原则。

德国有专门的刑事追诉措施补偿法。刑事追诉措施是指为查明犯罪事实采取的合法的强制措施。该补偿不以公务员的过错为要件,只要受害人因刑事追诉措施受到损害,且判决在生效后被撤销或者刑罚被减轻,即可获得补偿。

德国的一些单行法律规定了不以违法和过错为要件,由技术性风险产生的损害赔偿责任,主要包括:军用飞机、核设施、计算机系统产生的危险责任,私人因暴乱或者暴行遭受的侵害,军事演习的赔偿责任。

(三)违法原则

根据德国加入的保护人权和基本自由公约,只要存在非法的拘留或者剥夺自由的行为,即使判决未被撤销,也要给予被害人损害赔偿。

(四)国家赔偿和国家补偿的关系

德国现行的国家赔偿法律制度以违法与否划分赔偿和补偿,因违法、过错行为遭受侵害的可申请赔偿,因合法行为受到侵害的应予补偿。补偿与赔偿的差别主要体现在数额方面,尤其是在涉及土地和房屋的领域。在既可以申请国家赔偿,又可以申请国家补偿的情形下,与国家赔偿相比,国家补偿不包括可得利益。

(五)不作为的违法

德国联邦最高法院将不作为区分为一般的不作为和严重的不作为。消极不作为属于一般的不作为,而行政机关明确拒绝作为属于严重的不作为。后者承担的责任更重。

以警察法为例。警察有一定的自由裁量权，但紧急情况下该裁量权降低为零，不作为即违反职务义务。如果警方未及时采取措施阻止损害发生，即视为其有过失，受害人可主张职务赔偿。同时，受害人也可依据特别牺牲请求赔偿，但应当视其是否属于严重不作为而定。法院认为一般的不作为，如怠于作为，不成立特别牺牲请求权。

三、德国国家赔偿的范围

（一）职务赔偿

职务赔偿的构成要件如下：(1)有“第三人”受到损害。“第三人”是指国家机关工作人员应对其履行职务义务，但因违反该义务而对其造成损害的损害赔偿权利人。(2)国家机关工作人员违背了职务义务。(3)国家机关工作人员行使公共权力的行为是违法的。违背职务义务的行为原则上也违法，但在某些情形下，违法与违背职务义务是分开的。如果国家机关工作人员根据上级指令作出了违法行为，其行为并不构成对职务义务的违背，该指令才是既违法又违背职务义务的。(4)国家机关工作人员存在过错。国家机关工作人员在实施违法行为时，存在故意或者过失。(5)违法行为与损害间存在因果关系。因果关系的认定根据行为合法时的利益状况判断，如果行为合法时与行为违法时利益状况相当，则不认为存在因果关系。例如，对于程序违法和裁量瑕疵的行为，如果依法行为仍会产生损害，则排除因果关系。

构成职务赔偿责任的行为，包括：(1)国家的公法行为。国家从事经营性的经济活动或者购买办公用品等私法行为不能构成职务赔偿责任。即使行政机关的私法行为的目的是执行行政任务，如签订行政合同的行为，也不属于职务赔偿的范围。如果私法行为构成了侵权，依照民法的有关规定承担赔偿责任。(2)具有法律意义的法律行为及不具有法律意义的事实行为。(3)如果公民对采取公法行为享有法律上的请求权，那么相关的不作为可构成职务赔偿。(4)在行政裁量中，滥用裁量或者裁量纰漏也可能构成职务责任。但以下情形可以免责:行政机关证明其不存在滥用裁量或裁量纰漏的情况下,也会作出相同的决定。

关于立法是否承担职务赔偿责任一直存在争议。主要观点有:(1)学术界认为,在立法存在过错的前提下,应当承认立法不公的赔偿。而联邦法院一般只在涉及单行法和性质为规章的建筑计划时,才承认职务赔偿请求权。(2)立法赔偿的前提是其被判定为违宪或与上阶位的法律规范不一致。联邦最高法院将法律和法规命令、规章等其他下阶位的法律规范进行区分。法律的违宪与否由宪法法院判定,赔偿由民事法院进行。除了巴伐利亚州,德国其他州任一法院可以判定法律以外的法律规范是否与上阶位的法律规范一致。(3)如果当事人未采取救济手段以防止损害的发生或扩大,则可能丧失其赔偿请求权。

德国对法官的职务赔偿有严格的限制,只有在以下情形下,法官的行为才产生职务责任:(1)法官的行为构成犯罪,即故意曲解法律或者受贿的情形下,一般的疏忽除外;(2)无论是否构成犯罪,法官拒绝或迟延履行法官职责,构成违背职务义务的情形。

对职务赔偿存在以下限制:(1)只有在无法通过其他方式获得赔偿的情形下,受害人才能向国家机关要求赔偿。(2)受害人故意或过失怠于通过法律手段防止损害的发生或者减轻损害的,不产生赔偿义务;但无法通过法律手段防止损害发生的情形除外。(3)立法出于特别理由对申请职务赔偿予以限制的情形,但必须遵循比例原则并具有正当理由。(4)侵犯的权利在职务义务所保护的范围之内。例如,在德国个人可以依法在自己的土地上建房。如果行政机关查明土地上含有有毒物质,可以拒绝许可而无须赔偿。行政机关若颁发建房许可,则产生损害赔偿请求权,因为其违反了不能对人的身体健康造成损害的职务义务。

(二)财产损害的补偿

1. 合法干预财产权的赔偿请求权

(1)对合法征收的补偿。在德国,征收或授权征收只能依据法律进行，且该法律应当规定补偿的范围和方式。（2）负有补偿义务的对所有权的社会约束。所有权包括所有具有财产价值的私权利和建立在自身给付基础上的公权力；不仅包括动产或不动产的所有权，也包括债权以及养老金请求权等公法债权。对所有权的社会约束虽然没有剥夺全部或部分所有权，但对其有重大影响，如道路建设工程以及相应的交通阻碍给道路沿线的零售商店和其他经营企业带来的生存威胁，超过公害标准值的交通噪音，计划确定的设施对相邻的不动产造成的不利影响，文物保护和自然保护领域内给公民造成的负担等方面。并非所有对所有权的社会约束都必须予以补偿。有些约束是必须容忍的，只有对法定的造成特别严重后果的约束才予以适当补偿。（3）干预所有权中无意造成的损害的补偿。如公共机关运营的设备或机器发生故障的情形，虽无相关的法律规定，但原则上应对公民为此遭受的特别牺牲予以补偿。

2. 对准征收性干预的赔偿

（1）准征收性干预是指对所有权非法干预并造成损害的行为。与征收相比，准征收对所有权的侵害是非法的，如违法计划或者执行的道路建设工程对经营的侵害，地方净化设施造成的气味公害。德国习惯法承认受害人对准征收性干预的赔偿请求权，无论该干预是否存在过失。（2）该请求权不仅针对行政行为，也针对事实行为和情节严重的不作为。（3）如果较低阶位的法规命令和规章的规定构成对所有权的非法干预并造成损害，可以主张准征收性干预赔偿请求权。（4）所有权人过失怠于通过法律手段防止损害的，可以降低甚至排除该请求权。

（三）其他基本权利受到损害的请求权

对于合法或非法干预公民所有权之外的基本权利并造成损害的，德国许多单行法规都确认了特别牺牲请求权。特别牺牲请求权是指个人的非财产权利受到公权力的侵害，或者为公共利益承担特别牺牲时，有权申请赔偿。例如被国家强制送入精神病院的患者在治疗期间被其他精神病人打伤，依据法律的强制性规定进行的疫苗接种造成的身体不适,均可主张特别牺牲请求权。与征收相比,特别牺牲请求权适用于非财产权利,针对合法的和非法的干预所造成的损失。该请求权限于德国基本法第二条第二款列举的基本权利,即健康权、生命权、人身自由权等,不包括职业自由。如果公民的健康权、生命权、人身自由权等基本权利受到损害,即使没有专门法规的规定,司法判例也根据习惯法,承认一般的特别牺牲请求权。如果对非财产基本权利的无意干预造成损害,也成立特别牺牲请求权。

(四)恢复原状请求权

恢复原状请求权是指权利受到国家行政行为侵害的公民所享有的排除行政行为的请求权。对该请求权,应注意以下几点:(1)该请求权不仅适用于行政行为,也适用于行政事实行为,但不适用于非法的行政不作为和行政立法行为。(2)该请求权适用于请求排除该行为及其直接后果,但不包括该行为派生的后果。对派生后果造成的损害,受害人可主张职务责任,也可在一定范围内主张准征收性干预请求权。(3)如果请求权人有共同过失,则排除回复原状请求权。如果回复原状成本太高,可免除回复原状请求权,将其转变为补偿请求权。

(五)使用公共设施造成的损害

在德国,使用公共设施造成损害时,受害人除可主张职务赔偿、特别牺牲、准征收性干预等赔偿请求权之外,还可依据准合同性质的公法债务关系,享有旨在恢复原状的损害赔偿请求权。对该请求权,应注意以下几点:(1)准合同性质的公法债务关系通过行政行为或对公共设施的实际使用而设定,例如乡镇以公法形式向某地区供水或使用公法人经营的垃圾处理设施。(2)如果公共设施的运营方存在过失行为,使用者可类推民法典的规定,享有类似于违反合同义务产生的损害赔偿请求权。过失行为是指公共设施的运营人或其为履行义务而雇用的人采取的作为或者不作为。(3)公共设施的运营方通常被假定为存在过失,除非其就无过失予以陈述和证明。(4)该请求权不仅包括金钱赔偿,原则上也包括回复原状的请求权。

（六）刑事补偿

德国有专门的刑事追诉措施补偿法，对刑事追诉措施造成的损害予以国家赔偿，而不以过错为原则。刑事赔偿的对象是已进入刑事诉讼程序而涉及的人员和遭受刑事追诉措施的人所抚养、赡养的人，不包括与此无关的第三人。

刑事补偿是对判决产生的后果的损害补偿，其前提条件是：（1）刑事法院的判决被撤销或者刑罚被减轻；（2）判决所包含的刑事追诉措施在上诉或者其他救济途径中被排除或者被减轻。

予以补偿的刑事追诉措施是指已经执行的具体刑事追诉措施，主要包括：审前羁押；临时安置，如置于戒毒所或者临时拘捕；法官作出的非拘捕的措施，如监视居住；强制性的保管、没收、搜查；临时吊销驾照或暂时禁止从业。刑事补偿不以过错为前提，只要根据法官的裁量权程序被中止，则产生补偿义务。如果法官出于公平原则中止程序，是否产生补偿义务由法官裁量决定。

刑事补偿请求权存在以下免责事由：（1）在刑事追诉措施已经执行完毕的情况下，如果当事人有过错，排除其补偿请求权，但需由法官裁量决定。当事人的过错是指其对刑事诉讼中应当遵守的义务的违反，例如当事人在答辩程序中作伪证或虚假供述从而加重了自己的负担，以及对澄清事实很重要或者能减轻其负担的事实保持沉默。（2）在无法作出判决，如当事人不具有刑事责任能力的情况下，也排除其刑事补偿请求权。（3）如果刑事追诉措施还在进行当中，排除当事人的补偿请求权。

当事人被关押时，国家的任何措施对身体造成的任何损害，国家均承担赔偿或补偿义务。无论在监狱内还是在监狱外，国家对受害人的损害均应作为特别牺牲予以补偿。对于监狱里犯人互殴造成损害的，如果监狱不存在过失，受害人享有特别牺牲补偿请求权。如果监狱存在过失，受害人在证明无法从对方获得赔偿的情况下，可以向监狱主张职务赔偿请求权，包括精神损害赔偿。

（七）请求权的竞合

实际中，上述各种请求权之间存在交叉与竞合的关系。多种请求权均成立时，受害人可以主张多种请求权。例如，刑事追诉措施补偿不以过错为前提，如果存在过错，则产生职务赔偿请求权，可以一并主张。又如，如果其他相关法律的规定并未排除特别牺牲请求权，在主张法律规定的请求权的同时，也可以主张特别牺牲请求权。

四、国家赔偿的标准

德国的国家赔偿没有统一的标准，依具体的请求权而定。

（一）职务赔偿标准

在德国，职务赔偿起源于侵权责任，适用民法规则，旨在以金钱形式对物质损害进行全额赔偿，但不包括实物赔偿。对于违法没收的，有些法律规定，对利息上的损害应当予以赔偿。如果违法没收涉及贷款购置的物品，赔偿的损失亦包括贷款的利息损害。

申请职务赔偿可以依民法典的相关规定，请求精神损害赔偿，与身体受伤害时的治疗费或自由被剥夺时的误工费等一并予以主张，但不承认惩罚性赔偿。

（二）财产损害补偿标准

合法征收补偿的范围相当于被征收的财产的交易价值，但不包括损失的收益。具体的赔偿范围和方式由实施征收所依据的法律或者授权征收的法律作出规定。如果存在争议，可向普通法院提起诉讼。

征收的补偿以金钱方式支付，补偿遵循以下原则和标准：(1)合理适度地权衡公共利益和相关人的利益。(2)合适的补偿应当计算重新购置的价值和费用，即承认市场价格，但立法者有权规定低于全额的损害赔偿。补偿不必确保请求人的重购。补偿数额可能会少于市场价值。(3)补偿考虑被征收的财产现在的具体价值，但不考虑以后收益的机会。征收之后产生的增值属于国有，不予补偿。(4)赔偿数额也包括一些由征收产生的其他费用。如搬迁费用、客户减少引起的业务额的下降以及诉讼费用。(5)如果当事人的财产并未被征收,只是因为国家的干预使其价值受到损害,则国家应当补偿受损部分财产的价值。

对所有权的社会约束给人造成难以承受的负担,或预期的受益非常具体时,应当予以补偿,该补偿比完全剥夺所有权时的补偿要低,并遵循规定该补偿的法律的相关规定。但是所有权人应当承受的负担不属于补偿范围。对于干预所有权中无意造成损害的赔偿,应当对公民为此遭受的特别牺牲予以补偿。以上请求权均不是损害赔偿请求权,因此只对实质性损害进行金钱赔偿,而不赔偿损失的收益。

准征收性干预请求权只对受害人所受的实质性损害进行金钱赔偿,原则上不包括损失的收益。但是如果对工商业主的企业所有权进行干预,则必须赔偿损失的收益。

(三)其他基本权利损害补偿标准

特别牺牲请求权所赔偿的损害一般只包括物质损害,不包括非物质损害,尤其是精神损害。但是对于职业的理想未能得到实现的情况,德国有的州的法律明确规定可以予以精神损害赔偿。

死亡赔偿金的性质并非精神损害赔偿,赔偿的是死者对其有抚养或者赡养义务的家属所支付的费用。精神损害赔偿是可以继承的,前提是受害人在接受该赔偿之后才死亡。

(四)刑事追诉措施补偿标准

德国的刑事补偿对因刑事追诉程序造成的财产损害予以补偿。对于因法院裁决而被剥夺自由的,还包括非财产损害。对财产损害根据征收性干预予以补偿,非财产损害根据特别牺牲予以补偿。

该补偿包括为撤销刑事追诉措施支付的必要款项,如聘请律师的法定费用,但不包括即使未采取刑事追诉措施也会产生的损害。对于因为被采取刑事追诉措施导致顾主解除其劳动关系的雇员,如果该解雇是正当的,丧失工作岗位也可以纳入应当补偿的经济上不利后果的范围。如果将一定的现金扣押一定期间,国家对该期间的利息损失予以现金赔偿，通常按4%的年利率计算，对超过的部分不予补偿。

对于财产的损害，只有受害人证明损害超过了25欧元时，才予以补偿。如果机动车持有人或者其他使用权人的驾驶执照被暂时吊销或者官方保管，只有该行为确实给当事人造成了更多的财务支出或者其他经济上的不利后果时，才予以补偿。

对于非物质性损害的补偿标准如下：(1)只有法官命令作出并且执行了剥夺自由的情况下，才产生精神损害赔偿，每天补偿11欧元，以被剥夺自由的天数计算；(2)对于不是因为剥夺自由产生的非物质损害，依照法律的特别规定处理；(3)其他的损害，如误工费、丧失工作岗位，并没有具体的标准。误工费根据收入的不同计算。对于企业停产期间的个人损失，联邦最高法院承认对价值减损的赔偿，包括市场地位的损害。

五、国家赔偿的程序

德国的国家赔偿有着双重的诉讼途径。职务责任和征收补偿归普通法院管辖，行政法上债权关系的赔偿请求权和后果清除请求权归行政法院管辖。大部分国家赔偿通过民事诉讼来实现。

(一)职务赔偿责任的程序

职务赔偿请求权可以通过向普通法院提起民事诉讼来主张，不存在前置程序，但有3年诉讼时效的限制。该时效可以通过提起有关的行政复议或行政诉讼予以中断。

1. 原告与被告的确定。原告为受害人，被告为违反职务义务的公职人员所服务的公法机构。

2. 事务管辖权。(1)级别管辖。州法院或者其他地方法院享有一审管辖权，对州法院判决不服的，被驳回起诉或者败诉一方当事人可以向州高等法院提起事实审的上诉。如果不服州高等法院的判决，当事人可以向联邦最高法院提起法律审的上诉；(2)地域管辖。一般适用普通管辖，即由代表被诉机构应诉的行政机关所在地决定。

如果存在侵权行为,可以选择适用特别管辖,即由违反职务义务的行为发生地的法院管辖。

3. 举证规则。受害人应就以下事项举证:(1)存在过错的违反职务义务的行为。受害人只需作一般性陈述,必要时提供事实构成要件的相关证据;(2)损害的产生;(3)行为与损害之间存在因果关系。如果认定存在违反职务的行为,并且在该行为之后产生了损害,一般可以推定存在因果关系,而由赔偿责任机构负责推翻这种推定。但是该推定必须得到生活经验的支持,否则受害人仍负有举证责任;(4)公务员行为的违法性。受害人对此承担一般性的举证责任,但是如果能证明对受害人的人身自由、所有权等权利领域的侵害是违法的,赔偿责任机构有义务对干预是有理由的特别前提条件予以说明;(5)如果公务员仅存在过失,受害人应证明没有从其他赔偿方式中获得赔偿,必要时还需证明其就错过其他方式而言没有过错。赔偿责任机构应就以下事项举证:(1)排除行为违法性的特殊原因;(2)存在排除过错的法律错误;(3)受害人有怠于采取法律救济避免损害发生的过错;(4)受害人存在共同过失。

4. 赔偿责任主体。由赋予公职人员错误行使职权的职位的机构承担赔偿责任,通常情况下是聘用该公职人员的机关。例如,联邦公务员违反职务义务时,由德意志联邦共和国承担赔偿责任;州公务员违反职务义务时,由相关的州承担赔偿责任;地方公务员违反职务义务时,由相关的乡镇或县承担赔偿责任。但是不存在上级主管部门或存在多个上级主管部门的情况下,则由委托该公职人员完成某项任务的机构承担赔偿责任。

5. 行政诉讼与赔偿诉讼的关系。(1)如果职务赔偿由违法行政行为产生,无论其是否具有执行力,民事法院应当对该行政行为的合法性进行审查;(2)无论行政法院在生效判决中确认行政行为的违法性,还是肯定行政行为的合法性,该裁决对民事法官均具有约束力。

(二)对刑事追诉措施的补偿程序

德国对刑事追诉措施的补偿程序分为两个程序:一是国库补偿

义务的确认程序,二是对具体补偿数额的决定程序。具体如下:

1. 国库补偿义务的确认程序。该程序是刑事诉讼程序的一部分。刑事法官应当作出是否补偿的裁决,包括是否存在补偿请求权,是否有排除请求权的情况。该裁决对民事法官具有约束力。

2. 具体补偿数额的决定程序。该程序属于司法行政程序,由检察院进行。如对补偿数额不服,可向民事法院起诉。对该程序,应注意以下几点:(1)该程序适用行政程序的一般原则,但刑事追诉措施补偿法另有规定的除外;(2)民事法院更多地适用对起诉起决定作用的程序法的规定,尤其是民事诉讼法的规定;(3)如果对国库补偿义务的确认已经发生法律效力,申请人应当在6个月内向管辖的检察机关主张其补偿请求权。不服对补偿请求权作出的决定的,可以向普通法院起诉,以州法院作为一审管辖法院。申请人应在决定送达后的3个月内起诉,以刑事诉讼程序中一审管辖法院所在的州为补偿义务人。对终审判决不服的,可以向宪法法院或者议会的申诉委员会申诉。

(三)对征收的补偿程序

除了在建筑法领域统一适用联邦建筑法典的程序规定,对征收的补偿程序主要规定在各州的征收法中。各州的征收法的规定基本一致,主要内容如下:(1)作为征收机关的行政机关就是否征收和补偿数额作出决定。行政相对人可以在规定的期限内向普通法院申请撤销该决定;(2)对涉及建筑用地的征收案件,一审负责审理的为州法院的建筑用地案件法庭,由两名民事法官和一名行政法官组成。对于事实审的上诉案件,负责审理的是州高等法院的建筑用地案件审判庭,由两名州高等法院法官和一名州高等行政法院法官组成。对于法律审的上诉案件,负责审理的是联邦最高法院第三审判庭,由五名民事法官组成。

(四)其他程序

对所有权的社会约束的补偿程序与刑事追诉措施补偿程序类似。行政机关必须对财产权造成的基本负担和补偿义务进行确认。

六、国家赔偿的方式

德国的国家赔偿以金钱赔偿为主要方式。例如主张职务赔偿请求权通常要求赔偿金钱，而不是通过作出职务行为（作为或不作为）予以补偿。

主张后果清除请求权可以要求排除非法或者不法行为造成的损害，德国最近倾向于将其理解为返还原物或者回复原状。此外，在一些法律中规定了公法上的返还请求权，即国家退还没有法律依据而取得的财产。例如联邦行政程序法规定了行政行为被撤销以后，返还根据该行政行为提供的给付；税法规定了返还的不法税金；社会法典规定了退还不法得到的社会给付。主张公法上的债务关系的请求权，如果没有禁止的相关规定，可以适用民法，当然也包括民法所规定的赔偿方式，如履行请求权和损害赔偿请求权。

七、国家赔偿的费用和主体

德国的预算法并未预留出国家赔偿金。实践中，国家赔偿费用的来源是多样的，如贷款、保险金。在德国，州税务人员造成的国家赔偿由州政府赔偿，县级政府则由保险机构负责支付赔偿金。

国家赔偿主体依具体请求权的不同而有所不同。具体如下：(1)涉及合法征收的补偿、予以补偿的社会约束或者特别牺牲请求权时，原则上由合法行为的受益人予以赔偿。国家机关也可能成为受益人，例如，如果某个州对公民进行了有利于某个乡镇的征收，则赔偿义务人是受益的乡镇而不是该州；(2)职务赔偿的赔偿义务机关是委托公职人员履行职务义务的公法法人，原则上为聘用该公职人员的公法法人。如果该公职人员受到多个公法法人的委托，则取决于其在违反职务义务时所履行的职权的归属。例如，根据德国多数联邦州的法律，县长既是州的机构，也是县的机构。如果其作出违背职务义务的行为，依据其行为所履行的职能是州的职能还是县的职能，决定由州还是县承担赔偿责任；(3)涉及准征收时，对于赔偿主体存在争议。司法部门倾向于由受益人承担赔偿责任,法学界则认为应由行为人的雇主,即非法干预基本权利的公法法人承担赔偿责任;(4)涉及恢复原状请求权和公共设施致害的准合同公法债务关系时,由实行非法行政行为的公法法人承担赔偿责任;(5)国家赔偿费用没有统一的支付机构,如果涉及两个以上的公法法人,遵循行政法的相应规定。

德国没有关于国家赔偿费用支付程序的具体规定,虽然有一些行政机关内部的相关规定,但这些规定只对行政机关内部具有约束力。

根据德国基本法以及公务员法的规定,对于职务责任以及其他因公职人员的不当行为引起的国家的损害赔偿义务或者补偿义务,只有当公职人员故意或者严重疏忽而违背职务义务时,才能向其进行追偿。但涉及作为行政辅助人的独立的私人企业主时,追偿则不限于其故意和严重疏忽的情形。

追偿没有固定的机构和程序,作出追偿决定的机关有可能是公务员所在机关以外的机关。对于故意或者严重疏忽违背职务义务产生国家赔偿或者补偿的公务员,除了履行金钱方面的义务外,还必须承担纪律惩戒。纪律惩戒包括各种措施,最严重的是开除公职。

法国国家赔偿法律制度

一、历史发展和特点

行政赔偿方面。1873 年,行政法院在“布朗戈案件”的判决中率先确定了行政赔偿责任。20 世纪初,行政法院通过判例把“布朗戈案件”所确立的赔偿责任原则,扩张适用于地方团体。

立法赔偿方面。20 世纪初,国家对立法行为负赔偿责任首先出现在行政合同中。行政合同的当事人因国家法律而受到特别损害时,如果法律没有排除赔偿的规定,国家应对行政合同的当事人负赔偿责任。1938 年,最高行政法院通过判例,正式承认国家对合同以外的行为,根据公共负担平等原则也负立法赔偿责任。

司法赔偿方面。1895 年,法国就通过法律确立了冤狱赔偿责任。1956 年,最高法院在“吉里案件”判决中首先承认国家对司法警察活动负赔偿责任。1970 年的刑事诉讼法,将司法赔偿责任扩张到刑事侦查和追诉活动。1971 年的法律规定,国家对民事审判中的重过错造成的损害承担赔偿责任。1972 年法律规定,国家对普通法院的法官严重过失和拒绝司法(即以法律没有规定或法律规定不明确为由拒绝审理民事案件)造成的损害负赔偿责任。1978 年以后,行政法院把 1972 年关于法官赔偿的法律运用到行政审判中来。

法国国家赔偿制度有以下特点:

1. 国家赔偿对象和范围广泛。在法国,除行政赔偿和刑事赔偿外,法律和判例还规定有立法赔偿和民事司法赔偿。赔偿制度的基本点是损害事实由执行公务引起，原则上，只要能证明损害确实存在，并且这种损害与行为之间存在必然的因果关系，任何受害者都应得到赔偿，包括本来应该得到的利润的损失和精神上的损害。国家不负行政赔偿责任的行为，仅限于法律明文规定的行为，以及由最高行政法院判例所确认的事项。此外，对议会通过的法律所造成的损害、对国际条约造成的损害、对私法人的公务活动造成的损害等非行政活动，国家也负赔偿责任。

2. 国家赔偿责任有独立的法律体系调整规范，不适用民法的规定。但国家赔偿制度在理论上与民法有相近之处，有关数额的要求与民法上相近，在赔偿的方式上也有很多相似点。

3. 行政赔偿责任的基本原则由行政司法判例确立，而不是由成文法确立。行政法官在判决案件时，有较大的自由裁量权。

4. 国家赔偿责任理论的多样性。行政赔偿适用公务过错和无过错原则，立法赔偿遵循公共负担平等原则，司法赔偿适用重过错责任原则。除此之外，还有一些特别原则作为补充。

二、行政赔偿制度

（一）归责原则

公法上，法国行政主体通常只对有过错的公务行为所产生的损害负赔偿责任，即遵循公务过错责任原则。在例外情况下，只要行为和损害之间有因果关系，行政主体对执行公务的行为所产生的损害即使无过错，也负赔偿责任，即遵循无过错责任原则。归责原则以过错原则为主，无过错原则为辅。

1. 公务过错责任

所谓公务过错，是指公务活动欠缺正常的活动标准。任何公务活动都应达到某种中等水平，中等水平由行政法院根据公务的难易程度，执行公务的时间、地点，行政机关所具备的人力物力等各种情况来判断。一般来说，低于中等水平，不论个人的主观过错是否存在，就具有公务过错。在有些例外、特殊情况下，行政法院也会判定，达到严重程度，才负赔偿责任。公务过错的情形有三大类，即公务的实施不良、不执行公务和公务的实施迟延。

根据行政法院的判例，公务过错可以分为一般过错和重过错。在大部分公务活动中，国家对一般过错负责。对某些特别困难或特别重要的公务活动，如医务公务、司法公务，为减轻行政主体的责任，国家只对重过错负责。一般由受害人承担举证责任，但在受害人难以承担举证责任的情况下，行政法官有权将举证责任倒置。

公务人员个人过错不属于公务过错，国家对此不负赔偿责任。根据行政司法判例，公务人员个人过错有三种：一是公务员个人过错与公务无联系，如公务员在非执行公务期间的过错。二是公务员在执行公务时，抱有个人恩怨，利用机会进行报复。三是公务员在执行公务时，犯有严重的过错（“不可原谅的过错”），如治安警察对犯有轻微过错的公民采取严厉的拘留措施。如果同时存在公务过错和个人过错，受害人可以请求行政机关负责，行政机关应先承担责任，然后再向有过错的公务员追偿其过错部分的赔偿金。

2. 无过错责任

无过错责任有三个特点：第一，受害人只需证明损害与行政机关的行为之间具有因果关系，无须证明行政机关具有过错。第二，行政机关只在不可抗力和受害人有过错的两种情况下，才能免除或部分免除赔偿责任。对于意外事件造成的损失，不能免除赔偿责任。第三，受害人的损失必须达到一定严重的程度才能得到赔偿，一般程度损害不能得到赔偿。无过错责任有危险责任和公共负担平等两种理论。

危险责任说认为，任何人由于某种行为而得到利益时，必须对由于该行为而产生的危险承担责任。行政主体由于所做出的某些行为或所保管的某些物体具有异常危险的特点，在某些时候即使没有过错，也应承担危险责任。危险责任涵盖的范围包括：(1)正式的或非正式的行政人员的工伤事故。(2)行政机关所属物制造的特殊危险所产生的损害，如军火库爆炸产生的损害。(3)行政机关所采取的危险行为或使用的危险技术所产生的损害,如警察使用武器时对第三人造成的损害。

根据公共负担平等理论,公民由于行政活动而受到的损害,是一种为了公共利益而承受的负担,必须平等分配于全体,如果行政机关作出的合法决定破坏了公共负担平等原则,并造成由少数人负担的严重损害,国家应负赔偿责任。基于公共负担平等原则产生的无过错责任涵盖的范围包括:(1)公共工程的损害。一个本身没有危险的公共建筑物,如果对周围产生永久性的损害,行政主体负无过错责任。(2)不执行法院判决的损害。如行政机关认为执行一个判决将引起社会骚乱而拒绝执行,行政机关应对公民由此受到的损害进行赔偿。(3)为了大多数人而颁布的法令或者政策,如果只对特定人产生巨大损害,行政法院根据情况,可判决国家负赔偿责任。从1960年起,判例也确定了签订国际条约而对一个或数个特定人造成严重损害时,国家负无过错责任。

(二)行政赔偿的条件

行政赔偿需满足以下条件:1.损害必须是确实存在的。如果将发生的损害视为不可避免,也可视为已经发生的现实损害。将来预想可能发生的不确定的损害,一般不引起赔偿责任,除非受害人能证明利益已经确定获得,或者有充分的理由令人信服可以得到某种利益。有时,行政法院对将来可能发生的损害,也确定由国家负赔偿责任,这一般是针对行政管理相对人失去一次机遇的情形,如被非法排除参加供职、晋升的竞争考试机会。

2.损害的发生与赔偿主体的行为有因果关系,且仅限于与损害有直接联系的原因。

3.损害必须是特定的,破坏了公共负担平等原则。即损害为一个人或少数受害人所特有,而非一般人所共有的损害。

4.损害须超过公务活动所带来的正常负担。一切享受公共生活利益的人所承受的某种合理负担,不被认为是必须赔偿的损害。这种合理限度,由法院根据不同的情况、不同的行政活动和受害人不同的地位来判断。

5. 受损害的利益是合法利益。如果受损利益处于非法地位，不受法律保护，国家不负赔偿责任。

（三）公共工程损害赔偿责任

公共工程造成损害的赔偿责任，随受害人地位的不同而有所区别。根据行政法院的判例，受害人分为三种：公共建筑物的使用人、公共工程的参加人和第三人。

公共建筑的使用人是指合法、合理使用公共建筑的人。在公共建筑物由于缺乏正常的维修而对使用人造成损害时，行政主体负赔偿责任。这是一种特殊的过错责任，因为法律推定行政主体有过错，受害人只需证明损害与公共建筑物的利用之间有因果关系，就可请求赔偿。行政主体在证明其已尽到正常维修义务或提醒义务后，可以免除责任。

公共工程的参加人是指以某种方式参加公共工程的人，如承包商、受特许人①以及他们所雇用的工人。对公共工程的参加者的赔偿适用过错责任原则。受害人不仅要证明损害和公共工程之间有因果关系，而且要证明公共工程的承包人或公共建筑的所有人有过错。

第三人是指公共工程和公共建筑的使用人和参加人以外的人。如果公共工程的存在或者运行对于第三人造成损害，根据公共负担平等的原则，对第三人的赔偿适用无过错原则。受害人请求赔偿，只需证明损害的产生与公共工程之间的因果关系，不需证明行政主体有过错。但受到的损害必须是受害人的合法利益，并且受害人由于公共工程的存在而享受到特别利益时，这种利益可以赔偿抵消部分赔偿金。

---

① 在公共工程特许合同中，行政主体和受特许人订立合同，受特许人以自己的费用实施工程建设，工程完成后，受特许人在一定期限内对该公共建筑物取得经营管理权，向公共建筑物的使用人收取一定费用作为报酬，或由受特许人免费使用该公共建筑物。

（四）赔偿主体

在法国，行政主体有三种：国家、地方团体和公务法人（公共机构）。法国确定行政赔偿主体的原则是：损害的发生由公务员本人过错引起的，由公务员赔偿；由行政主体的公务过错引起的，由行政主体赔偿；几个行政主体共同实施公务时所产生的损害，在能够确定损害行为的主体时，由实施损害行为的行政主体负责，否则共同负责；行政主体和公务员同时有过错时，由二者负连带责任。政党、工会等社会团体属于私法人，他们造成的损害由其自负，国家不负责任。行政主体对其所使用和保管的物体所产生的损害负赔偿责任，但在物交其他人使用时，由使用人负责。

当公务员个人过错和行政主体的公务过错并存时，行政主体和公务员按各自过错的程度承担赔偿责任。受害人可以选择向普通法院起诉要求公务员本人赔偿（适用民法上的赔偿规则）或向行政法院起诉要求行政赔偿（适用行政法上的赔偿规则）。通常，行政法院在判决行政主体赔偿时会规定，受害人对公务员的赔偿请求权转移于行政主体。如果受害人已从普通法院判决中获得全部赔偿，再向行政法院要求追诉行政主体责任时，行政法院可以拒绝受理或驳回起诉。当公务员或者行政主体赔偿全部损失后，可向共同责任主体请求或追偿其应当承担的部分。

（五）行政赔偿的程序

1. 法院的管辖权

行政赔偿争议原则上由行政法院管辖，适用与民事赔偿不同的行政赔偿责任规则。根据法律和判例，普通法院对行政主体的损害赔偿诉讼具有较宽的管辖权，包括：（1）因行政私产的管理而引发的赔偿诉讼。行政私产是行政主体所有的、以增加财政收入为目的的财产。（2）因工商业公务机构的活动而引发的赔偿诉讼。工商业公务机构所从事的经济活动虽以满足公共利益为目的，但其性质和私人企业的活动相同。因此，由此引发的赔偿诉讼由普通法院管辖。（3）因行政主体严重违反法律、损害公民的财产权和基本自由的执行行为(暴力行为)而引发的赔偿诉讼。(4)因行政机关非法或非依法定程序侵占私人不动产的行为而引发的赔偿诉讼。(5)由法律特别规定的赔偿诉讼。普通法院受理以行政主体为被告的赔偿诉讼时,适用民法上的规定;在少数情况下,普通法院也适用行政法上的赔偿规则。

对公务员个人过错的诉讼,原则上由普通法院受理,但行政法院有时也允许受害人向行政法院提起诉讼。行政法院受理需要符合一定的条件,如公务员在执行公务中利用公务手段所犯的个人过错;或者公务员个人过错虽在执行公务以外,但其个人过错在时间上和背景上与公务有关。

2. 行政机关先行处理规则

在很多情况下,产生损害的直接原因是具体的行政行为而不是行政决定,因此,当事人在向行政法院请求损害赔偿之前,必须先向行政机关请求赔偿,只有在行政机关作出拒绝全部或部分请求的行政决定时,才能向行政法院起诉。公共工程造成的损害,可以直接向行政法院提起诉讼,无须以行政机关处理为前置条件。

3. 当事人

原告必须是权利受到行政行为侵害的人。被告为行政机关,通常由有关的部长代表国家、省议会主席代表省、市长代表市镇。

4. 预审

法院受理诉讼后,在最高行政法院,由诉讼组组长将案件分配到一个预审小组,同时交由另一小组指定一名政府专员,对案件的解决提出政府专员结论;在外省行政法院未设小组时,由审判组中一名法官专门担任政府专员职务。预审小组将原告起诉状副本发送被告行政机关,限期提出答辩。预审法官可以在原告请求的范围内,向双方当事人提出问题,当事人经催告一次仍不按期限提出书状或不回答问题时,法院视为原告撤回起诉或被告承认原告的主张。调查结束后由小组预审会议讨论通过一个陈述事实情况、当事人主张、法律观点和建议解决方案的报告,并将其作为小组意见送交政府专员。政府专员根据报告和自己调查的情况,草拟政府专员结论。

5. 判决

政府专员结论书写好后,案件就被列入行政法院的判决会议日程表。法院经过公开开庭审理阶段和秘密评议后作出判决,判决的内容往往采取政府专员的结论,也可以和政府专员结论不同。当事人不服的,可以向上级法院上诉或者申请复核,请求撤销或变更判决;或者向原判法庭申诉。对最高行政法院的判决不服的,只能申诉。

(六)赔偿的方式和标准

1. 损害赔偿的方式

行政法院不能命令行政机关为或不为一定行为,不能判决行政主体采取实际执行行为以恢复物质损害的原状,只能判决行政主体支付赔偿金。但行政法院可以在判决时指出,如果行政机关自愿恢复原状,不用支付赔偿金。行政法院也可以判决行政机关在损害继续存在期间,每天赔偿金额若干,从而达到恢复原状的目的。对于身体损害和性质上不能恢复原状的损害,只能判决金钱赔偿。金钱赔偿可以采取一次性给付方式或按年给付方式。为防止受害人由于物价上涨而受到损失,行政法院可以把按年给付的赔偿金根据物价指数计算。

赔偿有物质赔偿和精神赔偿两类。物质赔偿的范围包括物体的损害、动产和不动产的损害、将来确定的损害以及人身损害。精神赔偿的范围有多方面,并且在逐步扩大,包括对感情、信仰、名誉等的损害。

2. 计算损失的日期

行政法院一般认为,损害赔偿的请求权,从损害发生之日起开始存在,所以计算损失的日期,应为损害发生的当天。如果货币价值不稳定,审判进程缓慢,以损害发生当天作为计算损失的日期,往往对受害人不利。因此,行政法院在采取以损害发生日为计算损失日期的同时,也采取变通方法,其适用因对物体的损害和对身体的损害而不同。具体如下：

(1)对物体的损害，原则上以损害发生当天为计算损失的日期，因为受害人通常应在损害当日或次日，立即进行修复或购置。但如果受害人由于技术上、法律上或经济上的原因，不能立即进行购置或修复时，以修复或购置成为可能时，作为计算损失的日期。

(2)对身体的损害则参照普通法院的做法，以法院的判决日作为计算损失的日期，避免受害人由于货币贬值而受到损失。法院在计算损失时，应考虑到判决前所发生的各种情况。但受害人对请求赔偿的迟延有过错时，如拒绝行政机关提出的合理金额、过分延迟提出请求，法院以通常应可能请求的日期，作为计算损失的日期。行政法院在判决时，有时还扣除超出损害本身的那部分金钱，比如受害人因损害而从社会保险中得到的现金，或遭遇事故后得到他人的援助款项等，要予以扣除。公务员被非法开除后在外工作，复职后给予的赔偿中也要扣除在外工作所得的金钱报酬。

3. 确定赔偿数额的原则

确定赔偿数额，应遵循以下原则：(1)法院只根据当事人的请求作出判决。受害人应证明其损失的范围。行政主体对包括物质损害和全部精神损害在内的一切损害，都负责赔偿。行政赔偿原则上不存在最高限额，但行政法院的判决不能高于受害人的请求额。

(2)赔偿金额是实际发生的全部损失。因此，在法院判决以后，损害继续加重时，受害人可以请求行政法院重新确定赔偿金额。但另一方面，受害人因损害的事实所取得的利益，如从别处获得的捐助，应从赔偿金中扣除。对于行政机关主动提出的赔偿金额，法院认为超过实际损失时，可以减少其数额。法律对赔偿金额有明确规定时，受害人只能得到法律规定的金额，不适用实际损失原则。

(3)因为技术困难，法院不能确定赔偿金额时，可以判决受害人和行政机关通过谈判确定。受害人不同意行政机关所提金额时，可再提起损害赔偿诉讼。行政机关故意拖延时间的，受害人可就因时间拖延所受的损失请求赔偿。

(4)行政主体从受害人提出请求赔偿之日起,支付利息。

三、立法赔偿制度

立法赔偿是就议会立法职能的责任而言,不包括行政机关制定规范性文件的行为。在法律没有特别规定时,立法赔偿适用行政赔偿的一般原则。从历史上看,这种涉及立法问题的赔偿案件数量很少。

从目前的判例看,国家立法赔偿责任的适用有以下的条件或限制:

(1)凡法律明确地或默示地禁止赔偿时,不能判决国家负赔偿责任。因为法院不能审查议会立法的合法性,而必须适用议会所制定的法律。

(2)由于制定法律而受到损害的不道德利益不能得到赔偿,因为这种利益的获取是法律禁止的行为。

(3)损害必须有特定性,只对特定人或少数人发生才能得到赔偿。而普遍的损害不违反公共负担平等原则,不能得到赔偿。

(4)在国家无过错时,损害必须达到相当严重的程度,受害人才能就立法行为请求赔偿。

(5)国家为了保护重大利益而制定的法律,不负赔偿责任。

(6)国家对立法行为负责任的条件,适用于国际条约。

议会中的行政管理行为与议会的立法行为不同,其性质和行政机关的管理行为相同。法国1958年11月12日的法令规定,国家必须对议会中的行政管理所产生的一切损害负赔偿责任。该类案件主要由行政法院管辖,适用行政赔偿的一般性原则。

四、司法赔偿制度

法国司法赔偿责任包括司法警察、追诉、预审、审判以及判决的执行在内。法国司法审判和行政审判分离,但司法赔偿也在一定范围内适用于行政审判活动。

（一）司法赔偿责任

1. 一般责任

法国 1972 年制定的《建立执行法官和关于民事诉讼程序改革法》第十一条规定："国家必须赔偿由于司法公务活动的缺陷而产生的损害。发生此种责任的前提是存在重过错或拒绝司法的情形。法官由于本人过错的责任，司法执法的法官受法官地位法的支配。特别法庭的法官受特别法律支配。国家保障受害人由于法官和其他司法官员的本人过错而造成的损害赔偿。国家保留对后者有求偿权。"该条确立了司法赔偿的一般规则，即国家对司法公务活动的缺陷负责，包括对法官本人的过错负责和公务过错负责，但仅以法官有渎职或重大的过错行为为限。

2. 特别责任

在 1972 年法律确立一般责任之前，一些法律和判例已经确立的司法活动赔偿规则，称之为"特别责任"，具体包括以下三项：（1）1895 年法律所规定的冤狱赔偿责任，即已经确定的刑事判决，在再审中被推翻，被告得到无罪的宣告时，国家应负赔偿责任。（2）司法警察活动的赔偿责任，这种责任可能是重公务过错责任、一般公务过错责任或无过错责任。（3）刑事诉讼法中所规定的临时拘留的赔偿责任。即在刑事诉讼程序中被临时拘禁的被告、预审的结果为决定不起诉，或起诉以后法院判决无罪的，被告如果因此受到重大损害，可以请求赔偿。这种赔偿属于无过错的赔偿责任。因为不起诉的裁决和无罪释放的判决，不一定表示拘禁和预审中存在过错。

法国对刑事司法赔偿的责任限定得较为严格，是与其《刑事诉讼法》及其条例对先行羁押的条件和程序的规定较为严格有关。《法国刑事诉讼法》规定，先行羁押必须符合以下要件：第一，实质要件。只有当一个人受到指控的犯罪是重罪时，或者只有当其受到指控的轻罪是现行轻罪，当处 1 年或 1 年以上的监禁刑；其他轻罪，当处 2 年监禁刑时，才可以考虑采取先行羁押。满足这一条件的前提下，还应具备下列两项条件之一时才能实行先行羁押：一是对犯罪嫌疑人实行先行羁押是保存证据或犯罪事实痕迹的唯一手段，或者是防止犯罪嫌疑人对证人或受害人施加压力，防止犯罪嫌疑人与其共犯之间进行恶意串通的唯一手段；二是实行先行羁押是保障社会秩序免受犯罪扰乱所必要，或者是保护犯罪嫌疑人、制止犯罪、预防重新犯罪、保证有关的人能够随时听从法院安排所必要。第二，形式要件。先行羁押由预审法官经预审作出决定，并且在预审阶段犯罪嫌疑人有权得到由其本人选定或由预审法官依职权指定的辩护人的协助。

（二）刑事赔偿条件

《刑事诉讼法》第一百四十九条规定："在诉讼过程中被先行羁押的人，如果在程序结束时不予起诉、免予处罚或无罪释放的决定已确定，而且羁押给他造成显然不正常的损害或特别重大的损害，可以给予赔偿。"因此，可以获得赔偿的条件有二：其一，侦查程序以不予起诉、免予起诉或宣告无罪终结并最终确定。其二，先行羁押不仅给当事人造成了损害（实际上不可避免的损害），而且这一损害显然是不正常并且是极为严重的。法国2000年的法律对此进行了改革，明确规定被羁押人在获得不起诉、轻罪或重罪宣告无罪的决定的情况下，国家"应当"给予赔偿，而不是"可以"给予赔偿。需要特别指出的是，有权提出损害赔偿之诉的主体是受到先行羁押的人本人，在其死亡的情况下，其亲属不能提起损害赔偿之诉。

（三）刑事赔偿机构

根据《刑事诉讼法》第一百四十九条的规定，有关赔偿的请求应当向一个赔偿委员会提出。委员会由最高法院院长或其代表主持会务，组成人员还应包括每年由最高法院办公厅指定的两名具有审判庭庭长、法官或审计官职称的最高法院法官，同样条件的三名候补委员，以及从最高法院总检察院中选任的成员。

（四）刑事赔偿程序

根据《刑事诉讼法条例》第二十六条至第四十条之规定，刑事赔偿程序包括：

（1）赔偿请求人向赔偿委员会提出申请。申请应当在不予起诉决定、免予起诉决定或者宣告无罪判决最终确定之日起 6 个月期限内提出。申请应当包括对事实的陈述以及一切有用的说明事项。

(2)赔偿委员会将申请转送驻最高法院总检察长与国库司法专员。国库司法专员应当在 2 个月的期限内提出其意见。

(3)赔偿委员会接受经不予起诉、免予起诉或者宣告无罪而终结的诉讼案卷后,赔偿请求人有权得到司法救助。委员会在对案卷进行审查之后,即确定开庭日期。开庭时,申请人可以向委员会就申请事项作出陈述。各方当事人可以在评议室进行辩论。在 2000 年改革后,赔偿委员会被要求公开开庭审理,裁决应当说明理由。

(五)行政审判的赔偿责任

法国没有任何法律规定行政审判活动的赔偿责任,但最高行政法院 1978 年在一个判决中认为,1972 年的《建立执行法官和关于民事诉讼程序改革法》可以作为一般原则,适用于行政审判,包括一般的行政审判和专门的行政审判。但赔偿不影响判决的既判力。

五、国家赔偿责任的免责事由

在某些情况下造成的损失,国家完全或部分不负赔偿责任,主要有:

(1)对国家行为所造成的损害不负赔偿责任。国家行为是国家某些不受法院管辖的行为,例如军事行为和政府在国际关系中所采取的行为,包括条约的签订、批准、执行,外交保护。但近年来行政法院判例在国家对立法行为负责的影响下,开始对国家行为不负责任地创设了一些例外,例如对于条约所产生的特别巨大的损害,国家负赔偿责任。

(2)对外国公法人引起的损害,法国政府只能根据国际条约的规定负责。

(3)对行政役权所造成的损害不负赔偿责任。行政役权是指行政法规为了公共利益,对毗连的不动产规定的一些特别义务,私人因此受到的损失,国家不负赔偿责任。

(4)对因不可抗力引起的损害不负赔偿责任。对于原因不明的损害,可以排除国家的过错责任,但不能排除危险责任。

(5)根据有关法律的规定,对于邮政公务中造成的损失不负赔偿责任,但判例中却出现过邮政公务犯有严重过错而负赔偿责任的情况。

六、国家赔偿费用的来源

国家赔偿费用来源于造成损害的公法人的财政预算。每年各个部门的预算中有一部分作为机动使用,其中包括用于赔偿的预算。预算的确定取决于每年公务行政的开支状况。

赔偿金涉及社会保险问题的,例如人体损害,需及时支付医疗费,就由社会保险发挥作用。社会保险机构给受害人提供赔偿后,可以社会保险机构的名义向行政机关提出损害赔偿。若受害人在取得社会保险金后,又向行政机关请求赔偿,此时行政机关只向社会保险机构赔偿。

参考文献

1. 王名扬:《法国行政法》,中国政法大学出版社 1988 年版。

2. 王名扬:《比较行政法》,北京大学出版社 2006 年版。

3. 全国人大常委会法制工作委员会研究室编:《法制参考资料汇编》(第六辑),中国民主法制出版社 1992 年版。

4. 许崇德主编:《宪法学(外国部分)》,高等教育出版社 1996 年版。

5. [法]让·高杜松教授演讲纪要(1989 年 4 月)。

美国国家赔偿法律制度

一、美国国家赔偿法律制度概况

美国的法律制度源自英国。英国普通法中没有国家观念,以英王代表国家,并确立了“国王不能为非”的原则。美国继承了英国普通法上的这一制度,美国最高法院大法官马歇尔与霍姆斯分别于1821年、1907年通过判例确立了主权豁免原则。根据美国法院判例,主权豁免原则的含义包括:美国虽然没有君主,但人民是主权者,国会代表人民,追诉国家的法律责任必须得到国会的同意;只有国会有权放弃主权豁免,放弃主权豁免的范围和条件必须遵守国会的规定;主权豁免原则假定主权者不能被诉,对主权者起诉,只能在法律放弃主权豁免范围以内;对放弃主权豁免的法律采取严格解释,避免包括法律规定范围外的诉讼原因。主权豁免原则在美国的侵权赔偿法律制度中具有根深蒂固的影响。

美国联邦行政侵权赔偿的法律渊源主要有两类:一类是就特定案件、特定事项、特定领域放弃主权豁免的法律,另一类是就较大范围放弃主权豁免的法律即联邦侵权赔偿法。

(一)特殊法律

美国历史上先后通过制定索赔法院法、塔克法、特殊侵权赔偿法等法律来实现主权豁免的部分放弃。按照美国宪法修正案第一条的规定,私人有权就政府侵害请求赔偿,因此,在早期没有法律放弃主权豁免之前,私人请求政府赔偿,只采取由国会制定一个私法律案(A Private Bill)的方式。私法律案是一个只适用于特定个人或团体的法律,不是为了公共利益而制定的法律。由于请求政府赔偿的私法律案数量很多,占用了国会很多时间,甚至影响了国会对其他议题的讨论,因此国会于 1855 年制定了索赔法院法(Court of Claim Act),设立了索赔法院。索赔法院只具有法院的名称,没有法院的实质,其管辖的范围仅限于联邦政府和私人之间因合同而产生的案件,法院的决定只是一个建议,没有最终处理问题的权力;法院在案件审理完毕后需将全部案卷和处理意见移送国会,由国会做最终决定,因此私法律案过多的情况仍然存在。国会于是在 1887 年制定了塔克法(Tucker Act)对索赔法院法作出改革,授予索赔法院就案件作出判决的权力。

由于客观情况的需要,国会还制定了一些特殊的侵权赔偿法,适用于特定领域内的侵权赔偿。这些特殊的赔偿法律没有共同的原则和程序,差别较大,有的赔偿数额不高,有的不设数额限制。例如,1922 年制定的小额赔偿法授权行政机关长官对雇员因执行职务过错给私人造成的损害,有权在 1000 美元以内决定给予赔偿。

(二)联邦侵权赔偿法

"一战"后,随着政府职能的扩张,侵权行为大量增加,国会无法处理大量增加的私法律案,迫切需要一部普遍适用的侵权赔偿法。1946 年,美国制定了联邦侵权赔偿法,成为联邦侵权赔偿的核心法律。此后,联邦三次对该法律作出重大修改:1966 年的修改使行政程序成为赔偿的前提,没有经过行政程序,不能向法院起诉;1974 年的修改扩大了政府的赔偿责任,将执法官员某些故意行为造成的损害纳入赔偿范围;1988 年的修改确立了国家对政府机构雇员侵权行为的代替责任,受害人不得追诉政府机构雇员的责任,但政府机构雇员违反宪法的侵权行为除外。国家对政府雇员职务范围内的侵权行为负责,来源于普通法上雇主对受雇人职务行为负责的原则。国家所负的责任是一种雇主责任,这种责任在普通法上被称为代替责任,即自己没有侵权行为的人,在一定的关系和条件下,代替他人的侵权行为负责。

刑事赔偿方面,受主权豁免原则的影响和基于财政负担等方面的考虑，美国联邦和各州刑事赔偿立法和实践相对较为保守落后。美国刑事赔偿有关的法律主要有《对于人民受联邦法院错误判决之救济法》、美国法典第28编第一千四百九十五条和二千五百一十三条等。根据上述法律，刑事赔偿的范围较为狭窄，获得刑事赔偿的法定条件非常严格，赔偿请求人须承担严格的证明责任并且可获得的赔偿金数额受到很多限制。虽然刑事赔偿立法已经引起美国很多州的重视，但立法的完善仍有一段漫长的路要走。

二、行政侵权赔偿责任的要件

根据联邦侵权赔偿法，联邦政府的任何人员在其职务范围内因过失、不法行为或不作为致使公民财产受损或人身伤害的，若依侵权行为地法，被侵权人应得到联邦政府的赔偿，则联邦政府如处于私人地位，于同等方式与限度内，与私人一样地负民事责任。

（一）侵权主体

侵权主体必须是联邦政府雇员，否则不产生国家侵权赔偿责任。

1. 联邦政府的机构

联邦政府的机构包括：普通行政各部，军事各部，属于联邦的独立机构，主要作为国家机构活动的公司以及司法部门和立法部门，不包括和美国订立合同关系的人。

联邦侵权赔偿法只适用于司法行为以外的行为，司法部门的行为如果构成司法程序的一部分时，不适用联邦侵权赔偿法。例如一个联邦法官上班时，自己驾驶的汽车撞坏别人的汽车。这虽然属于法官执行职务的行为，但不是司法程序的一部分，国家应按联邦侵权赔偿法负责。对司法部门提出赔偿请求应当向美国法院行政局（Administrative Office of United States Courts）提出。

立法行为不受联邦侵权赔偿法的调整，但立法部门的非立法的行为受联邦侵权赔偿法的规范。对立法部门的赔偿请求，依情况可以向总审计署或国会图书馆提出。

政府公司（包括政府只占部分股份的公司在内），必须是作为行政工具的公司才受联邦侵权赔偿法的调整。

和美国订立合同关系的人是指独立的订约人，他们和政府订立合同，完成政府需要的某些活动，但其工作不受政府的指挥和控制，不是政府机构。

2. 联邦政府机构的雇员

按照联邦侵权赔偿法的规定，联邦雇员包括下列人员：任何联邦政府机构的官员或雇员；美国军队的成员；代表联邦机关活动的人，不论其对美国的服务是临时的或是长久的，有报酬的或是无报酬的。

联邦侵权赔偿法中“雇员”一词，和普通法上的受雇人的意义相同。依照普通法，受雇人是为他人所雇佣从事某项工作或劳务的人，使用人对他执行工作的情况和结果有指挥和控制权。侵权行为人是否是政府雇员，是否和政府之间有雇佣关系，取决于他从事工作时是否受政府的控制以及控制的程度如何。只要事实上在联邦机构的指挥和控制下从事工作、进行活动的人，不论其产生的方式如何，都是政府雇员。例如，一个私人公司的雇员与政府订立合同，作为政府住房计划的经理人员，只要他接受政府的指挥，不是独立的订约人，也可以被认为是政府雇员。

“代表联邦机构活动的人”的范围比较广泛。有的是自愿帮助政府机构的人，例如在出现紧急事件的时候，接受政府指挥并向政府提供服务的人；有的是由政府指定参加某些委员会或咨询机构而不付报酬的人；也可能是由政府机构要求临时执行任务的人，例如哥伦比亚特区的一个狱卒，临时监管一名联邦囚犯，该囚犯由于狱卒的过失而受伤，该狱卒的侵权行为由联邦负赔偿责任。

（二）侵权行为

依照联邦侵权赔偿法的规定，联邦政府对雇员职务范围内的过失行为、不法行为或不作为负赔偿责任。一般情况下，请求人负举证责任，只有在行政机关的行为按照行为地的州法的规定可以推定有过失时，举证责任才转移到侵权人。

政府机构雇员的行为在其职务范围以内是产生国家赔偿责任的

重要条件。联邦承担侵权行为的责任限于职务范围内一般法律上的侵权行为,不包括侵犯宪法权利的行为在内。其理由是,一般法律上的侵权行为是日常生活中经常发生的行为,侵犯宪法权利的行为是比较严重的行为。宪法所保障的权利是社会生活中最重要的和最基本的权利,对于这类权利的侵犯应当特别考虑,国家不应当代替雇员负赔偿责任。

(三)侵权行为与损害结果之间具有因果关系

侵权行为须造成了现实的财产的损坏、人身伤亡等损害结果。请求人须证明行政机关雇员的行为是损害的直接原因,否则国家不负赔偿责任。例如,在一个案件中25名矿工由于煤矿爆炸而死亡,原告认为行政机关没有依照联邦煤矿卫生和安全法进行检查,请求国家赔偿。法院认为即使行政机关的检查疏忽,可依联邦侵权赔偿法起诉,然而这个过失不是事故的直接原因(煤矿经营者的过失行为才是事故的直接原因),国家不负赔偿责任。

(四)同等情形下,私人依侵权行为地法应负责任

按照联邦侵权赔偿法的规定,美国对其雇员的过失或不法的行为的责任,限于"美国如果作为一个私人时,依行为地法或不作为地法应向请求人负责的情况","美国负责的程度和方式,和私人在类似情况下的责任相同"。赔偿责任是否存在最后要看州法律特别是州侵权法的相关规定。

国家承担赔偿责任只要求在类似的情况下比照私人的责任,不要求和私人负责情况完全相同,国家不能以私人负责的情形作为理由而拒绝负责。例如在海港设立灯塔指导航行,是政府的活动,私人没有这种活动。如果私人从事这种活动,由于灯塔管理的过失而使船舶受到损害,法律肯定会规定私人的责任,因此,政府对灯塔管理过失造成的损害,应当负责。事实上,这妨碍了美国国家责任制度的发展,因为私人之间的责任是建立在平等关系之上,国家对私人的活动,有些不是建立在平等关系上的,这种活动和私人的行为没有类似的可能。

三、行政侵权赔偿的程序

（一）行政程序

1. 行政先行处理原则

1946 年的联邦侵权赔偿法规定，公民可自由选择行政程序或者司法程序请求赔偿，但在实践当中，法院受理的向政府请求赔偿的案件太多，判决的时间太久，为了减轻法院的负担，加速赔偿案件的解决，1966 年修改联邦侵权赔偿法，规定向法院提起诉讼前应先经过行政先行处理程序，把处理政府侵权赔偿的重心转移到行政机关，使赔偿问题能够用简易、迅速、廉价的方式解决，就不必用费时费钱的复杂的司法程序解决。

2. 一般的行政处理程序

联邦侵权赔偿法只规定了行政机关处理赔偿问题的权限，没有规定相关的程序，行政先行处理的程序主要由司法部长制定的条例规定。根据相关条例的规定，受害人应当按照损害赔偿请求书的标准格式书面提出赔偿请求，并说明损害的情况、请求赔偿的数额，提供相关的证据。被请求的机关可以决定接受或者拒绝赔偿请求，也可以双方协商决定赔偿数额。被请求机关作出拒绝的决定以后，请求人可以申请复议或者直接起诉。请求人接受机关决定的赔偿金额或双方协议的赔偿金额以后，政府的赔偿责任即已解除，请求人不得反悔，不得再就同一事件提出赔偿请求。

（二）诉讼程序

对联邦政府提起的侵权赔偿诉讼由联邦地区法院管辖，被告为每个政府，不应以任何政府机关或者政府机关的雇员为被告，诉讼程序适用联邦民事程序规则（Federal Rules of Civil Procedure）。

四、赔偿范围

（一）联邦侵权赔偿的性质

联邦侵权赔偿法规定的赔偿，属于补偿性质，国家只赔偿当事人由于政府雇员过失的、不法的行为或者不作为直接产生的损害，使当事人处在如果没有发生该行为之前的经济地位，当事人不能由于政府的侵权行为而得到超过其实际损失的利益。法院不会支持对国家提出的名义性赔偿（nominal damages）和惩罚性赔偿（punitive damages）的请求。联邦侵权赔偿法规定的财产损害、人身损害的具体内容和赔偿范围，由州法律规定。

（二）人身伤害的赔偿范围

人身伤害的范围由行为地法决定。在很多州，人身伤害的范围很广，不仅包括身体的损伤、痛苦和医疗费用，而且包括感情上的悲痛、丧失工作和伴侣的损害、诽谤的损害、侵犯隐私权的损害、恶意控诉的损害等情形。

（三）国家赔偿的免责

根据联邦侵权赔偿法，对下列情形，国家不负赔偿责任。

（1）行使自由裁量权的行为。

行政机关或者雇员行使自由裁量权的行为，国家不负赔偿责任。所谓自由裁量权的行为是指法律在某一事项上没有具体规定应当作出什么决定，行政机关或者雇员可以根据自己的判断，在各种可能作出的决定中选择对执行职务最有利的决定。自由裁量权行为的范围由法院判例决定。联邦侵权赔偿法作出这一规定的目的在于避免当事人和法院利用损害赔偿诉讼来干涉行政机关的职权。对行政机关滥用自由裁量权的行为，当事人不能请求赔偿，只能申请司法审查。根据联邦行政程序法的规定，法院可以撤销违法的行政行为。

（2）政府雇员本人负责的行为。

按照联邦侵权赔偿法，国家对政府雇员作出的“诽谤、造谣中伤、虚伪的陈述、欺骗、干涉合同权利”等行为，不负赔偿责任，而由其本人负责，如赔偿数额巨大、雇员无力承担时，受害人可以请求国会通过私法律案来赔偿其损失。作出这一规定的原因是，司法部认为政府对这类赔偿请求，在诉讼中很难防卫，受害人容易把损害赔偿额扩大，对政府的财政预算会产生很大的压力。

(3)特定领域的免责。

下列事项由于有其他法律救济手段,或者由于公共政策的考虑,不适用联邦侵权赔偿法。

①邮政运输:邮件的丢失、误投或疏漏传递;

②租税、关税、扣留货物:因任何租税或关税的评估或征收,或者因海关官员或其他执法官员对任何私人财产或商品货物的扣押;

③海事案件:海事案件中对美国提起的诉讼请求,适用海事诉讼法和公共船舶法的规定;

④对敌通商法授权美国总统在战争期间可以扣押、管理、控制、出卖敌国及其国民和同盟国的财产,法律对不正当的扣押财产规定有行政的和司法的救济手段;

⑤检疫或强制检疫而引起的损害赔偿;

⑥财政部的财政活动和金融管理活动引起的损害;

⑦军队在战争期间战斗行为产生的损害;

⑧对于发生在外国的损害行为,或者根据外国法律向每个主张的赔偿责任,不适用联邦侵权赔偿法;

⑨田纳西流域管理机构、巴拿马运河公司、联邦土地银行、合作银行的活动,也不适用该法。

五、赔偿金额和支付方式

行政处理程序中,赔偿金额在25,000美元以下的,由赔偿机关在预算拨款内支付;赔偿金额在25,000美元以上的,必须经过司法部长的批准。机关赔付后,需将当事人的收据,连同司法部长的批准,移送总审计署,由总审计署通知财政部从判决基金(judgment fund)项目中付款。

法院判决的赔偿金的支付是由司法部把判决书的副本交由总审计署办理,开出付款支票,然后由承办案件的检察官将赔偿金转交原告律师。经法院判决所支付的费用,由财政部的经常性不确定的拨款中支付,与各部的预算无关。

六、刑事赔偿

美国联邦关于刑事赔偿的规定主要有《对于人民受联邦法院错误判决之救济法》、美国法典第28编第一千四百九十五条和二千五百一十三条。美国法典第一千四百九十五条规定联邦索赔法院有权管辖因不当定罪与监禁而起诉美国的损害赔偿案件。该法典第二千五百一十三条原则性地规定了错误定罪与错误监禁的损害赔偿问题,规定任何人依第一千四百九十五条起诉时必须宣称并证明下列事实:第一,对他的定罪被撤销,因他并未犯被判罪行;或者在重新审理或重新听证中发现他无罪,正如作出撤销判决的法院记录或证明文书所显示的那样;或者是他基于无罪和不当定罪而被赦免;第二,他并未实施被指控罪行,或者与指控有关的行为、契约或不作为并未构成针对美国、美国各州或哥伦比亚特区的犯罪行为,并且没有因其自己的不良行为或疏忽而导致被起诉。同时,第二千五百一十三条规定,证明前款事实的证据应当是法院的证明文件或载有他所主张事实的赦免状,对其他的证据,法院将不予接受。2004年以前,根据相关规定,无论被监禁多少年,美国联邦对于受到错误定罪和错误监禁的人的损害赔偿金总额不得超过5000美元。2004年10月,美国国会通过了一项法案对这一规定予以修改,规定:“受错误监禁的人,应给予其每年5万美元的赔偿金,如果当初被判死刑,应给予每年10万美元的赔偿金。”对联邦政府提起的刑事赔偿诉讼由联邦索赔法院管辖,适用联邦侵权赔偿法中的程序性规定。

七、州和地方政府行为的赔偿责任

地方政府对其制定的法令、条例和遵循的习惯违反联邦宪法或法律时所产生的损害负赔偿责任。美国法典第42编第21章第一千九百八十三节规定了州和地方政府雇员执行职务违反联邦宪法和法律时的赔偿责任,“任何人凭借任何州或领地或哥伦比亚特区的任何法律、法令、条例、习惯、惯例,剥夺或促使剥夺任何美国公民或在其管理区域内的其他人,根据宪法和法律而享有的任何权利、特权或豁免,必须对受害人依照法律、衡平法提起的诉讼承担责任,或依其他适当的救济程序的责任”。第一千九百八十三节所确立的州和地方政府赔偿责任的基础是,地方政府必须对自己的行为负责。受害人要求地方政府赔偿时,无须指出地方政府颁布的政策针对某一特定的人,也无须指出地方政府雇员存在过错,只需要指出地方政府制定政策允许某种行为,而这种行为侵害了他的联邦权利,就足以构成地方政府的责任。

关于州的刑事赔偿制度,至2004年9月,美国已有19个州制定了对错误定罪与错误监禁给予赔偿的法律。在没有制定刑事赔偿法律的州里,受到错误定罪与错误监禁的人可以向州议会申请通过“道义责任法案”(Moral Obligation Bill)以获得赔偿金,但这不是一项有效而及时的救济方式。

美国各州并无关于刑事赔偿的专门立法,相关规定往往存在于州索赔法院法中(如纽约州、伊利诺伊州),或者存在于民事诉讼法“以州为被告的特殊诉讼程序”部分(如缅因州、得克萨斯州、新罕布什尔州),或者存在于刑法典中(如加利福尼亚州),有的州则在有关公共财政的法律中对刑事赔偿作出规定(如田纳西州、马里兰州)。各州在刑事赔偿范围、条件、方式和标准等方面与前述的美国法典第28编第一千四百九十五条和第二千五百一十三条的规定比较类似。

参考文献:

1. 王名扬:《美国行政法》,中国法制出版社2005年版。
2. 房绍坤、毕可志主编:《国家赔偿法学》,北京大学出版社2004年版。
3. 张正钊主编:《国家赔偿制度研究》,中国人民大学出版社1996年版。
4. 张红:“美国刑事赔偿制度论要”,载《行政法学研究》2005年第4期。
5. 应松年等:《国家赔偿法赴美考察报告》,2006年。

日本国家赔偿法律制度

一、日本国家赔偿法律制度的渊源

日本1946年宪法为日本的国家赔偿提供了宪法依据。1947年，日本通过国家赔偿法，奠定了日本国家赔偿法律制度的基础。1950年，日本通过了刑事补偿法，作为国家赔偿的特别法律制度。此后，日本又在一些特别法律，如消防法、水防法、文化财产保护法、公众电信通信法、邮政法、邮政储金法、铁路营业法等中规定了有关国家或公共团体的国家赔偿责任。

根据日本国家赔偿法规定，国家赔偿法未规定的事项适用民法的规定，因此，日本民法典也是日本国家赔偿法的渊源之一。此外，司法判例也是日本国家赔偿法律制度的重要渊源。

二、日本国家赔偿的归责原则

（一）违法责任原则和过错责任原则

日本的国家赔偿法对公务员行使公共权力导致的国家赔偿责任采取违法责任原则和过错责任原则。过错包括故意和过失。其中，判断是否存在过失，以是否违反一般公务员应具有的注意义务为标准，即对损害的发生是否存在预见和回避的可能性。

关于违法与过错的关系，日本的司法实践中存在以下几种做法：（1）在国立学校和公立学校事故的判例中，法院不进行违法性和过失的二阶段审查，仅判断公务员是否违反注意义务；（2）不作为案件中，不作为的违法性得到确认的情况下,过失也被推定承认;(3)作为案件中,首先判断行为是否违法,再在此基础上进行过错的认定。

对法官违法裁判的判断标准是法官出于违法或者不当的目的作出裁判,并且明显地违背其履行职务应当遵循的原则。二审改判并不当然地构成国家赔偿法上的违法,关键在于一审法院是否有合理的证据基础作为有罪判决的依据。此时,违法仅限于故意的情况,并且对违法和故意进行一元化判断,违法一旦确认,国家赔偿责任成立。

检察官和警察的行为的违法标准是其行为是否符合职务行为规范,而不论其行为的结果正确与否。如果提起公诉或者上诉以后,被告因为证据不足而被判无罪,检察官是否构成过失在于其是否缺少合理的证据基础。如果当事人被拘留或者逮捕但并未对其提起正式的指控,判断过失的标准在于警察是否有怀疑当事人存在违法行为的合理基础。在检察官和警察的行为被确认违法的情况下,故意和过失通常是被推定的。

(二)无过错责任原则

日本对于公共设施建设或管理不当导致的国家赔偿责任,采取无过错责任原则。如果由于公共设施缺少应有的安全性而造成了损害,无论其设置管理者是否存在过错,均构成国家赔偿责任。

(三)结果补偿原则

在日本,刑事补偿采用结果补偿原则。如果依据法律对国民进行关押、拘禁、拘押或者执行刑罚,但经过刑事普通程序、再审程序或者上告程序宣判无罪的,即构成刑事补偿,无论上述行为是否违法且有关官员有无过错。如果关押、拘禁、拘押或者执行刑罚的行为违法并且有关官员存在过错,则同时适用国家赔偿法或者其他有关法律。

(四)国家赔偿和国家补偿的关系

日本将对因国家或地方公共团体的活动造成国民的损害或者损失给予补偿的制度统称为国家补偿制度。国家补偿制度由损失补偿制度、国家赔偿制度和基于结果责任的国家补偿制度构成。损失补偿制度是对国家的合法活动造成的损失给予的补救。国家赔偿制度是对国家的违法活动造成的损失给予的补救。基于结果责任的国家补偿制度是指根据特别法的规定,基于损害结果的发生给予的补救。

(五)不作为的违法

日本的行政赔偿中,行政官员的违法行为既包括作为,也包括不作为。如果政府机关有作为义务而未能作为,且没有合理的理由,受害人可以根据国家赔偿法起诉,法院可以判定存在过失。一些法律明确规定了行政机关的作为义务。如果法律没有明确规定行政机关的义务,主要依据是否存在危险、行政机关作为的可行性、行政机关作为的必要性来判断行政机关的行为是否违法。

三、日本国家赔偿的范围

(一)赔偿范围较广泛

日本对国家赔偿范围的规定采取概括的方式,国家赔偿的范围比较广泛。日本的国家赔偿包括因公共官员的违法行为的国家赔偿和因公共设施建设或管理不当的国家赔偿。“公共官员”指被授予行使公共权力的任何人,范围很广,包括:(1)行政机关的工作人员;(2)法院、国会、防卫厅等国家机关的工作人员;(3)国营企业和公立学校的官员;(4)被委托行使国家权力的民间人士。相应地,日本的国家赔偿不仅包括行政赔偿,还包括立法赔偿、司法赔偿、军事赔偿以及其他国家赔偿。国家邮政、铁路、学校、医院等部门的职务侵权行为也通过最高法院的判决被逐渐纳入国家赔偿的范围。

(二)立法赔偿

在日本,国会立法议员对其在立法过程中的活动,一般情况下只承担政治责任,不产生国家赔偿责任。但是存在以下例外情形:如果国会制定的法律被法院裁定违宪或者对被裁定违宪的法律不予修改,则产生国家赔偿责任。

(三)行政赔偿

日本的行政赔偿范围比较广,包括行政官员的违法行为造成损害的赔偿和公共设施建设或管理不当造成损害的赔偿。对于行政赔偿,应注意以下几点:(1)适用国家赔偿的行政权力的行使既包括强制性的权力性行政行为,也包括非强制性的非权力性行政行为,只排除纯粹的私人经济行为和公共设施的管理不当。(2)行政官员的违法行为既包括作为,也包括不作为。(3)行政机关裁量范围内的行为不在国家赔偿范围之内,但是缺乏正当性的滥用行政权的行为构成国家赔偿责任。(4)虽然日本已出现将违宪审查和国家赔偿诉讼结合审查的案例,但对于是否应当将行政法规、行政规章等行政立法行为纳入国家赔偿的范围,日本的学术界和司法界均存在争议。(5)在日本,如果行政指导机关与受害人的行为之间存在法律上的因果关系,而行政指导错误,则构成违法。行政指导机关应当就此产生的损害承担国家赔偿责任。(6)日本规定了军事赔偿,并将其纳入行政赔偿的范围。(7)行政赔偿既包括对财产损害的赔偿,也包括对非财产损害的赔偿,但不包括对行政侵权所造成的名誉损害的赔偿。对财产损害和非财产损害的赔偿都以金钱赔偿为主要方式。

(四)司法赔偿

在日本,引起司法赔偿的行为包括:侦查、搜查、扣押、逮捕、拘留和在报纸上发布通告。(1)在对警察的起诉中,如果当事人被拘留或者逮捕但并未对其提起正式的指控,是否予以国家赔偿的关键在于警察的行为是否有过错,而判断过错的标准在于警察是否有怀疑当事人存在违法行为的合理基础。如果警察在逮捕当事人的过程中造成死亡或者伤害,或者在拘留的过程中有虐待行为,也可能产生国家赔偿。(2)在涉及检察官的诉讼中,如果提起公诉或者上诉以后,被告因为证据不足而被判无罪,以检察官是否缺少合理的证据作为判断其是否构成过错和国家承担赔偿责任的标准。(3)对法官的国家赔偿诉讼主要针对错判或者诉讼费用过多的情形。如果二审法院认定一审法院的刑事判决错误并且改判,被告可以根据被羁押的事实提起国家赔偿诉讼。关键在于一审法院是否有合理的证据基础作为有罪判决的依据。如果有合理的证据基础而只是二审法院对证据有不同的判断,或者在二审过程中补充了新的证据材料而对事实作出了新的认定,一审法院均不构成过错,相应地不构成国家赔偿责任。法官只有在出于违法或者不当的目的作出裁判,并且明显地违背其裁判宗旨行使裁判权的情况下才产生国家赔偿责任。

(五)公共设施建设或管理不当的国家赔偿

公共设施不仅包括道路、河川、飞机场、港湾、桥梁、堤坝、下水道、政府机关和地方公共团体的办公场所、国立或公立学校及医院等为公共目的使用的有体物,也包括附加人工设施的池沼、海面、湖泊等自然公物,甚至包括自然现象。产生国家赔偿责任的公共设施限于用于公共目的的公共设施。如果公共设施是营利性的,如国营铁路,则国家根据民法典承担赔偿责任。"建设或管理不当"是指公共设施缺少通常应有的安全性,而不管国家和公共团体是否存在过失,包括:(1)建设的不当,即公共设施本身的构造、性质等状态有缺陷,缺少应有的安全性;(2)管理的不当,即管理者违背管理的义务,使公共设施缺少应有的安全性。公共设施是否缺少应有的安全性应当综合考虑该公共设施的构造、用法、场所的环境以及利用情况,并以是否存在预见可能性和回避可能性为基准。以下情形不被认为是公共设施缺少通常应有的安全性:(1)由于被害人进行了通常情况下难以预测的活动引起事故的发生;(2)对损害的发生没有预测的可能性;(3)对损害的发生没有回避的可能性;(4)自然灾害等不可抗力造成损害的情形。

(六)国家赔偿责任的免责事由

以下行为不在国家赔偿责任的违法行为之列:(1)国防、外交等国家统治行为,如宣布戒严、命令选举国会议员、缔结条约、决定赦免的行为。(2)特别权力关系中的非越权行为。特别权力关系是指国家或公共团体等行政主体基于特别的法律原因,在一定范围内对相对人有强制命令权,而相对人有服从的义务。如政府与公务员的关系、学校与学生的关系、监狱与犯人的关系。在此种关系中,如果行政主体没有超越职权范围,不构成违法。(3)行政裁量范围内的行为，但是滥用裁量权的除外。

（七）损害赔偿的范围

日本国家赔偿的损害赔偿范围包括对人身损害和财产损害的赔偿，直接损害和间接损害（可得利益的损害）的赔偿，以及精神损害的赔偿。应注意：(1)对财产权的损害赔偿，包括直接和间接的财产损害赔偿以及因财产损害引起的精神损害赔偿。(2)对人身权的损害赔偿范围，对侵害他人身体造成损害的，应当赔偿必要的疗养费、休业赔偿费及残疾赔偿费；对侵犯生命权（造成死亡）的，应当向被害人的继承人赔偿遗属赔偿费、殡葬费以及慰抚金。慰抚金属于精神损害赔偿的范围。

四、国家赔偿的标准

（一）侵犯人身自由权的赔偿标准

根据日本刑事补偿法的规定，对于关押和拘禁的补偿，按照日数以一天1000日元以上7200日元以下的金额比例交付补偿金，同时考虑关押的种类、时间的长短、本人在财产上所受的损失和利益、精神上的痛苦和身体上的损失以及警察、检察和审判各机关有无故意及其他有关情况。但以下两种情形除外：(1)法院可以不予部分或全部补偿的情形。一是本人以使侦查或审判陷入错误为目的，故意作虚伪的供述或制造其他有罪证据，以致被认为应该受到起诉、判决前的关押或拘禁及有罪判决的。二是通过一个审判对数个行为做出判决，虽有一部分受到无罪判决，但其他部分受到有罪判决的。(2)应受补偿的人，出于同一原因，已依其他法律获得的损害赔偿的数额等于或超过依刑事补偿法应受补偿金额时，不予补偿。但如果该损害赔偿数额比依刑事补偿法应受损害赔偿数额少时，则应在扣除该损害赔偿数额后，再核定补偿金的数额。对在劳役场所执行劳役的，按关押或拘禁的赔偿标准给付补偿金。

（二）侵犯生命权致人死亡的赔偿标准

根据日本国家赔偿法的规定，对给予一次性恤金或遗存年金的情形,按以下标准给付赔偿金:(1)按生命权被侵害当月月薪或月实际收入的1个月至60个月内平均工资,以360日至1700日计算对继承人予以赔偿;(2)生命权被侵害时有关法令所规定的殡葬费。同时,对被害人的直系亲属和配偶,综合考虑被害人的社会地位、过失程度、遗属生活情况、遗属赔偿额等情况赔偿抚慰金。死者的月薪、月实际收入或平均工资必须有被害人所在单位领导的证明或者其他有公信力的证明,如不能证明则依有关法令的规定。

根据刑事补偿法的规定,对执行死刑给予的赔偿金,法院应当按其认为适当的数额给付,但以2000万日元为限。如果能够证明因本人死亡所造成的财产损失额,考虑本人的年龄、健康状况、收入能力及其他情况,补偿金数额为损失额加上2000万日元以内的赔偿金。

(三) 侵犯健康权的赔偿标准

根据日本国家赔偿法的规定,侵犯健康权的赔偿标准包括:(1)必要的疗养或给付相当的疗养费;(2)按疗养期间月薪或月实际收入或平均工资损失额的50%给予休业补偿;(3)身体伤残的,按受害时月薪或月实际收入或平均工资乘以伤残等级对应的月数或日数给付伤残赔偿金。被害人的月薪、月实际收入或者月平均工资必须有被害人住所地税务署长、区厅长、市长、郡守及被害人单位的证明或其他有公信力的证明,如不能证明则依有关法令的规定。

(四) 侵犯财产权的赔偿标准

根据日本刑事补偿法的规定,侵犯财产权的赔偿标准包括:(1)对执行罚金、罚款或者征收追征金的,在罚金、罚款或者追征金的基础上,从征收的次日至决定补偿之日按年息5厘的数额给付补偿金。(2)对执行没收的,如果没收物还未处理,应当返还原物;已经处理的,按该物当时的价格给付同等数额的补偿金。(3)依其他法律提出损害赔偿的请求人,如果出于同一原因已经依刑事补偿法受到补偿时,应当在扣除该补偿金的数额后,再核定损害赔偿的数额。

五、国家赔偿的程序

日本的国家赔偿诉讼依民事诉讼程序进行,与一般的民事诉讼程序没有区别。但刑事赔偿的程序依刑事补偿法的规定进行,刑事补偿法未规定的,适用刑事诉讼法的规定。

(一)撤销诉讼和国家赔偿诉讼

在日本,对于某种行政活动的救济,原告可以在撤销诉讼和国家赔偿诉讼中进行选择,既可以提出其中任何一种请求,也可以同时提出两种请求。赔偿请求人如果直接提起国家赔偿诉讼,无须首先取得该行政行为有关的撤销或无效确认的判决。如果先提出撤销诉讼,其判决的既判力涉及此后的国家赔偿。

(二)刑事赔偿程序

根据日本刑事补偿法的规定,受到无罪判决的人应当在无罪判决作出的3年内向作出该判决的法院提出赔偿请求,由该法院作出裁定。如果请求人对该裁定不服,可以向上一级法院提出控告。但如果作出该裁定的是高等法院,可以向该高等法院提出异议。

六、国家赔偿的方式

根据日本国家赔偿法第四条的规定,国家赔偿法没有规定的,适用民法的规定。日本国家赔偿法并未列举赔偿方式,因此,日本国家赔偿的方式适用日本民法的规定。但是刑事补偿法等特别法有规定的,优先适用特别法的规定。

实践中,日本国家赔偿方式以金钱赔偿为原则。既包括对财产权损失的赔偿,也包括对人身权损害的赔偿;既包括对物质损失的赔偿,也包括对精神损害的赔偿,如慰抚金。此外,在刑事补偿法中,规定了返还原物的赔偿方式。即执行没收的,在没收物未处理的情况下,应当返还原物。

七、国家赔偿的主体

日本国家赔偿的主体是国家或者公共团体,视违法行使公共权力的公共官员或者致害的公共设施的归属而定。公共团体是指国家以外的公法人,包括地方公共团体、公共组合及营造物法人。公共组合是指具有法定资格的成员成立的公法意义上的社团法人，如土地改良区组合、渔业互助组合。营造物法人是指为实现国家目的，由国家提供财产、设备以及人员而构成的公法意义上的财团法人，如基金会、港务局。

如果地方公共团体的执行机关管理执行国家机关委任的事务而产生损失，被害人除了向该地方公共团体提出赔偿请求以外，还可以向国家提出赔偿请求。在一定条件下，向地方公共团体的事业交付补助金的国家负有赔偿责任。

公务员的选任、监督者，或公共设施的设置、管理者和负担公务员的薪金、津贴及其他费用或者有关公共设施的设置、管理费用的人(费用负担者)如果不是同一主体时，被害者可以选择对公务员的选任、监督者或者公共设施的设置管理者和费用负担者的任何一方，提出赔偿的请求，而这些主体之间可以互相行使追偿权。

在公共官员的违法行为导致的国家赔偿责任中，如果公共官员存在故意或重大过失，国家或公共团体对其享有赔偿请求权。如果公共设施的致害就损害的原因而言另外有应当负责的人时，国家或公共团体对其有求偿权。“应当负责的人”是指对公共设施有管理义务的公务员和公共设施建筑工程的承揽人。

参考文献

1. 应松年主编:《四国行政法》，中国政法大学出版社 2005 年版。

2. [日]盐野宏著:《行政法》，杨建顺译，姜明安审校，法律出版社 1999 年版。

3. [日]室井力主编:《日本现代行政法》，吴微译，罗田广校，中国政法大学出版社 1995 年版。

4. [日]南博方著:《日本行政法》，中国人民大学出版社 1988 年版。

5. 杨建顺著:《日本行政法通论》，中国法制出版社 1998 年版。

6. 皮纯协、何寿生编著:《比较国家赔偿法》，中国法制出版社 1999 年版。

7. 胡建淼:"中日国家赔偿法:比较与研究",载《宪政论丛》(第1卷),法律出版社1998年版。

8. 林准、马原主编:《外国国家赔偿制度》,人民法院出版社1992年版。

意大利的国家赔偿法律制度

一、国家赔偿法律制度的渊源

意大利没有统一的国家赔偿法。国家赔偿的主要法律依据是宪法和刑事诉讼法的有关规定。

意大利共和国宪法第二十四条规定:“任何人为保护自己的权利和合法利益,均享有提起诉讼的权利。……纠正错判后果之赔偿条件和方法,由法律规定之。”第二十八条规定:“根据刑事法律、民事法律及行政法律,国家与公共团体的官员和职员应对侵权行为直接负责;在此种情况下,国家和公共团体亦应负民事责任。”意大利刑事诉讼法第五百五十条规定:“凡人民受有罪判决,在押达三个月以上,而经复审认明无罪者,得请求国家赔偿。”实践中,除根据宪法和刑事诉讼法的规定外,以往的司法实践是处理国家赔偿案件的主要依据。法学理论对法院处理国家赔偿案件也发挥着重要的作用。

二、国家赔偿的归责问题

19 世纪后期,在意大利尽管没有法律规定,但在司法实践中适用欧洲很多国家实行的“公务员如故意或过失违反其对第三人的职务义务,则应对第三人由此遭受的损害负赔偿责任”的原则。在 20 世纪上半期通过司法实践实行了国家直接责任。但是,国家责任取代了公务员的个人责任后,公务员执行职务时就变得不负责任。所以,1947 年意大利宪法中规定,公务人员对于其违反职务义务的行为,应按现行刑法、民法和行政法承担责任。因此,目前行政主体的责任包括职务责任和个人责任。

意大利国家赔偿的总的原则是,只要公务员有违法行为存在,国家就负责赔偿。关于赔偿责任的条件问题,意大利的公法没有特别的规定,比照适用民法典中第二千零四十三条的规定,损害赔偿的条件是:(1)故意或过失的行为;(2)违法损害;(3)在行为和损害之间有因果关系。在司法实践和法学理论中,对这一要件的内容是不断地作出解释和发展的。

一般政府有义务使自己的行为符合法律,并应保证其工作人员行为的合法化,政府应对政府官员的行为负责任。政府使公民受到损害,就要负赔偿责任。但如果是官员的个人行为,政府是不负责任的。米兰市政府设有律师协会,有三十多名律师,主要为米兰市政府做案件辩护,每一案件律师从一开始就介入。每年大概有 2000 件案件,其中一部分是行政赔偿案件。通常是公民向政府提出赔偿要求,如果没有达成一致意见,才向法院起诉构成赔偿案件。对于公共事务的管理,米兰市政府采用政府责任险的方式,即每年市政府要向保险公司投保约 800 万欧元的责任险,保险范围含火灾、水灾、车辆、意外、市政、行政管理等。如果发生赔偿案件,可由保险公司支付大部分的费用。

三、国家赔偿的范围

意大利公民的权利有强权利和弱权利之分,如公民的财产权是强权利,财产权之外的就是弱权利。强权利之外的弱权利,可以理解为一种利益。根据意大利民法典的规定,赔偿只涉及强权利,不涉及弱权利。1999 年又对民法典第 2043 条作出解释,不论是强权利还是弱权利受到损害,都可以要求国家赔偿。意大利国家赔偿的范围包括合法行为的补偿和因违法行为的赔偿、司法赔偿、立法赔偿等方面。对于因维护公共利益而对私人权利和利益带来的损害(意大利法律语言称“牺牲”),要给予补偿;对于违法的行政活动带来的损害

（意大利法律语言称“损害”），要给予赔偿。司法赔偿包括司法人员错误裁判、错误关押、错误逮捕等方面。国家因公共利益进行合法的征收，公民不可以要求赔偿，除非是违法的征收。有时国家造成的损害是合法的，也要赔偿，但不是总的原则，例如国家收回一个决定，可能会造成损失，国家可能会向私人支付一笔钱，但这笔钱不一定是国家赔偿。

关于法官的职务赔偿，意大利有严格的限制：一是要看法官的行为造成的损失是否巨大；二是要看所造成的损失是否清楚；三是法官不是负百分之百的责任，只付工资的某一部分的赔偿，为年收入的1/3。一般法官都有一个保险，因此即使赔偿，法官也不会受到很大的损失。但在意大利至今还没有一起对法官要求过错赔偿的案件。

四、损害赔偿的数额

对牺牲作出的补偿，通常低于牺牲导致的财产损失；对于损害作出的赔偿，要求得到全部恢复，这种恢复一般有两种方式：恢复原来的状态，或者是通过价值赔偿，即通过给付必要的金钱。不管在什么情况下，损害赔偿范畴和数额必须能将损害完全消除，一般损害赔偿必须能弥补财产损失，在大多数情况下也必须弥补收入损失。对于损害赔偿的数额应如何计算，意大利的法律没有明确规定，法院在多年的司法实践中根据经验有一些基本的参数。例如，一个招投标工程，没有中标的企业认为自己应该中标而没有中标，起诉要求政府赔偿，法官也许会判政府赔偿工程造价的10%，其中包括企业打官司费、机会损失费。但并不是所有的法官都同意赔偿。而在另一个案件中，政府要建一条通往机场的路，一个企业没有中标，法院判政府赔了40万欧元。又如，一个企业家被判6年刑期，后来查明是认错人了改判为无罪，赔偿了400万欧元。

关于赔偿的标准，根据意大利民法典第二千零五十六条和第一千二百二十三条的规定，有三个内容：第一，必须造成财产上的损失；第二，赔偿要考虑到受害人没有得到的东西；第三，必须是直接损失。

这三条是法官在判决赔偿数额时应该考虑的。假如被损害人无法证明这三点,法官不会判决赔偿。这三条是关于民事赔偿的标准,适用于国家赔偿,但没有规定赔偿的上限。比如,一个人失去一双手与一个钢琴师失去一双手的赔偿数额是不同的。近些年,意大利的司法实践中,还有一种发展趋势是在国家赔偿中考虑非财产赔偿,包括精神损失、生物损失(指对个人身体健康造成的损失)、生存方式损失(指对公民个人和个人的关系造成的损失)。这一趋势是法官在司法实践中总结适用的,而立法机关对此不太感兴趣。对于错误关押,要给予精神赔偿,但法律上没有具体数字,根据个案确定。例如,有一个人被判 1 年有罪后改判无罪,赔了 50 万欧元。但如果关押的时间长,可按每天 230 欧元赔偿,还要考虑个人的基本情况、家庭的具体情况等因素。

五、国家赔偿的程序和赔偿主体

意大利的国家赔偿很大程度上是通过法院判例建立起来的。一般没有法官的裁决,行政机关是不愿支付赔偿的,有时他们宁可付出双倍的补偿金。公民如认为行政行为违法给自己造成损害,可以直接向国家机关要求赔偿,由造成损失的机关支付。如果造成损害的机关是政府的几个行政部门,则由政府负责赔偿。公民也可以向法院提起诉讼要求国家赔偿,这时要向所在地的中级法院提起诉讼。意大利全国现共有四十多个中级法院。如果不服中级法院的裁判,可上诉到罗马最高法院。如果向国家机关的某个部门要求国家赔偿,要向它所在地的法院提起诉讼。对非法关押的,有权向做出错误裁定的法院的上诉法院控告。损害赔偿的诉讼时效是 5 年。意大利的法官有民事法官和行政法官,行政法官受理行政措施造成的损害的赔偿。

英国国家赔偿法律制度

一、英国国家赔偿制度的特点

英国是一个典型的普通法系国家,其国家赔偿制度也是建立在普通法基础之上的,这就使得英国的国家赔偿制度具有许多大陆法系国家所不具有的特点。这主要表现在:

(1)英国的行政机关和司法机关被视为与其他私法上的主体没有本质区别的法律主体,公务员、地方当局成员、警察以及司法官员等个人在普通法上首先被假定为与其他公民具有同样的法律地位并应当承担同样的法律责任。

(2)英国的国家赔偿区分英王和其他公权力主体的赔偿责任。英王的赔偿责任适用特别法,而其他公权力主体的赔偿责任则适用普通法。

(3)英国没有法国式的公务过失理论和行政契约理论,不论公法关系或私法关系中的赔偿责任都适用相同的法律原则。另外,行政机关代表公共利益享有私人所不具有的很多权力,也负担一些私人所没有的法律义务,所以行政赔偿责任与私人的责任不完全一样。

(4)英国的国家赔偿主要是指行政赔偿,英王不承担司法赔偿责任,司法人员胡作非为造成侵害的,承担个人责任。在发生误判的情况下,通过英王的特权向受害人提供一种特别的优惠安排,受到误判而经纠正的受害人可以申请"特惠"支付。此外,英国还建立了刑事伤害补偿制度,对受到暴力犯罪伤害的人由国家给予补偿。

二、英国国家赔偿制度的历史发展

英王在行政上的赔偿责任由1948年施行的《王权诉讼法》规定。之前，与其他公共机构不同，英王的赔偿责任受两个封建时代的法律原则支配：实体法上的规则是国王不可能为非；程序法上的规则是英王不得在自己的法院中被诉。这两个规则在20世纪继续有效意味着，在1948年以前，既不可能明确授权法院对英王的过错予以追诉，也不可能因为英王臣仆在受雇过程中的过失而追诉英王。不仅如此，中央政府部门中的部长也不会对其部门职员的侵权行为承担代理责任，因为在法律上，部长及公务员具有与英王的臣仆同样的法律地位。

这种制度对行政官员和受害人来说都不公平。行政官员为公办事，本来不应自己负责赔偿；受害人常因官员资财微薄而得不到完全的赔偿。但在实际执行中这种制度得到一些缓和。在行政官员受到控诉时，常由财政部的律师代为辩护。在法院判决官员赔偿时，由财政部支付赔偿金。但财政部的行为只是出于恩惠，不是一种法律责任。对于程序上英王不能作为被告的困难，实际中英王可以任命一名被告，接受法院送达的诉讼文书并负担法院判决的赔偿责任。

然而这种做法却在1946年遭到上议院的反对，上议院认为，被英王任命的被告不可能对指控的侵权行为承担个人责任。于是迫切需要改变法律以允许英王在侵权案件中被追诉。1948年施行的王权诉讼法取消了英王的行政赔偿责任豁免，英王的赔偿责任原则上和一般公民相同，这标志着英国国家赔偿制度在法律上最终得以确立。

三、英国国家赔偿的范围

（一）侵权行为的责任

1. 一般原则

英国普通法上的一个重要原则，是行政人员由于职务上的违法行为侵害公民的权利时，必须按照一般的法律原则负担赔偿责任。

这种责任只在法律上对某类人或某些行为有例外的规定时才能免除。

一般法律上雇用人对受雇人职务上的侵权行为负连带责任的原则,也适用于行政人员执行职务时的侵权行为。但这个原则适用于英王及其公仆和适用于地方政府及公法人的情况不完全一样。后者完全按一般的法律原则负责,而英王的责任有特别的规定。行政机关既然对其工作人员的侵权行为负连带的赔偿责任,由于行政机关的赔偿能力强,受害人实际上往往要求行政机关赔偿。

2. 故意侵害行为的责任

行政官员利用职务故意侵害公民权利时,构成职务上的故意侵害行为。对于这种侵害,行政机关或者官员必须负担赔偿责任。故意的侵害行为所以负担赔偿责任,主要是因为这种行为是出于恶意。法院对于恶意采取广义解释,不仅包括动机不纯的恶意,而且包括不问动机如何,只要行政官员明知没有权力并且可能发生损害而仍然采取的行为在内。

3. 过失侵害行为的责任

行政机关在行使权力时,必须注意采取不侵害或不加重侵害公民权利的措施。行政机关欠缺合理的注意,即有过失存在,应对过失的侵害行为负责。行政机关的过失责任分为一般过失责任和行使自由裁量权的过失责任两种。

行政机关对于在权限范围内的执行职务中的过失行为负责,是行政法上的一般赔偿责任。英国普通法对于过失责任一般侧重于保护传统的人身和财产方面的权利。第二次世界大战以后,产生了一些新的经济、社会和文化方面的权利,传统的过失责任的适用范围显然需要扩大,究竟范围如何,现在还不完全明确。

行政机关行使自由裁量权侵害公民的权利时,只在两种情况下才负赔偿责任:一是行政机关的决定极端不合理,其他任何人在同样情况下不会作出同样的决定;二是行政机关的决定严重缺乏事实根据,足以认为没有认真地对待问题。通常在行政机关所作决定涉及公民的重大利益时,则要求给予更大的注意。换句话说,行政机关在行使自由裁量权时,只在不诚实地作出决定或者作出决定具有严重过失因而侵害公民权利时,才负赔偿责任。否则公民只能用司法审查中的救济手段,要求法院撤销、改变行政决定,或禁止行政机关的行为。

4.危险责任

1868年英国上议院在一个案件的判决中确定了危险责任原则:一个人为了自己的目的而实施危险的行为时,如果侵犯了别人的权利,即使没有过失也应当负担赔偿责任。英国在某些个别的法律中规定了行政机关的危险责任,如1965年的核装备法、1965年的煤气法、1972年的有毒废品安置法。特别值得注意的是1948年施行的王权诉讼法中也承认了中央政府对财产的所有、占有和控制的危险责任。

5.不履行法定义务的责任

英国传统的观点认为,行政机关只要不履行法律规定的义务而给公民的权利造成侵害,就应当负赔偿责任。但19世纪后期以来,法院的观点有所改变,认为行政机关不履行法定义务不一定都有赔偿责任。因为行政机关的法定义务种类繁多,性质不同,不能简单地通过诉讼形式来强制执行。行政机关不履行法定义务是否产生赔偿责任受很多因素的影响,每个案件应当根据法律的规定解释。受害人必须证明行政机关所负的法定义务是针对他本人所规定的具体的义务,而不是针对一般公众所规定的抽象的义务;他所受的损害是直接由于行政机关违背义务而产生,而且法律对这种损害的赔偿责任有明确的规定。当事人对于行政机关违反义务不能请求损害赔偿时,仍然可以寻求司法审查中的救济手段。

(二)合同责任

英国没有法国的行政合同理论,行政机关的合同适用一般合同法规则。但因为行政机关代表公共利益,出于公共利益的考虑,不能不对一般原则规定一些例外,所以实际上行政机关在签订合同时受到很多特别规则的支配。这些规则主要表现在：

(1)合同的缔结。除英王在普通法上具有签订一切合同的权力和合同的相对人不受限制外，其他法定的机构只能在自己的权限范围内签订合同。中央各部在不代表英王行使权力而是行使法律直接赋予的权力时，也只能在权限范围内签订合同。公共机构超过权限范围所签订的合同为无效的合同。英王在普通法上的订约权如果受到成文法的限制时，也必须遵守成文法的限制。

(2)合同的内容。由于英国不承认行政合同理论，所以只有在合同有约定的情况下，行政机关才享有单方面变更或解除合同、对合同的执行予以指挥监督以及限制相对人转订合同等权力。

(3)合同的效力。合同必须遵守，这是一个普遍性的原则，行政机关不能由于缔结了一个合同蒙受损失而可以不履行合同义务。在这种情况下违背合同必须承担赔偿责任。另外，行政机关具有很多法定的权力和义务，当合同义务和行政机关的法定职责相抵触时，英国法律认为行政机关没有权力签订这个合同，否则合同无效，在这种情况下行政机关是否负赔偿责任，英国普通法没有明确的规则。这也表明英国在公法关系中适用私法的原则存在许多困难。

(4)英王合同责任的特殊规则。根据王权诉讼法的规定，行政官员在其权限范围内代表英王所签订的合同由有关的部负责，如果不能确定有关的部时由检察总长负责。法院在审理英王的合同责任时，原则上适用一般的合同责任规则，但有几种例外情况：一是合同不能束缚行政机关的自由裁量权的行使；二是行政合同中不能规定该合同的履行以议会拨款为条件，如果在合同中有此规定，在议会拒绝拨款时，合同不能成立；三是对于英王的雇用合同，除成文法另有规定外，英王可以随时终止合同，受雇人无权向法院请求赔偿。

(三)返还责任

行政机关除因侵权行为负担赔偿责任外，还可能因为没有正当理由受领公民的金钱给付而承担返还责任。对此，英国法律区分不当给付的原因是由于胁迫还是法律错误分别给予不同的处理。

1. 胁迫

行政机关为了提供某种服务或履行某种义务而向相对人收取不应当收取的给付时构成胁迫。英国法院认为公民向行政机关请求某种服务,如颁发执照或许可证时,公民和行政机关处于不平等的地位,因为行政机关在公民不按其条件交费时可以拒绝公民所要求的服务。在不平等地位下所要求的不正当的给付都是胁迫,行政机关有返还的义务。

2. 法律错误

胁迫原则只适用于行政机关提供服务情况下的不当给付,对于没有服务的情况下,不适用于因法律错误而发生的自愿给付。自愿给付主要发生在纳税人由于行政机关适用法律错误而多缴税金的时候。由于法律错误的不当给付,公民不能请求行政机关返还。这虽然是出于行政法律关系稳定性的需要,但却往往引起不公平的结果。为了矫正这种不公平,法院经常采用两种办法:一是把法律错误解释为事实错误,避免适用法律错误不返还这个原则;二是扩大胁迫原则的适用范围,把某些法律错误解释为胁迫。此外,有的税收法在有限的范围内规定了返还由于法律错误多收的税金。

(四)补偿责任

行政机关在没有侵权和破坏合同的情况下,由于合法的行为对公民造成损害所给予的补偿,是例外的责任,一般以法律有明文规定为限。英国行政上的补偿责任主要有:

(1)强制剥夺财产权的补偿。英国法院在审理案件中遵守一个假定,即除非法律明确规定,不能认为议会有意剥夺公民的财产而不给予补偿。补偿的办法一般由成文法规定。尽管有此假定,但如果根据法律,公民的土地利用受到限制而使土地的价值减少,而法律中又没有规定补偿办法时,法院不能判决补偿。但法院往往对限制公民财产权的法律规定采取严格解释,缩小它的适用范围,以保护公民的财产权。

(2)合同侵害行为的补偿。英国法律另外一个原则是除剥夺所有权外,公民的其他财产权受到行政机关合法执行公务的侵害时,不能请求补偿,除非法律另有规定。1973 年土地补偿法对英国土地损失补偿作出规定。根据这个法律,公民的房屋或土地,因受公共机构合法建造或使用的公共工程的物质因素的影响而降低价值时,可以请求补偿。

(3)义务买入。根据 1971 年城乡计划法的规定,公民的土地或房屋因受公共机构执行计划的影响而不能合理地有益利用时,可以请求执行计划的机构购买公民因此而不能利用的地产。1973 年的土地补偿法扩大了义务买入的范围,包括已经宣布尚未执行的计划所产生的损害在内。同时法律也规定了计划机构拒绝购买的理由,例如执行计划的机构可以公开声明该地不在征购范围以内,或声明该计划在 15 年内不会执行等而拒绝购买。

(五)刑事赔偿

英国的刑事赔偿不同于通常的冤狱赔偿或司法赔偿,而是一种基于王权的恩惠所作的支付。具体而言,英国的刑事赔偿主要包括以下两类:

(1)侵犯人身自由的赔偿。为了确保公民的人身自由,对于刑事案件,英国建立了出庭令状制度。出庭令状是法院颁发的,要求监禁者将被监禁的人移交法院的命令。监禁者应保证交出的被监禁者完好无损。移交后经审查,认为监禁无正当理由时应立即释放;否则法庭按照法定手续进行审判。

如果实施了错误的监禁,那么被监禁的人根据出庭令状被释放后,通常有权基于侵权之诉要求获得损害赔偿金。损害赔偿金的要求是针对应对他被监禁负责的人提出的。

如果一个人在遭受第一次逮捕时,逮捕是错误的,即使后来又被宣布有罪,他在第一次被错误逮捕时仍然可能有权获得名义上的损害赔偿金。

(2)关于错判的赔偿。英国传统上对法官独立是严格加以保护的,法官的判决总是得到维持。即使在极特殊的情况下按照司法途径推翻法官的判决，也不产生赔偿问题，但英王的特权发挥作用，提供一种特别的优惠安排，受到错判而经纠正的被告人可以申请“特惠”支付。该种支付由内政大臣作出。实际运作的情况是，由根据《刑事伤害补偿方案》设立的刑事伤害补偿委员会的主席考虑赔偿数额，再由内政大臣接受该委员会主席的建议而作出支付的决定。在考虑对错判案的申请人的特惠支付时，委员会主席也是根据普通法的原则来衡量支付金额的构成和数量。

（六）刑事伤害补偿

英国的刑事伤害补偿实质上是一种针对暴力犯罪的受害人的救助制度，最初由1964年英国国会两院公布的《刑事伤害补偿方案》确立，1990年该方案经过修订后适用至今。根据该方案，当事人因为下列原因受到人身伤害，可以向专门设立的刑事伤害补偿委员会申请补偿：

（1）受到了暴力犯罪（包括纵火或投毒）的直接侵害。

（2）对一个犯法者或者嫌疑犯的拘押或者意图拘押而遭受的伤害；或者对一个罪行的预防或者意图预防而遭受的伤害；或者向进行上述活动的任何警察提供帮助而遭受的伤害。

（3）受到侵害铁路系统秩序的犯罪的伤害。

四、国家赔偿责任的免除

（一）立法授权的必然损害

行政机关在权限范围内合法采取行为而致私人受到损害，是行政机关合法行使权力的必然结果，不构成侵权行为。除法律另有规定外，行政机关不负赔偿责任。因此，为了确定行政机关的责任，必须首先确定必然损害的范围。

如果法律对行政机关行使权力的方法或地点作了强制性的规定，行政机关按照法律的规定行动时，由于这种行动而产生的不可避免的损害构成必然的损害。行政机关对此不负一般的责任。在某些特殊的情况下，法律也可能规定行政机关对合法侵害行为负补偿责任,但这不是一般的侵权责任。另外,行政机关对合法行使权力所产生的必然侵害也不是绝对免责。行政机关行使权力时必须注意尽量减少侵害的程度。行政机关由于缺乏必要的注意而加重侵害的程度时,仍然不能免除责任。同时,行政机关在具体行使这种权力时,必须采取尽可能不损害公民权利的方式。行政机关主张法律的规定是属于必然侵害的条款,或行政机关已经注意采取避免侵害的措施时,应负证明责任。

(二)英王根据法律规定或依特权而采取的行为

根据王权诉讼法的规定,该法所规定的英王责任不消除或减少英王根据法律规定或依特权而享有的权力,特别是英王为了保卫国土、进行国防训练或者维护有效的军事力量的目的而享有的权力。因此,英王对行使这些权力的行为不负赔偿责任。战争中的破坏和军事征用如果没有成文法的规定时,英王也不负赔偿责任。

(三)军队成员的伤害行为

根据王权诉讼法的规定,军队成员在执勤时,或者在供军事目的的陆地、建筑物、舰艇、飞机、车辆等内部为其他成员所伤害或致死,或者由于上述建筑物、车辆等设备的状况或性质而被伤害或致死时,并符合下述条件的,英王和加害的成员都不负赔偿责任:(1)国防部长或海军司令证明该成员受伤或致死是在执勤时或在军用设施内;(2)社会安全保险部大臣证明受害人或其家属有权取得抚恤金,这项规定的目的在于避免纳税人由于同一军事意外事件而支付两次赔偿金。

(四)邮政传递

王权诉讼法规定,英王和邮政职员对邮政传递的损失不负赔偿责任。唯一的例外是对国内传递的挂号包裹的损失,按规定的标准赔偿。电讯传递业务也享受同样免责的规定。

(五)司法职务

一切司法职务都以英王的名义执行,法官也是英王的公仆。但法官的地位和行政官员不一样,法官享有独立执行职务的权力,英王对司法职务的执行不能指挥,当然对司法职务的损害不负赔偿责任。按照普通法的一般原则,法官胡作非为的法律责任就是一个普通人胡作非为的法律责任,但法官个人的赔偿责任也很有限。法官对权限范围以内的行为,或者对自信是权限范围内的行为完全不负赔偿责任。

司法职务的赔偿责任的豁免不限于法院的行为,也包括一部分和法院非常类似的行政裁判所的行为在内,例如土地裁判所、租金裁判所、国民保险裁判所、工业裁判所等都对权限范围内的行为不负赔偿责任。治安法官和警察在执行司法职务时也不负赔偿责任。

(六)排除个人责任

英王的公仆对其自己的行为或者过失不承担个人侵权责任的情形下,英王也不承担代理责任。也就是说,英王仅代替其公仆承担该公仆个人应当承担的责任,如果该公仆在没有王权诉讼法的情况下并不承担个人责任,则英王根据该法也不会代其承担更多的责任。

五、英国国家赔偿的方式

(一)行政赔偿的方式

英国行政机关承担赔偿责任的方式与私人承担赔偿责任的方式是一致的,但有两点需要强调:

(1)惩罚性赔偿。英国的法院拥有对武断地、令人难以忍受地、违宪地行使公共权力的行为判处惩罚性赔偿金的权力。

(2)恢复原状。英国法中存在一个普遍的原则,根据该原则,要求归还依据公共当局的越权无效的命令而支付的金钱的主张是一项权利,而不是可以由公共当局自由裁量的事宜。也就是说,公共当局必须归还其越权征收的款项,而不存在由其决定是否归还的自由裁量的余地。

(二)刑事伤害补偿的方式

英国刑事伤害补偿方案对补偿金的种类、先行给付以及计算标准等作出了规定。

1. 补偿金的种类

补偿金具体包括:(1)丧葬费;(2)医疗费;(3)因伤害减少的收入损失予以补偿,但因死亡造成的财产损失原则上不予补偿;(4)未成年人补偿金,具体包括赡养费(抚养费、抚育费)、教育和福利、(委托)监护费;(5)强奸补偿金,被强奸人的补偿包括精神损害赔偿、收入减少损失、分娩费用,不包括所生子女抚养费,但应当给予5000英镑的一次性补偿金。

2. 先行给付

在最后补偿金不能确定时,可以决定先行给付,以便受害人支付医疗费。

3. 计算标准

计算补偿金应当考虑以下因素:(1)受害人的收入损失率、盈利率,但不得超过《劳工部公报》确定的平均工业收入;(2)不采取惩罚性标准;(3)损益相抵,受害人从其他救济途径得到的补偿原则上扣除,如保险金、抚恤金,在受害人得到上述福利之前,补偿委员会可以中止裁决。

六、英国国家赔偿的程序

(一)行政赔偿程序

英国的行政赔偿诉讼适用民事诉讼规则,这与实体法上采用私法责任模式是一脉相承的。但是,由于英王的地位特殊,所以英王在诉讼程序中存在一些例外规则。

1. 诉讼管辖和当事人

关于英王的赔偿责任和返还责任的诉讼由高等法院和郡法院管辖,但英王有选择审判地点的权力。英王不论作为原告或被告都可要求把案件移归高等法院王座分庭审理。

英王不能作为名义上的当事人,行政赔偿诉讼的被告,由财政部指定的部担任,该部不论是否有法人资格都可作为当事人,但部长不能作为当事人。如果没有指定的部可以作为当事人,或者不能确定可以作为当事人的部时,以检察总长作为诉讼中的当事人。

2. 判决和执行

法院不能对英王和英王的官员发布强制令、查封令、扣押令和特别执行令,对英王不利的行政赔偿诉讼,法院只能作出确认判决,例如确认对方当事人的权利,或确认检察总长或有关的部负担诉讼费用和赔偿金。

3. 英王的特权

根据王权诉讼法的规定,在行政赔偿诉讼中,法院有权要求英王披露证据和回答当事人提出的书面质问,但同时又规定为了保护公共利益,英王可以拒绝披露证据和回答问题。这种拒绝通常由部长签字证明。为了保护公共利益,部长甚至可以不透露文件是否存在。在英国上议院的判决中,认为除中央政府外,其他公共机构也可以有这种权力。但这种权力行使的范围应在法院监督之下。

(二)刑事伤害补偿程序

根据英国刑事伤害补偿方案的规定,刑事伤害补偿程序分为以下几个阶段:

(1)申请。刑事伤害事件发生后,受害人、其继承人和受赡养人(受扶养人、受抚养人)有权在3年内正式向刑事伤害补偿委员会提出书面申请。刑事伤害补偿委员会是为开展刑事被害人补偿工作而设立的委员会,它从中央给地方的拨款中获得资金,根据普通法的原则向受到犯罪行为伤害的人支付金钱补偿。委员会成员由内政大臣任命,其成员为资深的律师或法官。

(2)最初决定。委员会收到申请后,授权委员会的一个成员或一个其他工作人员代表委员会作出最初的决定。该决定分为三种:①裁定同意补偿申请;②裁定拒绝补偿申请;③裁定减少补偿申请额。对于作出后两种决定的,委员会还必须在决定中说明原因和理由。

(3)复议。最初决定作出后,作出该决定的成员或者委员会其他成员认为该决定所依据的材料是不真实的或决定本身是错误的,他们均有权把最初决定提交给委员会复议,由委员会作出复议决定。

(4)听证。申请人对最初决定或复议决定不满意的,有权申请一次口头听证。口头听证申请必须在收到最初决定或复议决定之时起3个月内提出。听证不是申请人的普遍权利,如果委员会不同意申请人的听证申请,那么委员会的决定就是最终决定。

(5)最终决定。在听证中,申请人和委员会的一个工作人员能够传唤、询问及诘问证人。委员会有权考虑任何有关的传闻、观点或书面证据。听证委员会所做决定为最终决定,不得上诉,也不受内阁的审查。

参考文献

1. 王名扬:《英国行政法》,中国政法大学出版社 1987 年版。

2. 张越编著:《英国行政法》,中国政法大学出版社 2004 年版。

3. [英]威廉·韦德:《行政法》,徐炳等译,中国大百科全书出版社 1997 年版。

4. 高家伟:《国家赔偿法》,商务印书馆 2004 年版。

5. [英]卡罗尔·哈洛、理查德·罗林斯:《法律与行政》(下卷),杨伟东等译,商务印书馆 2004 年版。

6. 皮纯协、何寿生编著:《比较国家赔偿法》,中国法制出版社 1998 年版。

7. 张正钊主编:《国家赔偿制度研究》,中国人民大学出版社 1996 年版。

8. 胡建淼主编:《外国行政法规与案例评述》,中国法制出版社 1997 年版。

我国台湾地区的"国家赔偿法律制度"

一、法律渊源

台湾地区"国家赔偿法"1980 年颁布并于次年施行。该法共 17 条,主要对行政赔偿的赔偿主体、赔偿责任、赔偿方式、赔偿程序、涉外赔偿的原则及时效等作出了规定。1981 年,台湾地区"行政院"发布了"国家赔偿法施行细则"。

台湾地区"冤狱赔偿法"于 1959 年颁行,1966 年、1967 年、1983 年、1991 年陆续作了修改。该法对刑事赔偿的原则、赔偿程序、赔偿标准等做了规定。

"民法"是台湾地区"国家赔偿"制度的重要法律渊源,台湾地区"国家赔偿法"规定,"国家赔偿"的范围、标准,适用"民法"的有关规定。

此外,"土地法"、"原子能法"、"警械使用条例"、"核子损害赔偿法"、"铁路法"、"公路法"、"邮政法"等,也规定了相关的"国家赔偿"制度。台湾地区"国家赔偿法"规定了特别法优先适用原则,即"本法及民法以外之其他法律有特别规定者,适用其他法律"。

在程序法方面,根据台湾地区"国家赔偿法","损害赔偿之诉,除依本法规定外,适用民事诉讼法之规定";"已依行政诉讼法规定,附带请求损害赔偿者,就同一原因事实,不得更行起诉"。

二、归责原则

(一)行政赔偿

1. 主观过错加行为不法的原则

台湾地区“国家赔偿法”规定,公务员于执行职务行使公权力时,因故意或者过失不法侵害人民自由或者权利的,“国家”应负损害赔偿责任。

2. 无过错原则

公有公共设施因设置或者管理有欠缺,致人民生命、身体或者财产受损害的,不以故意或者过失为责任要件,但以尽到注意为免责要件。

(二)司法赔偿

1. 结果归责原则

刑事赔偿实行结果归责原则,只要存在法定赔偿的情形,不问司法人员主观是否有过错,“国家”都承担赔偿责任。台湾地区“冤狱赔偿法”规定,依“刑事诉讼法”受理的案件,有“不起诉处分或无罪之判决确定前,曾受羁押者。依再审或非常上诉程序判决无罪确定前,曾受羁押或刑之执行者”情形之一的,受害人可以请求“国家赔偿”;不依“刑事诉讼法”而受羁押的,受害人也可以请求“国家赔偿”。

2. 职务犯罪

有审判或者追诉职务的公务员职务犯罪的,“国家”承担赔偿责任。台湾地区“国家赔偿法”规定,有审判或者追诉职务的公务员,因执行职务侵害人民自由或者权利,就其参与审判或者追诉案件犯职务之罪,经判决确定有罪的,适用“国家赔偿法”的规定。

三、行政赔偿的范围

(一)公务员执行职务造成的损害

台湾地区“国家赔偿法”第二条规定:“公务员于执行职务行使公权力时,因故意或过失不法侵害人民自由或权利者,国家应负损害赔

偿责任。公务员怠于执行职务,致人民自由或权利遭受损害者亦同。”此项赔偿责任的构成要件是:

(1)行为人为公务员。台湾地区“国家赔偿法”第二条规定:“本法所称公务员者,谓依法令从事于公务之人员。”这一规定表明公务员的范围应是最广义的范围,即凡是依照法律规定行使“国家”公权力的人员,都是公务员。因此,不论公务员是文职还是武职,是政务官还是事务官,是有俸给还是无俸给,都属于公务员。即使依据合同聘任的教师或者雇用的清洁人员,如果有执行公法上的职务,也属于公务员的范围。

此外,台湾地区“国家赔偿法”还规定,接受委托行使公权力的团体及其执行职务的人,以及接受委托行使公权力的个人,在行使公权力时,视同委托机关的公务员。

(2)有执行职务行使公权力的行为。所谓“执行职务”,是指公务员的行为是在行使职务上的权力或者履行职务上的义务。与公务相关不仅应以行为与职务间在外观、时间和处所上有关联为判断依据,也应当以行为的目的与职务间有内在密切关联为依据。另外,执行职务不仅包括在合法权限范围内的行为,还包括超越权限或者滥用权力。所谓“行使公权力”,系指公务员居于“国家”机关的地位,行使统治权的行为,包括运用命令及强制等手段干预人民自由及权利的行为,以及提供给付、服务、救济、照顾等方法,增进公共及社会成员的利益,以达成“国家”任务的行为。例如,环保局提供垃圾车收集清理垃圾。又如,公立医院医师的医疗服务行为,一般来说属私法行为,但医护人员在“国家”指令下,落实传染病的防治工作,为社会大众实施强制隔离治疗等行为,应该属于行使公权力。

(3)须有不法行为。“不法”不限于违反法律或者命令,凡客观上欠缺正当性的行为即为不法。以下几种情形可认定为不法:①该行为无法律或者法规命令的依据,又无阻却事由存在,如无因管理行为、经被害人允诺的行为、自卫行为。②违背职务义务的行为,公务员执行职务有一定的权限、范围及应遵守的注意义务,公务员的行为应当合法、正确与适当。行政行为有违背法律、命令或者行政规则;执行职务有逾越权限或者滥用权力的情形;公务员负有依法从事职务行为的义务,如果公务员依其职务,对第三人有作为义务,而违背该职务或者怠于执行职务,致人民损害的,即属不法。怠于执行职务一般包括迟延履行职责和未及时履行危险防止(管理)职责。

(4)行为人有过错。行为人的故意或者过失为承担赔偿责任的要件之一,但是“国家赔偿”诉讼并不要求原告证明行为人故意或者过失。台湾地区“司法院”研究意见认为:“受侵害者,只需证明权利侵害之事实即为已足,而赔偿义务机关则非证明阻却违法事由之存在,不得免其责任。”

(5)须有人民之自由或者权利受到侵害。

(6)不法行为与受损害之间有因果关系。台湾地区许多判例中采所谓“相当因果关系”,即指“在客观观察下,有此行为,通常就会发生此损害,即为有因果关系;如无此行为,必不生此损害,或虽有此行为,通常亦不生此损害,即为无因果关系”。

(二)公共设施瑕疵造成的损害

台湾地区“国家赔偿法”第三条规定:“公有公共设施因设置或管理有欠缺,致人民生命、身体或财产受损害者,国家应负损害赔偿责任。”这里,“公有公共设施”并不是专指“国家”或者其他公法人所有,凡公共设施由“国家”或者地方自治团体设置或者事实上处于管理状态,都包括在内。另外,公共设施是指已经建造完成并投入公共使用的设施。尚在建造中未交付使用的,适用“民法”侵权行为的规定。“设置有欠缺”是指设计错误、建筑材料质量不合格和施工不符合标准要求,从而导致该设施缺少同类应具有的安全性能。“管理有欠缺”是指公共设施建设后,负有管理职权的机关怠于履行职责未进行修护,造成设施出现不安全缺陷。

(三)赔偿的范围

赔偿的范围依“民法”确定,根据台湾地区“民法”的规定,赔偿的范围包括财产损害与非财产损害。财产损害包括生命权受侵害所产生的医疗费、殡葬费及受害人应当支付的扶养费，身体健康受侵害而丧失或者减少的劳动能力以及增加的生活上的需要，因物受侵害毁损及灭失所丧失或者减少的价值等方面。非财产损害包括生命权受侵害，被害人的近亲属可以请求抚慰金，身体、健康、名誉、自由等受到的侵害可以请求抚慰金。

台湾地区“民法”第二百一十六条规定，赔偿的范围包括受害人所受损害及所失利益，但特别法另有规定的依特别法。如“土地法”第六十八条第二款规定，因登记错误遗漏或者虚伪致受损害的赔偿，不得超过受损害时的价值。

台湾地区“国家赔偿”适用“民法”过失相抵、损益相抵的原则。被害人有过失的，法院可以减轻或者免除赔偿金额。适用损益相抵原则，目的在于“填补被害人所受之损害，非在使其更受利益”。例如，“国家”应赔偿受害人家属死亡抚慰金二百万元，但家属已从死亡保险中得到一百五十万元保险赔偿，那么“国家”只赔五十万元。与损害赔偿金可以相抵消的收益包括“保险金、军保、劳保、公保、抚恤等”。

四、司法赔偿的范围

（一）冤狱赔偿责任的范围

根据台湾“冤狱赔偿法”，受害人可以请求“国家赔偿”的情形有：

（1）依“刑事诉讼法”受理的案件，受害人可以请求“国家赔偿”的情形有：第一，不起诉处分或者无罪判决确定前，曾受羁押的，如因犯罪嫌疑不足，检察官决定不起诉或者法院宣告无罪判决的；又如非出于故意或者过失的行为、正当防卫行为、紧急避险行为，检察官决定不起诉或者法院宣告无罪判决的。第二，依再审或者非常上诉程序判决无罪确定前，曾受羁押或者已经执行刑罚的。

（2）不依“刑事诉讼法”被羁押的，受害人可以请求“国家赔偿”。按照台湾地区“司法院、行政院办理冤狱赔偿事件应行注意事项”，这里其实是指不依“刑事诉讼法”而限制人身自由的拘禁行为。

（二）不得请求赔偿的情形

受不起诉处分或者无罪宣告，曾受羁押的人，有以下情形之一的，不得请求赔偿：(1)因未满十四周岁或者因患精神病不负刑事责任的。(2)行为违反公共秩序或者善良风俗或者应处以保安处分的。(3)因受害人故意或者重大过失的行为导致受羁押或者服刑的，例如，意图使侦查或者审判陷于错误而毁灭或者伪造证据；冒名顶替；假自首；因重大过失不及时提出有利证据。(4)被告数罪并罚时，有一行为作无罪宣告，而其他部分作了有罪判决的。(5)依"刑事诉讼法"有关规定不予起诉的，有两种情况：一种是属于绝对不起诉的，另一种是可以不起诉的。属于绝对不起诉的，包括曾经判决确定、已过追诉时效、曾经大赦、犯罪后法律已废止其刑罚、告诉才处理的案件其告诉或者请求已经撤回或者已过告诉期间、法院对于被告无审判权、法律应免除其刑的。可以不起诉的，即检察官对台湾地区"刑事诉讼法"第二百五十三条规定的各类案件，依据台湾地区"刑法"第五十七条认为情节轻微，显可悯恕，即使减轻刑罚也显过重的，认为不起诉为适当而不起诉的。(6)若无被告死亡即应起诉，而现因被告已死亡，而不起诉的。

（三）有审判或者追诉职务的公务员的损害赔偿责任

台湾地区"国家赔偿法"第十三条规定："有审判或追诉职务之公务员，因执行职务侵害人民自由或权利，就其参与审判或追诉案件犯职务上之罪，经判决有罪确定者，适用本法规定。""有审判和追诉职务的公务员"，包括普通法院办理民事、刑事诉讼的法官、检察官，军事法院的审判官及检察官及行政法院的法官。警察人员等协助侦查或者追诉的人员不包括在内，其因故意、过失不法侵害人民自由或者权利的，适用台湾地区"国家赔偿法"第二条的规定。"参与审判或追诉"是指直接参与各类民事、行政案件的审理、裁判，刑事案件的侦查、起诉、审理、裁判，以及各类案件的执行。所谓"犯职务上之罪"，包括"刑法"规定的枉法裁决或者仲裁罪、滥用追诉处罚罪、违法行刑罪。

五、赔偿请求权人与赔偿义务机关

（一）请求权人

请求权人依下列情形确定：

（1）台湾地区“国家赔偿法”规定的请求权人原则上为直接受害人，即权利或者利益直接受到影响的自然人和依法设立的法人。根据台湾地区“民法”的规定，请求权人死亡的，受害人的父母、子女和配偶，为受害人支付丧葬费的人，对受害人有法定扶养请求权的第三人可以行使请求权。

（2）根据台湾地区“冤狱赔偿法”的规定，有权提起冤狱赔偿的受害人是指司法机关依“刑事诉讼法”受理的案件，曾受羁押的被告或者裁判确定后的受刑人，以及不依“刑事诉讼法”被拘禁的人。受害人死亡或者被执行死刑的，其法定继承人可以申请赔偿。

（3）台湾地区“国家赔偿法”、“冤狱赔偿法”规定，外国人为被害人的，依条约或者其本国法律，“本国人”在该国与该国人享受同等权利的，可以申请赔偿。

（4）在当事人的委托或者法律规定的情况下，法定代理人、委托代理人可以代替受害人行使权力，因而可以成为请求权人。

（二）赔偿义务机关

台湾地区“国家赔偿法”规定由“国家”承担赔偿责任，在“国家”以外还有其他公法人，如农田水利会，也是赔偿的义务主体。此类公法人的职员执行职务时不法侵害人民权利的，也应承担赔偿责任。

台湾地区“国家赔偿法”实行“国家责任、机关赔偿”的模式。具体赔偿义务机关是：（1）公务员执行职务行使公权力，因故意或者过失不法侵害人民权利或者自由的，该公务员所属机关为赔偿义务机关。（2）公有公共设施因设置或者管理有欠缺，致人民生命、身体或者财产受损害的，该公有公共设施的设置或者管理机关为赔偿义务机关。（3）赔偿义务机关经裁撤或者改组的，承受其业务的机关为赔偿义务机关。无承受其业务的机关，其上级机关为赔偿义务机关。

(4)不能依前三项确定赔偿义务机关,或者对赔偿义务机关有争议时,可以请求上级机关确定。上级机关自被请求之日超过二十日不予确定的,可以直接以该机关为赔偿义务机关。

六、赔偿的程序

(一)“国家赔偿”程序

为了简化诉讼程序及疏减诉源,台湾地区“国家赔偿法”采用“请求先行主义和一事不再理原则”。“请求先行”是指请求权人先以书面向赔偿义务机关请求赔偿,如双方协议成立时,即不必诉讼。“一事不再理原则”,是指赔偿请求权人可以提起行政诉讼,附带请求损害赔偿;就同一原因事实,不得另行起诉。由此可见,请求赔偿的诉讼有两条途径:一是损害赔偿的民事诉讼,由普通法院管辖,审理程序适用“民事诉讼法”。二是请求权人提起行政诉讼附带请求损害赔偿,由行政法院管辖,其程序适用“行政诉讼法”。

台湾地区“国家赔偿法”规定,赔偿请求权自请求权人知道有损害时起,因二年间不行使而消灭,或者自损害发生时起超过五年的,请求权消灭。

1. 协议

赔偿义务机关接到请求权人的请求书后,应即与请求权人协议。协议时应根据法律要求作出书面记录,由有关人员签名或者盖章。协议成立时,应当制作协议书,由赔偿义务机关于协议成立后十日内送达请求权人。请求权人依据该协议书向赔偿义务机关请求支付赔偿金或者履行协议内容,赔偿义务机关即应履行,如果赔偿义务机关拒绝或者迟延履行的,请求权人可以直接请求法院强制执行。

被请求的机关认为自己不是赔偿义务机关或者无赔偿义务的,应在收到请求权人的请求之日起十五日内,以书面叙明理由拒绝,并通知有关机关。自开始协议之日起超过六十日协议不成立的,赔偿义务机关应依请求权人的申请,发给协议不成立证明书。未依规定申请发给协议不成立证明书的,请求权人可以请求赔偿义务机关继续协议，但以一次为限。

台湾地区“国家赔偿法实施细则”规定：“赔偿义务机关得在一定金额限度内，径行决定赔偿金额。前项金额限度，由行政院依机关等级定之。”台湾地区“行政院”据此颁订了“行政院所属机关处理国家赔偿事件得径行决定赔偿金额限度表”。

赔偿义务机关可以在规定的赔偿额度内，依个案情节决定赔偿的数额。如认为赔偿的金额超过规定的限度时，应逐级上报有核定权限的直接上级机关，上级机关接到请求后应在十五日内核定。

2. 诉讼

赔偿义务机关收到请求书起十五日内，以书面叙明理由拒绝赔偿，或者赔偿义务机关自请求权人提出请求之日起过三十日逾期不开始协议，或者自开始协议之日起逾六十日协议不成立时，请求权人可以提起民事诉讼。

法院可以根据申请为假处分，命赔偿义务机关暂先支付急需及必要的医疗费或者丧葬费，而赔偿义务机关在收到假处分裁定时，应立即垫付。

3. 执行

台湾地区“国家赔偿法施行细则”和“行政执行法”规定，请求权人取得执行名义，依据协议书、假处分裁定、法院诉讼上和解笔录及确定判决，向赔偿义务机关请求支付赔偿金或者恢复原状的，赔偿义务机关不得拒绝或者迟延履行，而应在三十日内支付赔偿金或者开始恢复原状。赔偿义务机关拒绝或者迟延履行的，请求权人可以申请强制执行。但是，行政财产和公用财产等不属于强制执行范围。

（二）冤狱赔偿程序

1. 管辖机关

一般原则是由原处分机关或者判决无罪机关管辖。所谓“原处分机关”是指在不起诉处分案件中，作出不起诉处分的机关，即高等法院以下各级法院及其分院检察署，申请再议案件经上级法院检察署检察长或者检察总长驳回的，仍由原处分不起诉的机关管辖。所谓"判决无罪机关"，指实际判决被告无罪的法院，包括各级法院。即使检察官提起上诉而经上级法院驳回上诉的，仍应向原作出无罪判决的机关提出申请。

不依"刑事诉讼法"执行羁押的，由所属地方法院管辖。羁押之机关所在地或者该受害人住所、居所或者所在地的地方法院，均有管辖权，如管辖权有争议，参照"刑事诉讼法"规定解决。

2. 时效

赔偿申请人，应在不起诉处分或者无罪判决确定之日起二年内，向管辖机关申请赔偿。不依"刑事诉讼法"被羁押的，自停止羁押之日起算。

3. 审议程序

受理赔偿案件的机关，应在收到赔偿申请后三个月内，制作决定书，决定赔偿或者驳回申请，同时把决定书送达"最高法院检察署"及赔偿申请人。申请人对驳回申请无异议的，就可以终结赔偿程序。

4. 复议程序

申请人对决定书有异议的，应当于决定书送达后二十日内，提出申请复议书，向"司法院冤狱赔偿复议委员会"申请复议。"最高法院检察署"发现赔偿决定违反法律规定的，也可以向复议委员会申请复议。"司法院冤狱赔偿复议委员会委员"，由"司法院长"指派"最高法院院长"及推事（法官）若干人兼任，并以"最高法院院长"为主席。

5. 执行

赔偿支付的申请，应向原管辖机关提出书状并附送户籍誊本。赔偿决定送达后，申请人一年内不提出赔偿支付申请的，其支付请求权消灭。赔偿金的支付，罚金或者没收物的返还，原管辖机关应于收受请求支付或者返还请求书状后十五日内支付或者返还。

七、赔偿方式、赔偿标准、赔偿费用

（一）赔偿方式

1. 以金钱赔偿为主、恢复原状为辅

台湾地区"国家赔偿法"规定："国家负损害赔偿责任者，应以金钱为之。但以回复原状为适当者,得依请求,回复损害发生前原状。”所谓“回复原状”,是指“民法”上回复原状,例如恢复名誉,替补同种类、品质及数量的受损代替物,或者修复受损的特定物;不是指公法上的回复原状,如不得请求撤销行政处分。

2. 以金钱赔偿为主,消除影响、恢复名誉、返还财产为辅

台湾地区“冤狱赔偿法”规定:“没收物执行之赔偿,除应销毁者外,应返还之。”该法还规定:“原决定机关应于决定后十日内将主文及决定要旨公告,并登载公报及受害人所在地之报纸。”“行政院办理冤狱赔偿事件应行注意事项”规定:“当地如无公报、报纸者,则以公告代之。”

(二)赔偿标准

台湾地区“国家赔偿法”没有规定统一标准,赔偿数额的计算依“民法”按照个案具体情况而定。台湾地区“冤狱赔偿法”规定了具体赔偿标准。

1. 侵犯人身自由

台湾地区“冤狱赔偿法”规定,对被羁押、执行徒刑或者拘役的赔偿,按照被羁押或者执行刑罚的天数,每日赔偿三千元以上五千元以下新台币,羁押的天数,应当从拘捕时起算。台湾地区“刑法”规定,对无力缴纳罚金执行以劳役抵偿罚金,以劳役抵罚金的,依上述标准赔偿。“行政院办理冤狱赔偿事件应行注意事项”规定,管辖机关应审酌拘禁的种类,期间的长短,受害人所受财产上的损害及精神的苦痛等一切情节,在金额范围内决定赔偿数额。

2. 侵犯健康权

对不法侵害他人之身体或者健康的赔偿金额一般以被害人受侵害前的身体健康状态、教育程度、专门技能、社会经验等方面酌定,实务中多以被害人“实际薪资”为准。

3. 侵犯生命权

不法侵害他人致死的,应赔偿的医疗费、增加生活上需要的费用、殡葬费、扶养费等各项费用的标准,实务中有的以实际支出的费

用为准,有的依社会一般观念客观上认为相当的为限,有的视具体个案情况,没有统一标准。

台湾地区“冤狱赔偿法”规定,执行死刑的赔偿,执行死刑前被羁押的,除按照侵犯人身自由权的规定赔偿外,还要一并支付五百万元以上一千万元以下新台币的抚慰金。目前台湾司法当局已草拟“冤狱赔偿法”修正草案,大幅提高慰抚金的赔偿,给付金额最低为一千万元新台币,最高为三千万元新台币,并根据民众的平均寿命来计算受刑人执行后的余年。

4. 侵犯财产权

不法毁损他人财物的,被害人可以请求赔偿其物因毁损所减少的价额。所谓“其物因毁损所减少的价额”,可按照修复费用为估定标准,但以必要为限,如修理材料以新品换旧品,应予折旧。依据台湾地区“民法”规定:“因回复原状而应给付金钱者,自损害发生时起,加给利息。”

台湾地区“冤狱赔偿法”规定,执行罚金的赔偿,应根据已缴罚金相等金额附加利息返还。没收物执行的赔偿,除应销毁外,应予返还;已拍卖的,应支付与卖得价金相等金额,并附加利息。

5. 非物质损害

非物质损害,包括以下情形:(1)不法侵害他人致死,应当给付被害人的父、母、子、女及配偶慰抚金的数额,一般根据双方的身份、地位、职业、教育程度、财产及经济状况综合而定。

(2)身体、健康、名誉、自由、信用、隐私、贞操,或不法侵害其他人格权益受损的赔偿金,应斟酌双方身份、资力与加害程度,及其他各种情形核定。

(三)赔偿费用

台湾地区“国家赔偿法”第七条规定了各级政府应根据其行政、司法的具体情况,在每年编列预算时,把赔偿费用作为一项固定支付列入预算计划,各自就本机关造成的损害负赔偿责任。并在施行细则规定了对行政管理机关赔偿费用的管理和支付,尤其是规定了两种特殊情形的支付:一是赔偿义务机关在协议时,可以按事件性质,聘请有专门知识经验的人员陈述意见,并支付旅费及出席费或者酌情支付研究费;二是对于法院依请求权人申请,作出暂先支付医疗费或者丧葬费的假处分时,赔偿义务机关应当立即垫付执行。

台湾地区“冤狱赔偿法”也规定赔偿经费由“国库”负担。

八、“国家”的求偿权

赔偿义务机关承担“国家赔偿”责任后,可以对造成侵害的公务员进行追偿。台湾地区“国家赔偿法”规定了三种情形:(1)公务员在执行职务行使公权力时,因故意或者重大过失,不法侵害人民自由或者权利,赔偿义务机关对其有求偿权。(2)对公有公共设施设置或者管理有欠缺造成损害的原因有应负责任的人时,赔偿义务机关对其有求偿权。(3)受委托团体执行职务的人或者受委托的个人有故意或者重大过失时,赔偿义务机关对受委托的团体或者个人有求偿权。

根据台湾地区“冤狱赔偿法”的规定,执行职务的公务人员,因故意或者重大过失而违法,造成冤狱赔偿事件时,政府对该公务人员有求偿权。

台湾地区“国家赔偿法”规定了求偿权的时效:求偿权自支付赔偿金或者恢复原状之日起,因二年间不行使而消灭。

台湾地区“国家赔偿法施行细则”第四十一条还规定,对故意或者重大过失,赔偿义务机关应审慎认定。赔偿义务机关依本法行使求偿权时,应先与被求偿的个人或者团体进行协商,并可以酌情允许其分期给付。前项协商如不成立,赔偿义务机关应依诉讼程序行使求偿权。但实务认为,协商程序不是机关向个人求偿的必经程序。

九、“国家补偿”制度

台湾地区将“国家补偿”也称为行政补偿或行政损失补偿,是指“国家”因公共福祉之目的,而侵害人民权利,对人民所受损失,“国家”以金钱予以补偿。台湾地区有很多法律对“国家补偿”责任作了规定,“土地法”在第五篇“土地征收”中规定了土地征收及补偿的内容。2000 年 2 月,台湾又公布了“土地征收条例”,对土地征收补偿作了较为细致的规定。其他如“戒严法”、“专利法”、“森林法”、“电信法”、“矿业法”、“邮政法”、“实行耕者有其田条例”、“平均地权条例”、“都市计划法”等都对具体领域的行政补偿作出了规定。

“国家赔偿”和“国家补偿”都是“国家”对人民造成损害的补救方法,但两者之间又有所区别。补偿责任的成立以适法行为侵害人民合法权益为前提,不问行为人有无故意或者过失;补偿仅弥补其既生和将生的直接损失,所失利益不包括在内;损失补偿的争讼属于行政诉讼。

附录四：

《中华人民共和国国家赔偿法》（新旧对照表）

（条文中的黑体部分是对原法条文所做的修改或者增加内容）

修正前	2012 年修正后
第一章　总　　则	**第一章　总　　则**
第一条　为保障公民、法人和其他组织享有依法取得国家赔偿的权利，促进国家机关依法行使职权，根据宪法，制定本法。	**第一条**　为保障公民、法人和其他组织享有依法取得国家赔偿的权利，促进国家机关依法行使职权，根据宪法，制定本法。
第二条　国家机关和国家机关工作人员违法行使职权侵犯公民、法人和其他组织的合法权益造成损害的，受害人有依照本法取得国家赔偿的权利。 国家赔偿由本法规定的赔偿义务机关履行赔偿义务。	**第二条**　国家机关和国家机关工作人员行使职权，**有本法规定的**侵犯公民、法人和其他组织合法权益**的情形**，造成损害的，受害人有依照本法取得国家赔偿的权利。 本法规定的赔偿义务机关，**应当依照本法及时**履行赔偿义务。
第二章　行 政 赔 偿	**第二章　行 政 赔 偿**
第一节　赔 偿 范 围	第一节　赔 偿 范 围
第三条　行政机关及其工作人员在行使行政职权时有下列侵犯人身权情形之一的，受害人有取得赔偿的权利：	**第三条**　行政机关及其工作人员在行使行政职权时有下列侵犯人身权情形之一的，受害人有取得赔偿的权利：

续表

修正前	2012 年修正后
(一)违法拘留或者违法采取限制公民人身自由的行政强制措施的； (二)非法拘禁或者以其他方法非法剥夺公民人身自由的； (三)以殴打等暴力行为或者唆使他人以殴打等暴力行为造成公民身体伤害或者死亡的； (四)违法使用武器、警械造成公民身体伤害或者死亡的； (五)造成公民身体伤害或者死亡的其他违法行为。	(一)违法拘留或者违法采取限制公民人身自由的行政强制措施的； (二)非法拘禁或者以其他方法非法剥夺公民人身自由的； (三)以殴打、**虐待**等行为或者唆使、**放纵**他人以殴打、**虐待**等行为造成公民身体伤害或者死亡的； (四)违法使用武器、警械造成公民身体伤害或者死亡的； (五)造成公民身体伤害或者死亡的其他违法行为。
第四条 行政机关及其工作人员在行使行政职权时有下列侵犯财产权情形之一的,受害人有取得赔偿的权利: (一)违法实施罚款、吊销许可证和执照、责令停产停业、没收财物等行政处罚的； (二)违法对财产采取查封、扣押、冻结等行政强制措施的； (三)违反国家规定征收财物、摊派费用的； (四)造成财产损害的其他违法行为。	**第四条** 行政机关及其工作人员在行使行政职权时有下列侵犯财产权情形之一的,受害人有取得赔偿的权利: (一)违法实施罚款、吊销许可证和执照、责令停产停业、没收财物等行政处罚的； (二)违法对财产采取查封、扣押、冻结等行政强制措施的； (三)**违法征收、征用财产的；** (四)造成财产损害的其他违法行为。
第五条 属于下列情形之一的,国家不承担赔偿责任: (一)行政机关工作人员与行使职权无关的个人行为； (二)因公民、法人和其他组织自己的行为致使损害发生的； (三)法律规定的其他情形。	**第五条** 属于下列情形之一的,国家不承担赔偿责任: (一)行政机关工作人员与行使职权无关的个人行为； (二)因公民、法人和其他组织自己的行为致使损害发生的； (三)法律规定的其他情形。

续表

修正前	2012年修正后
第二节　赔偿请求人和赔偿义务机关	第二节　赔偿请求人和赔偿义务机关
第六条　受害的公民、法人和其他组织有权要求赔偿。 受害的公民死亡，其继承人和其他有扶养关系的亲属有权要求赔偿。 受害的法人或者其他组织终止，承受其权利的法人或者其他组织有权要求赔偿。 **第七条**　行政机关及其工作人员行使行政职权侵犯公民、法人和其他组织的合法权益造成损害的，该行政机关为赔偿义务机关。 两个以上行政机关共同行使行政职权时侵犯公民、法人和其他组织的合法权益造成损害的，共同行使行政职权的行政机关为共同赔偿义务机关。 法律、法规授权的组织在行使授予的行政权力时侵犯公民、法人和其他组织的合法权益造成损害的，被授权的组织为赔偿义务机关。 受行政机关委托的组织或者个人在行使受委托的行政权力时侵犯公民、法人和其他组织的合法权益造成损害的，委托的行政机关为赔偿义务机关。 赔偿义务机关被撤销的，继续行使其职权的行政机关为赔偿义务机关；没有继续行使其职权的行政机关的，撤销该赔偿义务机关的行政机关为赔偿义务机关。	**第六条**　受害的公民、法人和其他组织有权要求赔偿。 受害的公民死亡，其继承人和其他有扶养关系的亲属有权要求赔偿。 受害的法人或者其他组织终止**的，其权利承受人**有权要求赔偿。 **第七条**　行政机关及其工作人员行使行政职权侵犯公民、法人和其他组织的合法权益造成损害的，该行政机关为赔偿义务机关。 两个以上行政机关共同行使行政职权时侵犯公民、法人和其他组织的合法权益造成损害的，共同行使行政职权的行政机关为共同赔偿义务机关。 法律、法规授权的组织在行使授予的行政权力时侵犯公民、法人和其他组织的合法权益造成损害的，被授权的组织为赔偿义务机关。 受行政机关委托的组织或者个人在行使受委托的行政权力时侵犯公民、法人和其他组织的合法权益造成损害的，委托的行政机关为赔偿义务机关。 赔偿义务机关被撤销的，继续行使其职权的行政机关为赔偿义务机关；没有继续行使其职权的行政机关的，撤销该赔偿义务机关的行政机关为赔偿义务机关。

续表

修正前	2012年修正后
第八条　经复议机关复议的，最初造成侵权行为的行政机关为赔偿义务机关，但复议机关的复议决定加重损害的，复议机关对加重的部分履行赔偿义务。	**第八条**　经复议机关复议的，最初造成侵权行为的行政机关为赔偿义务机关，但复议机关的复议决定加重损害的，复议机关对加重的部分履行赔偿义务。
第三节　赔偿程序	第三节　赔偿程序
第九条　赔偿义务机关对依法确认有本法第三条、第四条规定的情形之一的，应当给予赔偿。	**第九条**　赔偿义务机关有本法第三条、第四条规定情形之一的，应当给予赔偿。
赔偿请求人要求赔偿应当先向赔偿义务机关提出，也可以在申请行政复议和提起行政诉讼时一并提出。	赔偿请求人要求赔偿，应当先向赔偿义务机关提出，也可以在申请行政复议**或者**提起行政诉讼时一并提出。
第十条　赔偿请求人可以向共同赔偿义务机关中的任何一个赔偿义务机关要求赔偿，该赔偿义务机关应当先予赔偿。	**第十条**　赔偿请求人可以向共同赔偿义务机关中的任何一个赔偿义务机关要求赔偿，该赔偿义务机关应当先予赔偿。
第十一条　赔偿请求人根据受到的不同损害，可以同时提出数项赔偿要求。	**第十一条**　赔偿请求人根据受到的不同损害，可以同时提出数项赔偿要求。
第十二条　要求赔偿应当递交申请书，申请书应当载明下列事项： （一）受害人的姓名、性别、年龄、工作单位和住所，法人或者其他组织的名称、住所和法定代表人或者主要负责人的姓名、职务； （二）具体的要求、事实根据和理由； （三）申请的年、月、日。 赔偿请求人书写申请书确有困难的，可以委托他人代书；也可以口头申请，由赔偿义务机关记入笔录。	**第十二条**　要求赔偿应当递交申请书，申请书应当载明下列事项： （一）受害人的姓名、性别、年龄、工作单位和住所，法人或者其他组织的名称、住所和法定代表人或者主要负责人的姓名、职务； （二）具体的要求、事实根据和理由； （三）申请的年、月、日。 赔偿请求人书写申请书确有困难的，可以委托他人代书；也可以口头申请，由赔偿义务机关记入笔录。

续表

修正前	2012 年修正后
	赔偿请求人不是受害人本人的，应当说明与受害人的关系，并提供相应证明。 赔偿请求人当面递交申请书的，赔偿义务机关应当当场出具加盖本行政机关专用印章并注明收讫日期的书面凭证。申请材料不齐全的，赔偿义务机关应当当场或者在五日内一次性告知赔偿请求人需要补正的全部内容。
第十三条 赔偿义务机关应当自收到申请之日起两个月内依照本法第四章的规定给予赔偿；逾期不予赔偿或者赔偿请求人对赔偿数额有异议的，赔偿请求人可以自期间届满之日起三个月内向人民法院提起诉讼。	**第十三条** 赔偿义务机关应当自收到申请之日起两个月内，**作出是否赔偿的决定。赔偿义务机关作出赔偿决定，应当充分听取赔偿请求人的意见，并可以与赔偿请求人就赔偿方式、赔偿项目和赔偿数额依照本法第四章的规定进行协商。** **赔偿义务机关决定赔偿的，应当制作赔偿决定书，并自作出决定之日起十日内送达赔偿请求人。** **赔偿义务机关决定不予赔偿的，应当自作出决定之日起十日内书面通知赔偿请求人，并说明不予赔偿的理由。** **第十四条** 赔偿义务机关**在规定期限内未作出是否赔偿的决定，**赔偿请求人可以自期限届满之日起三个月内，向人民法院提起诉讼。 **赔偿请求人对赔偿的方式、项目、数额有异议的，或者赔偿义务机关作出不予赔偿决定的，赔偿请求人可以自赔偿义务机关作出赔偿或者不予赔偿决定之日起三个月内，向人民法院提起诉讼。**

续表

修正前	2012年修正后
	第十五条 人民法院审理行政赔偿案件,赔偿请求人和赔偿义务机关对自己提出的主张,应当提供证据。 **赔偿义务机关采取行政拘留或者限制人身自由的强制措施期间,被限制人身自由的人死亡或者丧失行为能力的,赔偿义务机关的行为与被限制人身自由的人的死亡或者丧失行为能力是否存在因果关系,赔偿义务机关应当提供证据。**
第十四条 赔偿义务机关赔偿损失后,应当责令有故意或者重大过失的工作人员或者受委托的组织或者个人承担部分或者全部赔偿费用。 对有故意或者重大过失的责任人员,有关机关应当依法给予行政处分;构成犯罪的,应当依法追究刑事责任。	**第十六条** 赔偿义务机关赔偿损失后,应当责令有故意或者重大过失的工作人员或者受委托的组织或者个人承担部分或者全部赔偿费用。 对有故意或者重大过失的责任人员,有关机关应当依法给予处分;构成犯罪的,应当依法追究刑事责任。
第三章 刑事赔偿	**第三章 刑事赔偿**
第一节 赔偿范围	第一节 赔偿范围
第十五条 行使侦查、检察、审判、监狱管理职权的机关及其工作人员在行使职权时有下列侵犯人身权情形之一的,受害人有取得赔偿的权利: (一)对没有犯罪事实或者没有事实证明有犯罪重大嫌疑的人错误拘留的; (二)对没有犯罪事实的人错误逮捕的; (三)依照审判监督程序再审改判无罪,原判刑罚已经执行的;	**第十七条** 行使侦查、检察、审判职权的机关**以及看守所、监狱管理机关**及其工作人员在行使职权时有下列侵犯人身权情形之一的,受害人有取得赔偿的权利: (一)**违反刑事诉讼法的规定对公民采取拘留措施的,或者依照刑事诉讼法规定的条件和程序对公民采取拘留措施,但是拘留时间超过刑事诉讼法规定的时限,其后决定撤销案件、不起诉或者判决宣告无罪终止追究刑事责任的;**

续表

修正前	2012 年修正后
（四）刑讯逼供或者以殴打等暴力行为或者唆使他人以殴打等暴力行为造成公民身体伤害或者死亡的； （五）违法使用武器、警械造成公民身体伤害或者死亡的。	（二）**对公民采取逮捕措施后，决定撤销案件、不起诉或者判决宣告无罪终止追究刑事责任的；** **（三）**依照审判监督程序再审改判无罪，原判刑罚已经执行的； （四）刑讯逼供或者以殴打、**虐待**等行为或者唆使、**放纵**他人以殴打、**虐待**等行为造成公民身体伤害或者死亡的； （五）违法使用武器、警械造成公民身体伤害或者死亡的。
第十六条 行使侦查、检察、审判、监狱管理职权的机关及其工作人员在行使职权时有下列侵犯财产权情形之一的，受害人有取得赔偿的权利： （一）违法对财产采取查封、扣押、冻结、追缴等措施的； （二）依照审判监督程序再审改判无罪，原判罚金、没收财产已经执行的。	**第十八条** 行使侦查、检察、审判职权的机关**以及看守所、监狱管理机关**及其工作人员在行使职权时有下列侵犯财产权情形之一的，受害人有取得赔偿的权利： （一）违法对财产采取查封、扣押、冻结、追缴等措施的； （二）依照审判监督程序再审改判无罪，原判罚金、没收财产已经执行的。
第十七条 属于下列情形之一的，国家不承担赔偿责任： （一）因公民自己故意作虚伪供述，或者伪造其他有罪证据被羁押或者被判处刑罚的； （二）依照刑法第十四条、第十五条规定不负刑事责任的人被羁押的； （三）依照刑事诉讼法第十一条规定不追究刑事责任的人被羁押的； （四）行使国家侦查、检察、审判、监狱管理职权的机关的工作人员与行使职权无关的个人行为；	**第十九条** 属于下列情形之一的，国家不承担赔偿责任： （一）因公民自己故意作虚伪供述，或者伪造其他有罪证据被羁押或者被判处刑罚的； （二）依照刑法第**十七**条、第**十八**条规定不负刑事责任的人被羁押的； （三）依照刑事诉讼法第**十五**条、**第一百四十二条第二款**规定不追究刑事责任的人被羁押的； （四）行使侦查、检察、审判职权的机关**以及看守所、监狱管理机关**的工作

续表

修正前	2012年修正后
（五）因公民自伤、自残等故意行为致使损害发生的； （六）法律规定的其他情形。	人员与行使职权无关的个人行为； （五）因公民自伤、自残等故意行为致使损害发生的； （六）法律规定的其他情形。
第二节 赔偿请求人和赔偿义务机关	第二节 赔偿请求人和赔偿义务机关
第十八条 赔偿请求人的确定依照本法第六条的规定。	**第二十条** 赔偿请求人的确定依照本法第六条的规定。
第十九条 行使国家侦查、检察、审判、监狱管理职权的机关及其工作人员在行使职权时侵犯公民、法人和其他组织的合法权益造成损害的，该机关为赔偿义务机关。 对没有犯罪事实或者没有事实证明有犯罪重大嫌疑的人错误拘留的，作出拘留决定的机关为赔偿义务机关。 对没有犯罪事实的人错误逮捕的，作出逮捕决定的机关为赔偿义务机关。 再审改判无罪的，作出原生效判决的人民法院为赔偿义务机关。二审改判无罪的，作出一审判决的人民法院和作出逮捕决定的机关为共同赔偿义务机关。	**第二十一条** 行使侦查、检察、审判职权的机关**以及看守所、监狱管理机关**及其工作人员在行使职权时侵犯公民、法人和其他组织的合法权益造成损害的，该机关为赔偿义务机关。 **对公民采取拘留措施，依照本法的规定应当给予国家赔偿的，作出拘留决定的机关为赔偿义务机关。** **对公民采取逮捕措施后决定撤销案件、不起诉或者判决宣告无罪的，作出逮捕决定的机关为赔偿义务机关。** 再审改判无罪的，作出原生效判决的人民法院为赔偿义务机关。二审改判无罪，**以及二审发回重审后作无罪处理的**，作出一审**有罪**判决的人民法院为赔偿义务机关。
第三节 赔偿程序	第三节 赔偿程序
第二十条 赔偿义务机关对依法确认有本法第十五条、第十六条规定的情形之一的，应当给予赔偿。 赔偿请求人要求确认有本法第十五条、第十六条规定情形之一的，被要求的机关不予确认的，赔偿	**第二十二条** 赔偿义务机关有本法**第十七条、第十八条**规定情形之一的，应当给予赔偿。 赔偿请求人要求赔偿，应当先向赔偿义务机关提出。

续表

修正前	2012年修正后
请求人有权申诉。 赔偿请求人要求赔偿，应当先向赔偿义务机关提出。 赔偿程序适用本法第十条、第十一条、第十二条的规定。	**赔偿请求人提出赔偿请求，适用本法第十一条、第十二条的规定。**
第二十一条 赔偿义务机关应当自收到申请之日起两个月内依照本法第四章的规定给予赔偿；逾期不予赔偿或者赔偿请求人对赔偿数额有异议的，赔偿请求人可以自期间届满之日起三十日内向其上一级机关申请复议。 赔偿义务机关是人民法院的，赔偿请求人可以依照前款规定向其上一级人民法院赔偿委员会申请作出赔偿决定。	**第二十三条** 赔偿义务机关应当自收到申请之日起两个月内，**作出是否赔偿的决定。赔偿义务机关作出赔偿决定，应当充分听取赔偿请求人的意见，并可以与赔偿请求人就赔偿方式、赔偿项目和赔偿数额依照本法第四章的规定进行协商。** **赔偿义务机关决定赔偿的，应当制作赔偿决定书，并自作出决定之日起十日内送达赔偿请求人。** **赔偿义务机关决定不予赔偿的，应当自作出决定之日起十日内书面通知赔偿请求人，并说明不予赔偿的理由。** **第二十四条 赔偿义务机关在规定期限内未作出是否赔偿的决定，赔偿请求人可以自期限届满之日起三十日内向赔偿义务机关的上一级机关申请复议。** **赔偿请求人对赔偿的方式、项目、数额有异议的，或者赔偿义务机关作出不予赔偿决定的，赔偿请求人可以自赔偿义务机关作出赔偿或者不予赔偿决定之日起三十日内，向赔偿义务机关的上一级机关申请复议。** 赔偿义务机关是人民法院的，赔偿请求人可以依照**本条**规定向其上一级人民法院赔偿委员会申请作出赔偿决定。

续表

修正前	2012 年修正后
第二十二条　复议机关应当自收到申请之日起两个月内作出决定。 赔偿请求人不服复议决定的，可以在收到复议决定之日起三十日内向复议机关所在地的同级人民法院赔偿委员会申请作出赔偿决定；复议机关逾期不作决定的，赔偿请求人可以自期间届满之日起三十日内向复议机关所在地的同级人民法院赔偿委员会申请作出赔偿决定。	**第二十五条**　复议机关应当自收到申请之日起两个月内作出决定。 赔偿请求人不服复议决定的，可以在收到复议决定之日起三十日内向复议机关所在地的同级人民法院赔偿委员会申请作出赔偿决定；复议机关逾期不作决定的，赔偿请求人可以自期**限**届满之日起三十日内向复议机关所在地的同级人民法院赔偿委员会申请作出赔偿决定。
	第二十六条　人民法院赔偿委员会处理赔偿请求，赔偿请求人和赔偿义务机关对自己提出的主张，应当提供证据。 **被羁押人在羁押期间死亡或者丧失行为能力的，赔偿义务机关的行为与被羁押人的死亡或者丧失行为能力是否存在因果关系，赔偿义务机关应当提供证据。**
	第二十七条　人民法院赔偿委员会处理赔偿请求，采取书面审查的办法。必要时，可以向有关单位和人员调查情况、收集证据。赔偿请求人与赔偿义务机关对损害事实及因果关系有争议的，赔偿委员会可以听取赔偿请求人和赔偿义务机关的陈述和申辩，并可以进行质证。
	第二十八条　人民法院赔偿委员会应当自收到赔偿申请之日起三个月内作出决定；属于疑难、复杂、重大案件的，经本院院长批准，可以延长三个月。

续表

修正前	2012 年修正后
第二十三条 中级以上的人民法院设立赔偿委员会，由人民法院三名至七名审判员组成。 赔偿委员会作赔偿决定，实行少数服从多数的原则。 赔偿委员会作出的赔偿决定，是发生法律效力的决定，必须执行。	**第二十九条** 中级以上的人民法院设立赔偿委员会，由人民法院**三名以上**审判员组成，**组成人员的人数应当为单数**。 赔偿委员会作赔偿决定，实行少数服从多数的原则。 赔偿委员会作出的赔偿决定，是发生法律效力的决定，必须执行。
	第三十条 赔偿请求人或者赔偿义务机关对赔偿委员会作出的决定，认为确有错误的，可以向上一级人民法院赔偿委员会提出申诉。 **赔偿委员会作出的赔偿决定生效后，如发现赔偿决定违反本法规定的，经本院院长决定或者上级人民法院指令，赔偿委员会应当在两个月内重新审查并依法作出决定，上一级人民法院赔偿委员会也可以直接审查并作出决定。** **最高人民检察院对各级人民法院赔偿委员会作出的决定，上级人民检察院对下级人民法院赔偿委员会作出的决定，发现违反本法规定的，应当向同级人民法院赔偿委员会提出意见，同级人民法院赔偿委员会应当在两个月内重新审查并依法作出决定。**
第二十四条 赔偿义务机关赔偿损失后，应当向有下列情形之一的工作人员追偿部分或者全部赔偿费用：	**第三十一条** 赔偿义务机关赔偿后，应当向有下列情形之一的工作人员追偿部分或者全部赔偿费用：

续表

修正前	2012年修正后
（一）有本法第十五条第（四）、（五）项规定情形的； （二）在处理案件中有贪污受贿，徇私舞弊，枉法裁判行为的。 对有前款（一）、（二）项规定情形的责任人员，有关机关应当依法给予行政处分；构成犯罪的，应当依法追究刑事责任。	（一）有本法**第十七条第四项、第五项**规定情形的； （二）在处理案件中有贪污受贿，徇私舞弊，枉法裁判行为的。 对有前款规定情形的责任人员，有关机关应当依法给予处分；构成犯罪的，应当依法追究刑事责任。
第四章 赔偿方式和计算标准	**第四章 赔偿方式和计算标准**
第二十五条 国家赔偿以支付赔偿金为主要方式。 能够返还财产或者恢复原状的，予以返还财产或者恢复原状。	**第三十二条** 国家赔偿以支付赔偿金为主要方式。 能够返还财产或者恢复原状的，予以返还财产或者恢复原状。
第二十六条 侵犯公民人身自由的，每日的赔偿金按照国家上年度职工日平均工资计算。	**第三十三条** 侵犯公民人身自由的，每日赔偿金按照国家上年度职工日平均工资计算。
第二十七条 侵犯公民生命健康权的，赔偿金按照下列规定计算： （一）造成身体伤害的，应当支付医疗费，以及赔偿因误工减少的收入。减少的收入每日的赔偿金按照国家上年度职工日平均工资计算，最高额为国家上年度职工年平均工资的五倍； （二）造成部分或者全部丧失劳动能力的，应当支付医疗费，以及残疾赔偿金，残疾赔偿金根据丧失劳动能力的程度确定，部分丧失劳动能力的最高额为国家上年度职工年平均工资的十倍，全部丧失劳动	**第三十四条** 侵犯公民生命健康权的，赔偿金按照下列规定计算： （一）造成身体伤害的，应当支付医疗费、**护理费**，以及赔偿因误工减少的收入。减少的收入每日的赔偿金按照国家上年度职工日平均工资计算，最高额为国家上年度职工年平均工资的五倍； （二）造成部分或者全部丧失劳动能力的，应当支付医疗费、**护理费、残疾生活辅助具费、康复费等因残疾而增加的必要支出和继续治疗所必需的费用**，以及残疾赔偿金。残疾赔偿金根据丧失劳动能力的程度，**按照国家规**

续表

修正前	2012 年修正后
能力的为国家上年度职工年平均工资的二十倍。造成全部丧失劳动能力的，对其扶养的无劳动能力的人，还应当支付生活费； （三）造成死亡的，应当支付死亡赔偿金、丧葬费，总额为国家上年度职工年平均工资的二十倍。对死者生前扶养的无劳动能力的人，还应当支付生活费。 前款第（二）、（三）项规定的生活费的发放标准参照当地民政部门有关生活救济的规定办理。被扶养的人是未成年人的，生活费给付至十八周岁止；其他无劳动能力的人，生活费给付至死亡时止。	**定的伤残等级确定，最高不超过**国家上年度职工年平均工资的二十倍。造成全部丧失劳动能力的，对其扶养的无劳动能力的人，还应当支付生活费； （三）造成死亡的，应当支付死亡赔偿金、丧葬费，总额为国家上年度职工年平均工资的二十倍。对死者生前扶养的无劳动能力的人，还应当支付生活费。 前款**第二项、第三项**规定的生活费的发放标准，参照当地**最低生活保障标准执行**。被扶养的人是未成年人的，生活费给付至十八周岁止；其他无劳动能力的人，生活费给付至死亡时止。
第三十条　赔偿义务机关对依法确认有本法第三条第（一）、（二）项、第十五条第（一）、（二）、（三）项规定的情形之一，并造成受害人名誉权、荣誉权损害的，应当在侵权行为影响的范围内，为受害人消除影响，恢复名誉，赔礼道歉。	**第三十五条　有本法第三条或者第十七条规定**情形之一，**致人精神损害的**，应当在侵权行为影响的范围内，为受害人消除影响，恢复名誉，赔礼道歉；**造成严重后果的，应当支付相应的精神损害抚慰金**。
第二十八条　侵犯公民、法人和其他组织的财产权造成损害的，按照下列规定处理： （一）处罚款、罚金、追缴、没收财产或者违反国家规定征收财物、摊派费用的，返还财产； （二）查封、扣押、冻结财产的，解除对财产的查封、扣押、冻结，造成财产损坏或者灭失的，依照本条第（三）、（四）项的规定赔偿；	**第三十六条**　侵犯公民、法人和其他组织的财产权造成损害的，按照下列规定处理： （一）处罚款、罚金、追缴、没收财产或者**违法征收、征用财产的**，返还财产； （二）查封、扣押、冻结财产的，解除对财产的查封、扣押、冻结，造成财产损坏或者灭失的，依照本条**第三项、第四项**的规定赔偿；

续表

修正前	2012 年修正后
（三）应当返还的财产损坏的，能够恢复原状的恢复原状，不能恢复原状的，按照损害程度给付相应的赔偿金； （四）应当返还的财产灭失的，给付相应的赔偿金； （五）财产已经拍卖的，给付拍卖所得的价款； （六）吊销许可证和执照、责令停产停业的，赔偿停产停业期间必要的经常性费用开支； （七）对财产权造成其他损害的，按照直接损失给予赔偿。	（三）应当返还的财产损坏的，能够恢复原状的恢复原状，不能恢复原状的，按照损害程度给付相应的赔偿金； （四）应当返还的财产灭失的，给付相应的赔偿金； **（五）**财产已经拍卖**或者变卖的，**给付拍卖**或者变卖**所得的价款；**变卖的价款明显低于财产价值的，应当支付相应的赔偿金；** （六）吊销许可证和执照、责令停产停业的，赔偿停产停业期间必要的经常性费用开支； **（七）返还执行的罚款或者罚金、追缴或者没收的金钱，解除冻结的存款或者汇款的，应当支付银行同期存款利息；** （八）对财产权造成其他损害的，按照直接损失给予赔偿。
第二十九条　赔偿费用，列入各级财政预算，具体办法由国务院规定。	**第三十七条**　赔偿费用列入各级财政预算。 **赔偿请求人凭生效的判决书、复议决定书、赔偿决定书或者调解书，向赔偿义务机关申请支付赔偿金。** **赔偿义务机关应当自收到支付赔偿金申请之日起七日内，依照预算管理权限向有关的财政部门提出支付申请。财政部门应当自收到支付申请之日起十五日内支付赔偿金。** **赔偿费用预算与支付管理的**具体办法由国务院规定。

续表

修正前	2012 年修正后
第五章　其他规定	**第五章　其他规定**
第三十一条　人民法院在民事诉讼、行政诉讼过程中，违法采取对妨害诉讼的强制措施、保全措施或者对判决、裁定及其他生效法律文书执行错误，造成损害的，赔偿请求人要求赔偿的程序，适用本法刑事赔偿程序的规定。	**第三十八条**　人民法院在民事诉讼、行政诉讼过程中，违法采取对妨害诉讼的强制措施、保全措施或者对判决、裁定及其他生效法律文书执行错误，造成损害的，赔偿请求人要求赔偿的程序，适用本法刑事赔偿程序的规定。
第三十二条　赔偿请求人请求国家赔偿的时效为两年，自国家机关及其工作人员行使职权时的行为被依法确认为违法之日起计算，但被羁押期间不计算在内。 赔偿请求人在赔偿请求时效的最后六个月内，因不可抗力或者其他障碍不能行使请求权的，时效中止。从中止时效的原因消除之日起，赔偿请求时效期间继续计算。	**第三十九条**　赔偿请求人请求国家赔偿的时效为两年，自**其知道或者应当知道**国家机关及其工作人员行使职权时的行为**侵犯其人身权、财产权之日起计算**，但被羁押**等限制人身自由**期间不计算在内。**在申请行政复议或者提起行政诉讼时一并提出赔偿请求的，适用行政复议法、行政诉讼法有关时效的规定。** 赔偿请求人在赔偿请求时效的最后六个月内，因不可抗力或者其他障碍不能行使请求权的，时效中止。从中止时效的原因消除之日起，赔偿请求时效期间继续计算。
第三十三条　外国人、外国企业和组织在中华人民共和国领域内要求中华人民共和国国家赔偿的，适用本法。 外国人、外国企业和组织的所属国对中华人民共和国公民、法人和其他组织要求该国国家赔偿的权利不予保护或者限制的，中华人民共和国与该外国人、外国企业和组织的所属国实行对等原则。	**第四十条**　外国人、外国企业和组织在中华人民共和国领域内要求中华人民共和国国家赔偿的，适用本法。 外国人、外国企业和组织的所属国对中华人民共和国公民、法人和其他组织要求该国国家赔偿的权利不予保护或者限制的，中华人民共和国与该外国人、外国企业和组织的所属国实行对等原则。

续表

修正前	2012 年修正后
第六章　附　　则	**第六章　附　　则**
第三十四条　赔偿请求人要求国家赔偿的，赔偿义务机关、复议机关和人民法院不得向赔偿请求人收取任何费用。 对赔偿请求人取得的赔偿金不予征税。	**第四十一条**　赔偿请求人要求国家赔偿的，赔偿义务机关、复议机关和人民法院不得向赔偿请求人收取任何费用。 对赔偿请求人取得的赔偿金不予征税。
第三十五条　本法自 1995 年 1 月 1 日起施行。	**第四十二条**　本法自 1995 年 1 月 1 日起施行。